북한 핵 문제

IAEA 핵안전조치 협정 체결 1

북한 핵 문제

IAEA 핵안전조치 협정 체결 1

한국학술정보

| 머리말

1985년 북한은 소련의 요구로 핵확산금지조약(NPT)에 가입한다. 그러나 그로부터 4년 뒤, 60년대 소련이 영변에 조성한 북한의 비밀 핵 연구단지 사진이 공개된다. 냉전이 종속되어 가던 당시 북한은 이로 인한 여러 국제사회의 경고 및 외교 압력을 받았으며, 1990년 국제원자력기구(IAEA)는 북핵 문제에 대해 강력한 사찰을 추진한다. 북한은 영변 핵시설의 사찰 조건으로 남한 내 미군기지 사찰을 요구하는 등 여러 이유를 댔으나 결국 3차에 걸친 남북 핵협상과 남북핵통제공동위원회 합의 등을 통해 이를 수용하였고, 결국 1992년 안전조치협정에도 서명하겠다고 발표한다. 그러나 그로부터 1년 뒤 북한은 한미 합동훈련의 재개에 반대하며 IAEA의 특별사찰을 거부하고 NPT를 탈퇴한다. 이에 UN 안보리는 대북 제재를 실행하면서 1994년 제네바 합의 전까지 남북 관계는 극도로 경직되게 된다.

본 총서는 외교부에서 작성하여 최근 공개한 1991~1992년 북한 핵 문제 관련 자료를 담고 있다. 북한의 핵안전조치협정의 체결 과정과 북한 핵시설 사찰 과정, 그와 관련된 미국의 동향과 일본, 러시아, 중국 등 우방국 협조와 관련한 자료까지 총 14권으로 구성되었다. 전체 분량은 약 7천여 쪽에 이른다.

2024년 3월

한국학술정보(주)

| 일러두기

· 본 총서에 실린 자료는 2022년 4월과 2023년 4월에 각각 공개한 외교문서 4,827권, 76만여 쪽 가운데 일부를 발췌한 것이다.

· 각 권의 제목과 순서는 공개된 원본을 최대한 반영하였으나, 주제에 따라 일부는 적절히 변경하였다.

· 원본 자료는 A4 판형에 맞게 축소하거나 원본 비율을 유지한 채 A4 페이지 안에 삽입하였다. 또한 현재 시점에선 공개되지 않아 '공란'이란 표기만 있는 페이지 역시 그대로 실었다.

· 외교부가 공개한 문서 각 권의 첫 페이지에는 '정리 보존 문서 목록'이란 이름으로 기록물 종류, 일자, 명칭, 간단한 내용 등의 정보가 수록되어 있으며, 이를 기준으로 0001번부터 번호가 매겨져 있다. 이는 삭제하지 않고 총서에 그대로 수록하였다.

· 보고서 내용에 관한 더 자세한 정보가 필요하다면, 외교부가 온라인상에 제공하는 『대한민국 외교사료요약집』 1991년과 1992년 자료를 참조할 수 있다.

| 차례

정 리 보 존 문 서 목 록

기록물종류	일반공문서철	등록번호	2020010077	등록일자	2020-01-14
분류번호	726.62	국가코드		보존기간	영구
명 칭	북한.IAEA(국제원자력기구) 간의 핵안전조치협정 체결, 1991-92. 전15권				
생 산 과	국제기구과/국제연합1과	생산년도	1991~1992	담당그룹	
권 차 명	V.1 1991.1-2월				
내용목차	* 2.22 북한의 핵안전협정 체결 관련, 우방국 공동서명 대북한 반박문서 * 2.26-28 IAEA 2월 이사회(Vienna) - 북한 핵안전협정 문제 토의 유엔 안보리 제출(배포) - 공동서명 우방국: 미국, 일본, 호주, 캐나다, 폴란드				

0001

북한의 IAEA 와의 안전조치협정 체결문제

91. 1.5
장관 업무보고시 작성

1. 경과

o 북한은 85.12월 NPT에 가입하였으며, 동조약 규정(제3조)에 의거 IAEA와의 안전조치 협정 체결 교섭 개시 18개월 이내에 안전조치 협정을 체결해야 할 의무가 있음.

o 그러나 87.6월 시작된 북한-IAEA간 안전조치협정 체결 교섭은 북한측이 IAEA의 권능에 속하지 않는 정치적 문제(주한 미군 보유 핵무기 철수, 미국의 대북한 핵선제 불사용 보장)를 협정 체결의 전제조건으로 내세우고, 이에 대한 미국과의 직접 협상을 요구 함으로써 진전을 보지 못하고 있음.

2. 최근 북한측 동향

o 북한은 90.11.21자 유엔 안보리 문서 및 90.12.11자 IAEA 이사회 회람 문서 배포를 통하여 핵안전조치협정의 서명이 지연되고 있는것은 IAEA와 북한간의 문제때문이 아니라 미.북한 관계 때문임을 IAEA가 발표했다고 사실을 왜곡 선전하면서, 미국의 핵선제 불사용 보장문제를 논의키 위한 대미 직접 협상의 개시를 재차 요구함.

3. 관련국 입장

가. 미국측 입장

o 미국은 일반적인 핵선제 불사용 선언을 반복하는 문서를 IAEA에 제출할 용의를 표명했으나, 북한을 특별히 지칭한 핵선제 불사용 선언은 불가하다는 입장을 고수함.

0002

o 미측은 북한이 핵안전조치 협정 체결과 미국의 핵위협을 연계 시키는 것은 미국과의 관계개선을 위한 전술적 수단으로 이용 하려는 것이라는 판단하에, 핵문제는 미-북한 관계 개선의 고섭 수단이 될 수 없다는 입장임.

o 북한의 유엔 안보리 문서 및 IAEA 이사회 문서 배포에 의한 왜곡선전에 대응하여, 미국은 북한의 핵문제가 남.북한간만의 문제가 아니라 국제사회에 대한 북한의 책임문제라는 점에서 우방국 공동명의의 유엔 안보리의장 앞 서한 제출 및 IAEA 사무총장의 해명과 성명 발표를 추진함.

o 미국은 90.12.3. 서방 7개국(영, 불, 독, 이태리, 오지리, 카나다, 호주)에 대해 북한과의 관계개선을 추진함에 있어서 북한의 핵안전조치 협정 서명이 최우선의 고려가 되어야 할 것이라는 미국의 입장을 전달함.

나. IAEA 사무국측 입장

o IAEA 사무총장은 북한이 미국의 핵선제 불사용 보장을 안전조치 협정 체결의 전제조건으로 요구한데 대하여 동 문제는 미-북한간 문제이며, IAEA는 직접 개입하지 않는다는 입장을 표명함(90.11.2 Blix 사무총장의 일본 경제신문과의 인터뷰시)

o IAEA측은 북한의 유엔 안보리 및 IAEA 이사회 문서에 대한 아측 (아국, 미, 일)의 공식 해명 요구에 대해 특정국가를 지칭하여 해명하는 것은 IAEA 관례에 어긋나며 북측 성명의 내용에 본질상 하자가 없다는 반응을 보였음.

0003

o 그러나 미측이 IAEA의 해명을 재차 요청한 결과, IAEA 사무국은 Blix 사무총장의 인터뷰 기사에 대한 해명문과 주오지리 미대사의 대북한 반박 서한을 북한측 IAEA 이사회 회랍문서에 대한 Addendum 으로 배포함(91.1.2자)

o 또한 91.2월 IAEA 이사회(2.26-28, 비엔나)에서 Blix 사무총장은 동경 기자회견을 상세 보고하고 자신이 북한측 입장을 용인하는 것이 아님을 밝힐 예정임.

다. 쏘련측 입장

o 북한의 핵 개발이 쏘련의 아.태 정책에도 부합되지 않고 NPT 체제 유지에도 저해되므로 북한의 핵개발에 반대한다는 입장임.

o 90.12. 한.쏘 정상회담시 쏘련 반응(고르바초프 대통령 언급내용)

- 북한이 핵안전 협정에 가입해야 한다고 생각하며, 이러한 뜻을 북한에 수차 전달한 바 있음.

- 주한미군의 핵무기가 당장 철거되어야 한다고는 주장하지 않으나, 미국이 북한에 대해 핵불사용 선언을 하는것이 문제 해결에 도움이 될것으로 봄.

- 가장 이상적인 해결책은 남북한이 핵무기를 보유하지 않기로 상호 합의하는 방안일 것임.

0004

4. 분석 및 평가

o 북한은 제4차 NPT 평가회의(90.8.20-9.14)를 앞두고 미국의 명시적인 핵선제 불사용 보장을 논의하기 위해 대미 직접 협상의 개최를 요구한바 있음. 북한이 유엔 안보리 문서와 IAEA 이사회 문서 배포를 통하여 협정 체결 지연 이유가 미.북한간 관계 때문이라고 주장하면서 미국과의 직접 협상을 재차 요구한것은 북한이 당분간 협정 체결에는 응할뜻이 없고 동 문제를 의제로 미국과의 공식적인 정부간 접촉을 실현시키려는 의도로 보임.

o 북한은 미국이 협상에 불응할 경우 유엔, IAEA등에서 대미공격의 구실로 이용하되, 미국이 직접 협상에 응해올 경우 대미 협상을 개시한후 남.북대화 및 일본과의 수교협상등 대서방 관계 개선 추진에 활용하는 전략을 펼것으로 관측됨.

o 미국은 북한의 핵안전 협정 체결을 미-북한 관계개선의 전제조건으로 못박고 일본등 주요 서방국의 대북한 관계개선 추진에 있어서도 미국의 정책에 동참을 촉구함으로써 중.쏘의 대한관계 개선으로 인한 외교적 고립을 탈피하려는 북한에 대하여 외교적 압력을 가하여 북한이 핵안전협정 체결에 응하도록 하는 외교정책을 추진하고 있음. 견지

0005

미국-IAEA간 협의 진전사항

(Christenson 서기관의90.12.27 설명 요지)

o 주 오지리 미대사관이 근간 IAEA Blix 사무총장을 접촉한 결과를 보고해온 바에 의하면,

- Blix 총장은 주오지리 북한대사관 대하여 최근 회원국들로부터 북한의 유엔 안보리 및 IAEA 성명 배포 내용에 대하여 불평(Complain) 이 있었음을 지적함
- Blix 총장은 91.2월 IAEA 이사회 remarks를 통하여 자신의 동경 회견 내용이 북한측 입장을 용인 (endorse) 하는것이 아님을 밝힐 예정임.
- Blix 총장은 미국으로부터 핵선제 불사용(NSA) 정책에 관한 Compromise를 끌어내려고하는 의도가 있는듯하나 미국으로서는 기존 NSA 정책에 대해 변경할 필요성이나 의도가 없음을 분명히 함
  . 미국은 그간 수차례에 걸쳐 주요 국제회의등(CD,NPT Revcon등)에서 NSA 정책을 대외에 천명하여 왔으며, 북한도 동 일반적인 NSA 적용 대상에 당연히 포함됨
  . 미국은 NSA 관련 이를 변경하거나 협상할 의도가 전혀없음

o 최근 주 오지리 미국대사 (Newlin)는 IAEA 측에 서한을 보내여 이를 IAEA 이사국에 배포해줄 것을 요청하였는 바, 동 서한 내용은 별첨 문안과 같음.

- 미국은 동 이사회문서 배포관련 영국, 독일,화란 일본 및 호주 5개국에 미국의 입장을 강력히 지지하여 줄 것을 요청한 바있음.

o 아울러 Newlin 대사는 현지에서 한국 및 일본대사와 긴밀한 협의를 갖고있음

첨 부 : Newlin 대사의 IAEA앞 서한 1부. 끝.

0006

Dear Mr. Blix:

The United States has taken note of the statement of the Democratic People's Republic of Korea (DPRK) in GOV/INF/594 (a nearly identical statement was issued as Security Council Document S/21957). The United States fully concurs with the following well-known position of the International Atomic Energy Agency on this issue:

Negotiations for the Safeguards Agreement required under the Treaty on the Non-Proliferation of Nuclear Weapons (NPT) between the DPRK and the IAEA have completed, and it could be submitted to the Board of Governors for approval at its next meeting; and

Issues which may arise between states are not relevant to negotiation and conclusion by an NPT party of a Safeguards Agreement under the treaty.

Furthermore, the demand of one member state for negative security assurances from another member state is not a matter of direct concern to the IAEA.

The United States has issued a general negative security assurance which applies to all countries that meet the specified criteria, including the DPRK, provided that the DPRK meets the criteria.

I request that Agency circulate the above statement as an information document for the Board of Governors (GOV/INF/594/ADD.1) in addition to the proposed IAEA statement which was provided to the U.S. Mission in draft on December 11. Letter signed by Ambasador Newlin.

0007

C O N F I D E N T I A L STATE 426161/01

BLIX MAKING FOLLOWING POINTS, AND REQUEST ITS CIRCULATION AS AN INFO DOCUMENT TO THE BOARD OF GOVERNORS:

A.) US HAS TAKEN NOTE OF DPRK STATEMENT IN SC DOCUMENT S/21957.

B.) WE ARE IN FULL CONCURRENCE WITH THE FOLLOWING WELL-KNOWN POSITION OF THE IAEA ON THIS ISSUE;

C.) IN PARTICULAR, WE AGREE THAT:

- - NEGOTIATIONS FOR THE SAFEGUARDS AGREEMENT REQUIRED UNDER THE NPT BETWEEN THE DPRK AND THE IAEA HAVE BEEN COMPLETED, AND IT COULD BE SUBMITTED TO THE BOARD OF GOVERNORS FOR APPROVAL AT ITS NEXT MEETING;

- - ISSUES WHICH MAY ARISE BETWEEN STATES ARE NOT RELEVANT TO NEGOTIATION AND CONCLUSION BY AN NPT PARTY OF A SAFEGUARDS AGREEMENT UNDER THE TREATY;

- - ADDITIONALLY, THE DEMAND BY ONE MEMBER STATE FOR NEGATIVE SECURITY ASSURANCES FROM ANOTHER MEMBER STATE IS NOT A MATTER OF DIRECT CONCERN TO THE IAEA.

D.) THE U.S. HAS ISSUED A GENERAL NEGATIVE SECURITY ASSURANCE WHICH APPLIES TO ALL COUNTRIES THAT MEET SPECIFIED CRITERIA INCLUDING NORTH KOREA PROVIDED THAT IT MEETS THE CRITERIA.

0008

기 1/5 길

원 본

외 무 부

암호수신

종 별 :

번 호 : AVW-0010 일 시 : 91 0104 1500

수 신 : 장관(국기,미안,과기처,주미,유엔대사(본부중계요))

발 신 : 주 오스트리아대사

제 목 : 북한의 핵안전문제(IAEA 이사회 문서)

연:AVW-1727

IAEA 사무국은 91.1.2. 자 IAEA 이사회 회람(GOV/INF/594/ADD.1-2)을 통해서 연호 3 항과 동일한 문서를 각 회원국에 배포하였음.

(끝)

국기국 미주국 과기처

PAGE 1

91.01.05 04:54

외신 2과 통제관 FE

0009

1/15 길

대 한 민 국
주 오 스 트 리 아 대 사 관

오스트리아 20332-32 1990. 1 .7 .

수 신 : 외무부장관

참 조 : 국제기구과장, 과기처장관(기술협력관)

제 목 : 북한의 핵 안전 협정 문제

1. 관련 : AVW - 0010

2. 북한의 핵안전 협정 문제에 관한 IAEA 서한을 별첨과 같이 송부하오니 참고하시기 바랍니다.

참 조 1. COV/ INF/ 594/ Add.1(91.1.2)1 부

2. GOV/ INF/ 594/Add.2 (91.1.2) 1부. 끝.

주 오 스 트 리 아 대 사

기 01537

0010

GOV/INF/594/Add.1
2 January 1991

RESTRICTED Distr.
Original: ENGLISH
and JAPANESE

International Atomic Energy Agency

BOARD OF GOVERNORS

For official use only

STATEMENT OF THE FOREIGN MINISTRY OF THE DEMOCRATIC PEOPLE'S REPUBLIC OF KOREA

Information provided by the Secretariat

Some Missions have asked for the text of the "announcement" to which reference is made in the seventh paragraph of the Foreign Ministry statement. There was no announcement as such, but the Secretariat has been informed that the term refers to an article, based upon an interview with the Director General, which appeared in the "Japan Economic Journal" on 2 November. The relevant passage, translated from the Japanese original text, reads as follows:

The IAEA has been negotiating with North Korea since 1985 and searching for a way to solve the problem of accepting inspections. Mr. Blix explained the history of these negotiations in the interview:

> "We are in full agreement concerning the agreement document on how to conduct inspections", he stated clearly.

Further, the Director General, carefully selecting the words, made his view known on the prospect of concluding the agreement, expressing his expectation for earlier conclusion:

> "The Board of Governors' meeting of the IAEA will be held in December and I hope it will be completed by then."

Concerning the fact that North Korea requests as a condition of concluding the agreement with the IAEA:

> 'Assurance that the USA will not use a nuclear weapon against North Korea' he stated that "this is an issue between North Korea and the USA, and the IAEA has no direct involvement in it"

indicating that this is to be left to the talks between the two countries.

3742Y/200Y

90-05756

0011

International Atomic Energy Agency

BOARD OF GOVERNORS

For official use only

GOV/INF/594/Add.2
2 January 1991

RESTRICTED Distr.
Original: ENGLISH

STATEMENT OF THE FOREIGN MINISTRY
OF THE DEMOCRATIC PEOPLE'S REPUBLIC OF KOREA

Communication received from the United States of America

The attached text of a letter received from the Resident Representative of the United States of America is being circulated at his request to members of the Board of Governors.

3742Y/200Y

90-05762

0012

ATTACHMENT

LETTER RECEIVED BY THE DIRECTOR GENERAL FROM THE
RESIDENT REPRESENTATIVE OF THE UNITED STATES OF AMERICA

December 20, 1990

Dear Dr. Blix:

The United States has taken note of the statement of the Democratic People's Republic of Korea (DPRK) in GOV/INF/594 (a nearly identical statement was issued as Security Council Document S/21957). The United States fully concurs with the following well-known position of the International Atomic Energy Agency on this issue:

> Negotiations for the safeguards agreement required under the Treaty on the Non-Proliferation of Nuclear Weapons (NPT) between the DPRK and the IAEA have been completed, and it could be submitted to the Board of Governors for approval at its next meeting; and
>
> Issues which may arise between States are not relevant to negotiation and conclusion by an NPT party of a safeguards agreement under the Treaty.

Furthermore, the demand of one Member State for negative security assurances from another Member State is not a matter of direct concern to the IAEA.

The United States has issued a general negative security assurance which applies to all countries that meet the specified criteria, including the DPRK, provided that the DPRK meets the criteria.

I request that Agency circulate the above statement as an information document for the Board of Governors.

Sincerely,

(signed) Michael H. Newlin
Ambassador

0013

공 란

공 란

공 란

공 란

공　　　　란

공 란

공 란

공 란

공 란

공　　　란

공 란

공 란

관리번호	91-7

분류번호	보존기간

발 신 전 보

번 호 : WUS-0090 910110 1712 DP 종별 :

수 신 : 주 미 대사, ~~총영사~~ (사본 : 주유엔, 오지리대사) WUN -0044 WAV -0020

발 신 : 장 관 (국기, 미안)

제 목 : 북한의 핵안전협정 문제

대 : USW-5594(90.12.18)

1. 오는 2.26-28간 비엔나에서 개최 예정인 IAEA 이사회에 대비하여 북한의 핵안전협정 서명 문제에 대한 미측의 대처 방안을 파악, 수시 보고바랍.

2. 특히, 북한의 유엔 안보리 및 IAEA 이사회 문서배포 이후의 대책으로 미국이 추진키로 한 대호 8개국 공동명의의 유엔 안보리 의장 앞 서한 제출이 현재까지 이루어지지 않고 있는바, 동건에 대한 미측의 추진 내용을 파악, 보고 바라며, IAEA 2월 이사회시 대북한 협정 체결 촉구 결의문 채택추신에 대한 미측 의견을 타진, 보고바랍. 끝

~~(국제기구조약국장 문동석)~~

일반문서로 재분류(1991.12.31.)

예고 : 91.12.31 일반

검 토 필(1991 . 6 . 30.)

안보과장: [signature] 미주국장: [signature]

보안통제	[signature]

앙고재	91년 1월 10일	국기과	기안자 성명		과 장		국 장		차 관	장 관
			김희택		[signature]		전결			[signature]

외신과통제

0026

1/11 김 71

관리번호	91-9

원 본

외 무 부

종 별 : 지 급

번 호 : USW-0114 일 시 : 91 0110 1801

수 신 : 장관(국기,미안,미북,정이 ,기정)(사본:주유엔-직송필,주오지리대사-중계필)

발 신 : 주 미 대사

제 목 : 북한의 핵안전협정 문제

대:WUS-0090

1. 대호 관련, 당관 김영목 서기관은 금 1.10 국무부 한국과 NORMAN HASTINGS 담당관을 접촉, 유엔 안보리 의장앞 서한 제출 계획의 진전동향을 확인한바,동 담당관은 상금 모든 관련국가 정부로부터 최종적 답을 받지 못해 다소 계획이 지체되고 있다고 답변함.

2. 동 담당관에 의하면, 대부분 국가가 긍정적 반응을 보였으나, 소련측으로부터는 부정적 회신을 받았다고 하고(소련측은 미측 제안에 거부감을 보이면서고위급 협의시 다시 제기해 보라는 반응을 보임.)호주는 일부 비동맹국이 포함되는 것이 좋을 것이라는 견해를 제시하였다고함.

3. 한편 IAEA 2 월 이사회에 대한 아측 계획과 관련, 동담당관은 관련 부서와 협의해 보겠다는 반응을 보였는바, 동건 진전사항 추보예정임.

(대사 박동진-국장)

예고:91.12.31 일반

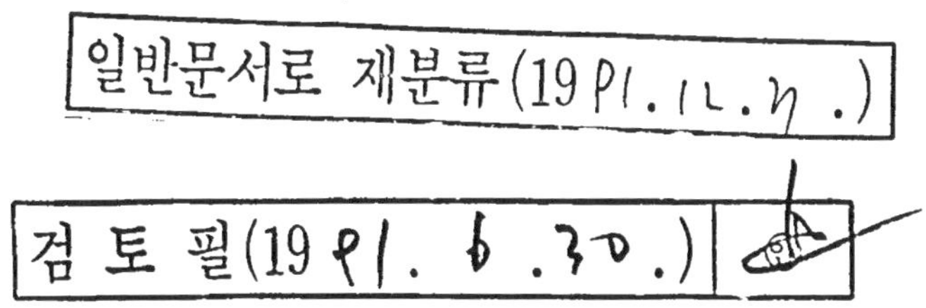

국기국 장관 차관 1차보 미주국 미주국 정문국 안기부

PAGE 1 91.01.11 08:46

외신 2과 통제관 BT

0027

관리번호	91-15

분류번호	보존기간

발 신 전 보

번 호 : WAV-0024 910112 1337 AO 종별 :

수 신 : 주 오지리 대사. 총영사 (사본: 주미, 유엔대사) WUS -0118 WUN -0059

발 신 : 장 관 (국기)

제 목 : 북한의 IAEA 핵안전협정 체결

표제 관련, 최근 한.쏘 및 한.일간 관계회담에서 언급된 내용을 아래 통보하니 참고바람.

1. 제1차 한.쏘 정책협의회시 로가초프 쏘 외무차관 언급내용(91.1.7)
   - 쏘련도 북한의 동협정 체결 지연에 우려를 갖고 있으며, 북한과 활발히 이야기하고 있음.
   - 우리는 평양의 입장도 이해함. 만일 미국이 북한에 대해 핵위협을 하지 않겠다는 개별적 보장을 한다면 문제 해결에 도움이 될것임.

2. 한.일 외무장관 회담시 나까야마 외상의 언급내용(91.1.10)
   - 북한과의 협상에서 한가지 강조하고 싶은것은 북한의 핵관련 시설을 사찰할 수 있도록 하는 IAEA의 보장조치를 북한이 받아 들이도록 추진해 나가고자 하는것임.
   - 이 문제는 한국만이 아니라 일본을 포함한 아시아 전체에 있어 중대한 문제인만큼 일본 정부로서 이 문제에 양보할 생각은 없음.

일반문서로 재분류(1991. 6. 1.)
(국제기구조약국장 문동석)

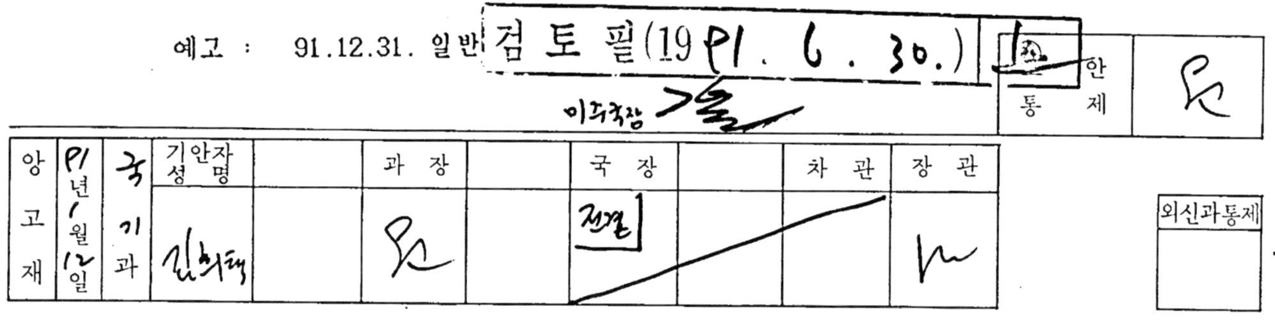

예고 : 91.12.31. 일반 검 토 필(1991. 6. 30.)

이주국장

보안통제	

앙고재	91년 1월 12일	국기과	기안자 성명		과 장		국 장		차 관	장 관
			김희택				전결			

외신과통제

0028

긴

관리번호	91-68

외 무 부

종 별 : 지 급

번 호 : USW-0165 일 시 : 91 0114 1834

수 신 : 장관(아이,동구일,미북)

발 신 : 주 미 대사

제 목 : ROGACHEV 중국 방문

당관 유명환 참사관은 금 1.14 백악관 PAAL 보좌관과 통화, ROGACHEV 차관의 중국 방문 결과에 대해 문의한바 동 보좌관 발언 내용 하기 보고함.

1.ROGACHEV 차관은 방중시 주로 중국 외교부 TIAN TENG PEI 차관(소련 및 유럽 담당), XU DUN XIN 차관(인도 차이나 담당)과 협의한바, 협의 의제는 양국관계(국경및 통상문제), 캄푸챠 문제및 한국 문제였음.

2. 양국관계와 관련, 강댁민 총서기가 금년 5 월 소련을 방문, 국경 문제를타결하고 통상 문제에 대해 계속 협의 하기로 하고, 캄푸챠 문제와 관련하여서는 중국이 크메르루주에 대해 그리고 소련이 월남에 대해 건설적인 영향력행사를함으로서 유엔 안보리안을 중심으로 캄푸챠 문제를 평화적이고 조속하게 해결하기 위한 중.소 협력 방안이 논의되었다고함.

3. 한국문제 관련 ROGACHEV 차관은 1)한국의유엔 가입 문제에 대한 소련의 긍정적 입장을 설명하고 중국의 반응을 문의한바 중국은 기존의 입장을 반복하였으며, 2)북한-IAEA 핵안전 협정 체결 문제에 대해서는 중국이 북한에 대해 좀더 적극적인 영향력을 행사해 줄것을 요청하는 한편,3)한. 소 수교에 대해 북한이 처음에는 강하게 반발하였으나, 이제는 냉정을 찾는것으로 본다고 하면서 소련은한. 소 수교에도 불구하고 정치적으로 계속 북한을 지지하나 경제적으로는 북한을 지원하기 어려운 입장임을 밝혔다고함.

4. 동건 국무부측과도 접촉 추보 위계임.

(대사 박동진-국장)

91.12.31 일반

검 토 필 (1990.12.31.)

아주국 장관 차관 1차보 2차보 미주국 구주국 정문국 청와대
안기부

0029

PAGE 1

91.01.15 11:31

외신 2과 통제관 BW

대북한 핵 사찰에 긴밀 연휴

(요미우리신문 91.1.16자)

나까야마 타로 외무장관은 1.14 부쉬 미대통령과의 회담에서 1.30-31일에 평양에서 개최될 조선 민주주의 인민공화국(북한)과의 국고정상화 본 교섭에 대하여 ①북한이 국제원자력기구(IAEA)의 핵사찰을 받아들이도록 강하게 요구하고 ②한.미 양국과 긴밀한 연락을 취할 것이라는 방침을 설명하였음. 이에 대해 부쉬 대통령은 환영하는 의향을 표시하였음.

공람	국제기구국	담당	과장	국장	차관보	차관	장관

0030

1月16日 '91 7:51　　駐 二大韓民国 大使館

駐 日 大 使 館

JAW(F) : 0170　　　　　日 時 :

受　　信 : 長 官 (아일. 정이, 통기)

発　　信 : 駐日大使 (일정, 　)

題　　目 아주 관계 (일·북 관계 등) '91 1-16 -7 23

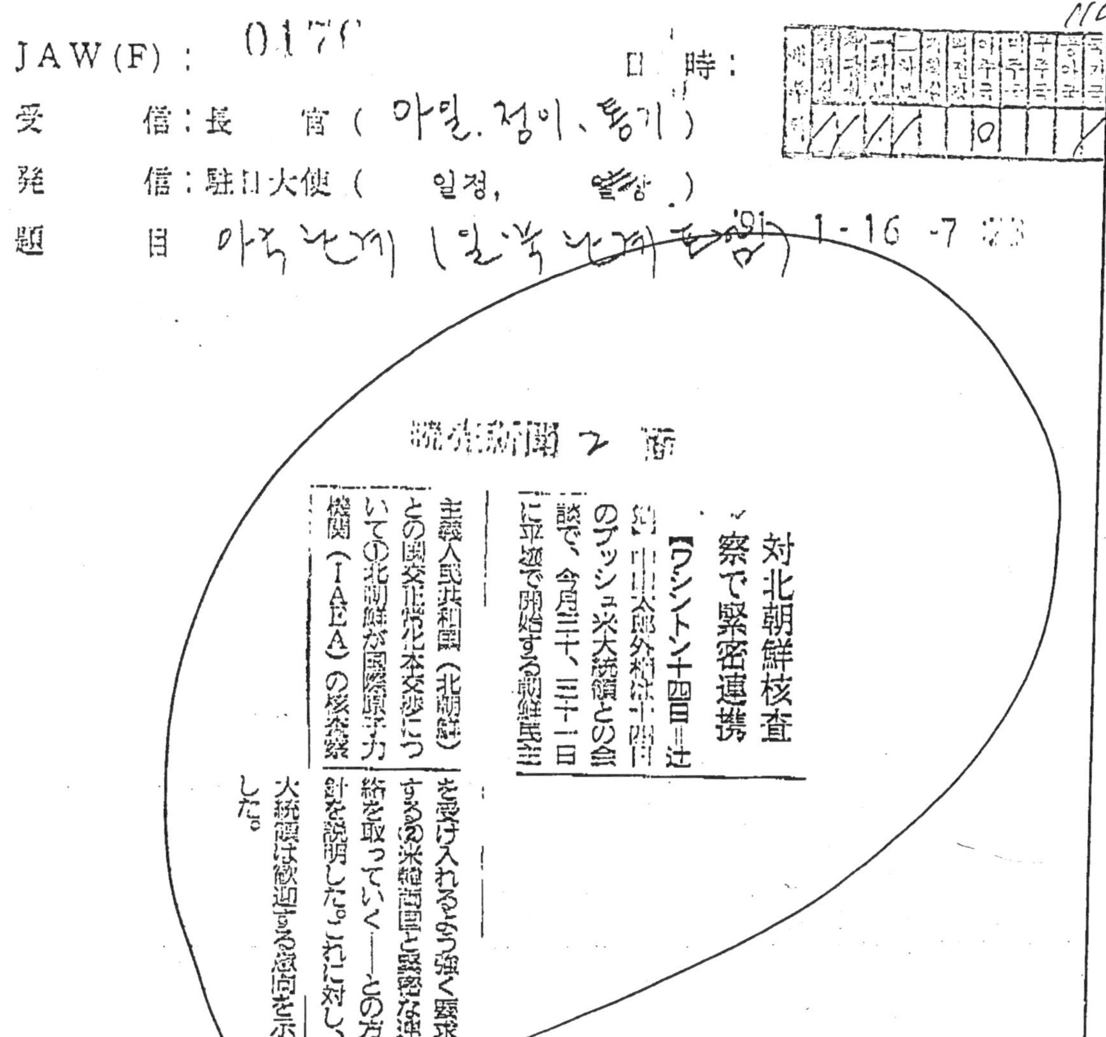

読売新聞 2 面

対北朝鮮核査察で緊密連携

【ワシントン十四日＝辻本】中山太郎外相は十四日のブッシュ米大統領との会談で、今月三十、三十一日に平壌で開始する朝鮮民主主義人民共和国（北朝鮮）との国交正常化本交渉について①北朝鮮が国際原子力機関（IAEA）の核査察を受け入れるよう強く要求する②米韓両国と緊密な連絡を取っていく――との方針を説明した。これに対し、大統領は歓迎する意向を示した。

0031

관리번호	91-19

분류번호	보존기간

발 신 전 보

번 호 : WAV-0033 910116 1843 CG 종별 :

수 신 : 주 오지리 대사. 총영사

발 신 : 장 관 (국기)

제 목 : 북한의 핵안전협정 체결문제

방미중인 나까야마 일본 외상이 1.14. 부쉬 대통령 및 베이커 국무장관과의 회담에서 밝힌 표제 관련 일본측 입장을 아래 통보하니 참고바람.

1. 오는 1.30-31간 평양에서 개최될 일-북한 관계 정상화 회담에서 북한이 IAEA의 핵사찰을 받아들이도록 강력히 요구하고 동문제에 대해서는 한치의 양보도 하지 않을것임.

2. 상기 과정에서 한.미 양국과 긴밀히 협의할 방침임. 끝

(국제기구조약국장 문동석)

예고 : 91.12.31. 일반

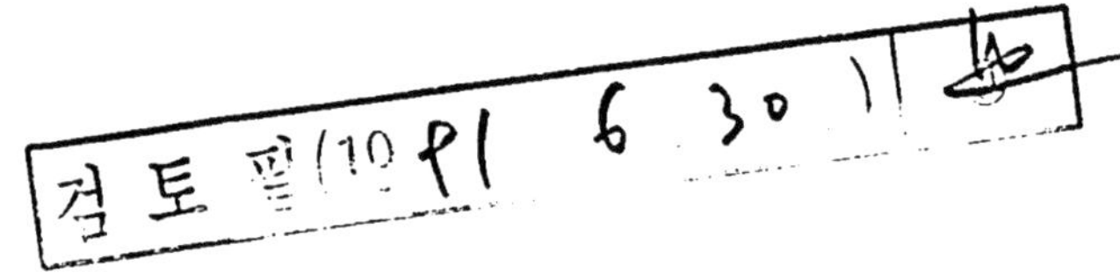

보안통제	

앙고재	91년 1월 16일	국기과	기안자 성명		과 장		국 장		차 관	장 관

외신과통제

0032

2

관리 번호	91-90

원 본

외 무 부

종 별 : 지 급

번 호 : USW-0225 일 시 : 91 0116 2037

수 신 : 장관(미북,미안,정이,기정)

발 신 : 주 미 대사

제 목 : 북한의 IAEA 서명문제

1. 국무부 SOLOMON 동아태 차관보는 명 1.17 뉴욕 소재 KOREA SOCIETY 에서연설 예정인바 국무부 한국과에 의하면 동 차관보는 동 연설회에 앞서 오전중 뉴욕에 체재중인 인도네시아 외상을 면담할 계획이라함.

2. 금 1.16 NORMAN HEISTINGS 북한 담당관은 김영목 서기관 접촉시 미측은 북한 연형묵 총리의 동남아 순방시 동 국가들이 북한의 핵안전 협정 서명의 필요성을 촉구토록 협조를 요청할것을 검토중이라고 하면서, 명일 솔로몬 차관보는 인도네시아 외상 면담시 여사한 미측 우려를 전달할 예정이라고 밝힘.

(대사 박동진-국장)

91.12.31 일반

검 토 필 (1991.6.30.)

미주국 장관 차관 1차보 미주국 정문국 청와대 안기부

0033

PAGE 1 91.01.17 10:47

외신 2과 통제관 BT

관리번호	91-67

외 무 부

종 별 :

번 호 : DJW-0146　　　　일 시 : 91 0124 1300

수 신 : 장관(아동,미안,국연,정이,기정)

발 신 : 주 인니 대사

제 목 : 연형묵 동남아 순방(자료응신 제6호)

검토필(1991. 6.30.)

대:WDJ-0098

당관 신공사는 1.23. BOER 외무성 아태국장을 면담, 대호 북한의 IAEA 핵안전협정 서명문제, 북한총리 연현묵의 주재국 방문동향등에 관해 협의한바, 동 결과 아래 보고함.

1. 북한의 IAEA 핵안전협정 서명문제

신공사가 북한의 동협정 서명 지연 이유의 불합리성과 서명 필요성을 설명하고 연형묵 방문시 동건을 거론하여 줄것을 요청한바, BOER 국장은 동건은 IAEA를 비롯하여 국제적 관심사항임을 알고 있다고 하면서 동건 거론하는 방향으로검토하겠으며, 아울러 북한이 국제사회에서 좀더 개방적이고 실용적인 입장을 취할것을 권고할 예정이라고 언급함.

2. 연형묵 방문

BOER 국장은 연형묵의 주재국 방문목적은 국제적 고립탈피와 주재국에서 한국의 우월한 지위를 상쇄하려는데 있는 것으로 본다고 하면서 북한은 연형묵 방문기간중 1963 년에 체결한 무역협정 개정, 북한-인니 경제 공동위원회 설립 및 문화 공동위원회 설립드에 관심을 갖고 있다고 언급하였음.

또한 BOER 국장은 북한은 주재국이 차기 비동맹 정상회담 유치노력을 이용하여 이를 주재국에 대한 접근의 기회로 활용하고 있다고 부언 하였음.

3. 본직은 금 1.24. 외무성 WIRYONO 정무차관보를 면담, 북한의 IAEA 핵안전협정 서명문제를 포함한 중요 관심사항을 협의 예정인바, 추후 계속 보고 위계임. 끝.

(대사 김재춘-국장)

예고: 91.12.31. 일반 고문에 의거 일반문서로 재분류됨

아주국	장관	차관	1차보	2차보	미주국	국기국	정문국	안기부

0034

PAGE 1　　　　91.01.24 16:34

외신 2과 통제관 BN

관리 번호	91-75

외 무 부

종 별 :

번 호 : DJW-0156 일 시 : 91 0125 1115

수 신 : 장관(아동,미안,국연,정이,기정)

발 신 : 주 인니 대사

제 목 : 연형묵 동남아 순방(자료응신 제8호)

1991.12.31.에 예고문에 의거 일반문서로 재분류됨

검토필(1991.6.30.)

대:WDJ-0098

연:DJW-0146

본직이 1.24. WIRYONO 외무성 정무차관보를 면담, 북한의 IAEA 핵안전협정 서명문제와 유엔 한국문제등에 관해 협의한 결과를 아래 보고함(이참사관 배석)

1. 북한의 IAEA 핵안전협정 서명문제

가. 본직이 북한의 동 협정서명 필요성과 서명지연에 따른 우려를 표명하고연형묵 방문시 동건을 거론하여 줄것을 요청하였음.

나.WIRYONO 차관보는 연형묵 방문시 주로 경제문제가 논의될 것이라고 전제하고 자신은 캄보디아문제 협의를 위해 2.1.-7. 일간 월남과 태국을 방문하는 ALATAS 외상을 수행할 예정이고 대신 외교연구원장으로 하여금 북한 외교부 부부장을 만나게 할 예정이며, 따라서 인니로서는 금번 연총리 방문시 북한과는 중요정치문제 협의는 가급적 피할 생각이므로 외교연구원장과의 협의는 다소 학술적인 성격을 띄게될 것이라고 설명하였음.

다.WIRYONO 차관보는 사견임을 전제하고 전항의 인니입장에 비추어 금번 접촉에서는 북한의 IAEA 핵안전협정 서명문제를 거론할 분위기가 안될 것으로 보지만 ALATAS 외상에게 보고하여 지침을 받도록 하겠다고 하였음.

라. 또한 WIRYONO 차관보는 IAEA FRAMEWORK 내에서 동문제를 해결하는 것이좋겠으며, 주재국은 IAEA 총회, 이사회등에서 북한의 핵안전협정 서명을 촉구하겠다고 부언하였음.

2. 한국의 유엔 가입문제

가. 본직은 성공적인 북방정책에 따른 한반도 정세 변화와 한-인니간의 실질적인 협력관계의 증진 및 아국의 PMC 참여에 따른 ASEAN 과의 긴밀한 관계를 감안하여

아주국	장관	차관	1차보	2차보	미주국	국기국	정문국	안기부

PAGE 1 91.01.25 22:37

외신 2과 통제관 CE

주재국이 아국의 유엔가입 입장을 지지하여 줄것을 요청하고, 제 45 차유엔총회에서 각국의 남북한 관련 기조연설 결과를 부연 설명하였음.

나.WIRYONO 차관보는 한국입장을 충분히 이해(PERFECTLY UNDERSTANDING)한다고 하면서 남북한 동시 유엔가입이 통일에 장애가 된다는 북한의 주장은 독일,예멘통일등으로 설득력이 약화되었으며, 북한의 입장이 어렵게 되었다고 언급하였음.

다.WIRYONO 차관보는 아국의 유엔가입 신청시기와 중국의 거부권 행사 여부등에 깊은 관심을 표명하면서, 본직이 전달한 관련자료(제 45 차 유엔총회시 각국의 기조연설 결과와 한-인니간 실질협력관계등을 종합하여 주재국의 아국입장 지지 필요신을 강조한 설명자료)를 참고하겠으며, 외상에게도 보고하겠다고 하였음. 끝.

(대사 김재춘-국장)

예고:91.12.31. 일반

0036

관리 번호	91-29

	분류번호	보존기간

발 신 전 보

번 호 : WAV-51 910126 0934 종별 :

수 신 : 주 오지리 대사. 총영사 (사본: 주일, 미, 유엔대사)

발 신 : 장 관 (국기)

제 목 : 북한의 핵안전협정 문제

WUS-314
WJA-301
WUN-154

1. 일본 시사통신은 1.25(금) 일정부 소식통을 인용, 북한이 지난 1월초 핵안전조치 협정의 내용과 가입절차에 대해 IAEA 사무국에 문의했다고 보도한바, 적절한 기회에 귀지 IAEA 사무국측에 확인해보기 바람.

2. 또한 니콜라이 솔로비요프 주중 소련대사는 1.25. 북경에서 일본 교도통신과의 회견에서 "북한은 국제기관에 의한 핵시설 사찰을 받아들여야 할것"이라고 말했다고 1.26 동경발 연합통신이 보도함.

3. 한편 북한 연형묵 총리의 1.29-2.7간 태국, 인니, 말련 방문과 관련, 본부는 동 국가들에게 연총리 방문시 북한의 핵안전협정 서명을 촉구해 주도록 요청한바 있으며, 미국도 연 총리의 동남아 순방 국가를 대상으로 동건 관련 협조 요청을 검토중이라 함을 참고바람. 끝

(국제기구조약국장 문동석)

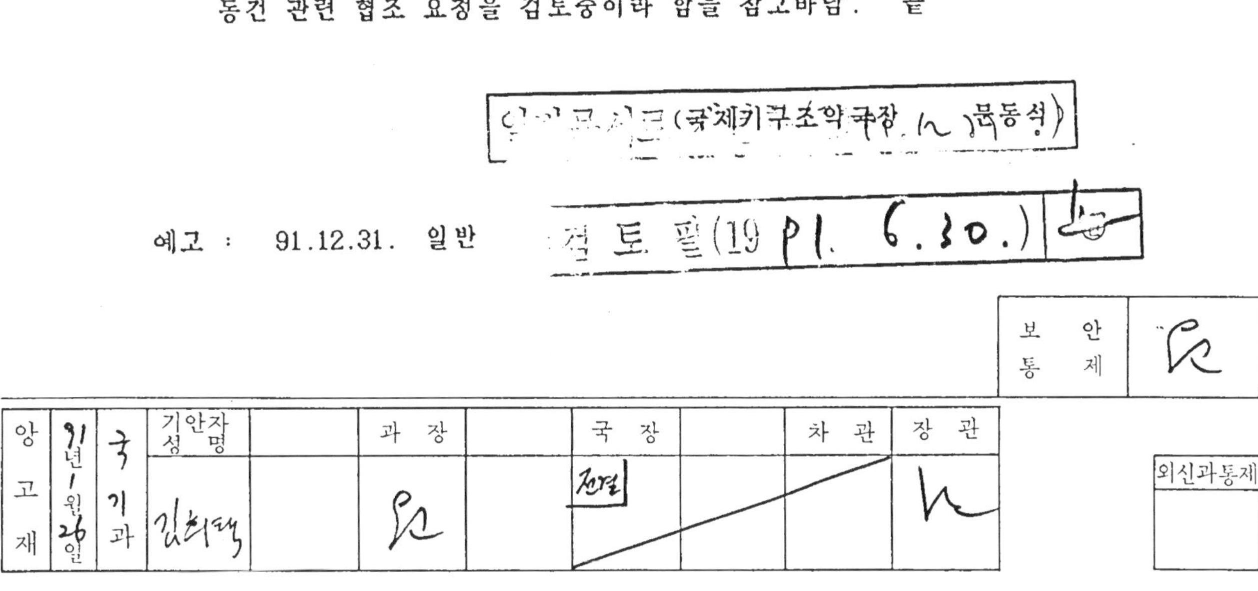

예고 : 91.12.31. 일반 검토 필(1991. 6.30.)

보안 통제	

앙고재	91년 1월 26일	국기과	기안자 성명	과 장	국 장	차 관	장 관
			김희택		전결		

외신과통제

0037

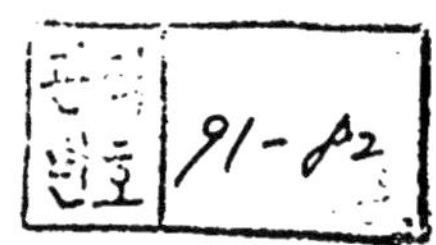

면 담 요 록

1. 일시, 장소 : 91.1.28(월), 16:15-16:30

2. 면담자

   - 송민순 안보과장, 김욱서기관
   - Richard Christenson 1등서기관

검토필(1991.6.30.)

1991.12.31.에 예고문에 의거 일반문서로 재분류됨

3. 면담요지

Christenson : - 북한의 90.11월 안보리 회람 문서관련, 그간 미국정부가 영국, 일본, 쏘련, 호주 및 체코와 공동서명 서한을 유엔 안보리 의장앞으로 발송하는 문제를 협의하여 왔는바, 동 협의 결과와 조치 방향을 알려 드리고자 함

- 우선 쏘련은 북한이 안전협정을 체결하여야 할 것이라는 데는 같은 인식을 갖고 있으나 공동서명(cosign)은 할수 없다는 입장임을 분명히 하여 왔음. 그러나 미측이 주도하는 공동서명 서한 발송에는 이견없다는 입장을 견지하고 있는바, 이는 특기할 만한 것임
- 호주는 잠정적으로 공동서명하는데 동의하면서(tentatively agreed), 여타 국가중 필리핀, 말레이시아, 인도네시아, 이집트를 공동서명국으로 추가시키는 것이 공동서명 서한의 효율성을 제고시키는데 도움이 될 것이라는 의견을 제시해 왔음
- 일본은 협의 과정에서 일부 문장의 삭제를 주장하였으며, 미측은 이를 수락 함으로써 일본측은 공동 서명하는데 동의하였음

공람	안보과	91.1.29	담 당	과 장	심의관	국 장	차관보	차 관	장 관

0038

-1-

- 이러한 진전에 따라 미측으로서는 유엔주재 미국대표부로 하여금 영국, 일본, 호주, 체코, 필리핀, 말레이시아, 인니, 이집트측과 접촉, 공동서명 서한 문제를 협의코자 함. 미측으로서는 2.1까지 동 협의를 끝내고 유엔 안보리에 서한 발송을 완료코자 함(별첨 서한 내용 수고)
- 미측으로서는 한국이 별도로 서한을 발송할 방침인 것으로 이해하고 있음

송 과 장 : - 한국이 별도로 안보리에서 회람문서를 발송할 것인지 아니면 귀측과 함께 공동서명국으로 참여할 것인지 여부를 검토후 알려주겠음.

김서기관 : - 한국이 동 서한에 공동서명 하는 경우, 이에 대한 미측 입장은?

Christenson : - 본인이 금번 귀측에 알려드리는 것은 그 동안의 교섭경과를 알려 드림으로써 공동보조를 맞추자는 것이며 한국측이 공동서명해 주기를 요청하는 것은 아님(not soliciting). 그러나 한국측에서 별도 문서발송 여부 또는 공동 서명 참여 의사 여부등을 검토하여 결과를 곧 알려주기 바람

※ (Christenson 서기관 요청에 따라, 아측이 유엔 안보리에 회람하려 하였던 문안 사본 1부를 수고함) 끝.

0039

REPLY TO NORTH KOREAN STATEMENT TO UN/IAEA

1/28/91

THE U.S. APPRECIATES CONSIDERATION BY HOST GOVERNMENT OF THE DRAFT LETTER REPLYING TO NORTH KOREA'S LETTER TO THE UN AND THE IAEA ATTEMPTING TO JUSTIFY ITS FAILURE TO MEET ITS NPT OBLIGATIONS. THE U.S. ORIGINALLY CONTACTED JAPAN, THE U.K., THE USSR AUSTRALIA, AND CZECHOSLOVAKIA ABOUT CO-SIGNING THE LETTER. IN RESPONSE TO AN AUSTRALIAN SUGGESTION THE U.S. HAS ALSO CONTACTED THE PHILIPPINES, MALAYSIA, INDONESIA, AND EGYPT AS WELL. THE REPUBLIC OF KOREA HAS INDICATED IT MAY RESPOND INDIVIDUALLY. THE USSR HAS DECLINED TO SIGN THE LETTER, AUSTRALIA HAS TENTATIVELY AGREED TO SIGN AND JAPAN HAS AGREED WITH SUBSTANTIAL DELETIONS WHICH THE U.S. HAS MADE. WE HAVE NOT YET RECEIVED A DECISION FROM ANY OF THE OTHERS.

FOLLOWING IS THE CURRENT TEXT OF THE LETTER:

AS PARTIES TO THE TREATY ON THE NON-PROLIFERATION OF NUCLEAR WEAPONS (NPT), THE UNDERSIGNED GOVERNMENTS WISH TO ADDRESS THEMSELVES TO THE STATEMENT OF THE FOREIGN MINISTRY OF THE DEMOCRATIC PEOPLE.S REPUBLIC OF KOREA (DPRK), ISSUED ON NOVEMBER 16, 1990 AND CIRCULATED AS SECURITY COUNCIL DOCUMENT S/21957 AND IAEA BOARD OF GOVERNORS DOCUMENT GOV/INF/594.

THE UNDERSIGNED GOVERNMENTS CALL ON THE GOVERNMENT OF THE DPRK TO RECALL THAT ARTICLE III OF THE NPT REQUIRES A NONNUCLEAR-WEAPON STATE PARTY TO ACCEPT SAFEGUARDS, AS SET FORTH IN AN AGREEMENT TO BE NEGOTIATED AND CONCLUDED WITH THE INTERNATIONAL ATOMIC ENERGY AGENCY (IAEA), ON ALL SOURCE AND SPECIAL NUCLEAR MATERIAL IN ALL ITS PEACEFUL NUCLEAR ACTIVITIES. EQUALLY CLEAR IS THE OBLIGATION IN ARTICLE III FOR THE NONNUCLEAR-WEAPON STATE PARTY TO HAVE THAT THE AGREEMENT ENTER INTO FORCE NOT LATER THAN EIGHTEEN MONTHS AFTER THE INITIATION OF NEGOTIATIONS. A STATE PARTY CANNOT CONDITION THIS UNDERTAKING ON THE ACTIONS OF ANOTHER STATE PARTY TO THE TREATY, ON SEPARATE NEGOTIATIONS WITH ANOTHER STATE, OR ON CONCLUSION OF ANOTHER AGREEMENT SUCH AS ONE RELATING TO A NUCLEAR-WEAPONS-FREE ZONE.

THE UNDERSIGNED GOVERNMENTS AFFIRM THAT IT IS NOT ACCEPTABLE THAT, IN THE ABOVE-MENTIONED STATEMENT, THE GOVERNMENT OF THE DPRK TRIES TO JUSTIFY ITS NONFULFILLMENT OF THE NPT OBLIGATIONS BY CONDITIONING IT ON THE ACTIONS OF ANOTHER COUNTRY. MOREOVER, THERE IS NO BASIS FOR THE DPRK'S IMPLICATION THAT THE UNITED STATES IS NOT FULFILLING ITS TREATY OBLIGATIONS BY VIRTUE OF ITS SECURITY ARRANGEMENTS WITH THE REPUBLIC OF KOREA. NOR IS THERE ANY OTHER BASIS FOR CONCLUDING THAT THE UNITED STATES HAS NOT DISCHARGED ITS OBLIGATIONS UNDER THE TREATY.

0040

Christenson 1월
91.1.28 접수

THE DPRK INCORRECTLY IMPLIES THAT THE IAEA TAKES THE POSITION THAT THE QUESTION OF THE SAFEGUARDS AGREEMENT HAS NOT BEEN SOLVED BECAUSE OF RELATIONS BETWEEN THE DPRK AND THE UNITED STATES. THE SECRETARIAT HAS TAKEN NOTE THAT THE DPRK IS CONDITIONING ITS SIGNATURE OF THE SAFEGUARDS AGREEMENT ON RECEIPT OF ASSURANCES FROM THE U.S. REGARDING USE OF NUCLEAR WEAPONS AND THAT THE QUESTION OF SUCH ASSURANCES MUST BE LEFT TO THE TWO COUNTRIES TO WORK OUT. THE AGENCY HAS NOT TAKEN THE POSITION THAT CONCLUSION OF THE SAFEGUARDS AGREEMENT CAN LEGITIMATELY BE LINKED TO SUCH ASSURANCES.

THE UNDERSIGNED GOVERNMENTS CALL ON THE DEMOCRATIC PEOPLE'S REPUBLIC OF KOREA TO CONCLUDE AND IMPLEMENT A FULL SCOPE SAFEGUARDS AGREEMENT WITH THE IAEA IMMEDIATELY AND THUS TO FULFILL ITS OBLIGATIONS AS A STATE PARTY TO THE NPT.

END TEXT.

THE U.S. HAS DETERMINED THAT IT IS TIME TO CONCLUDE NEGOTIATION OF THE TEXT OF THE LETTER AND PROCEED TO SEND IT. WE BELIEVE, BASED IN PART ON DISCUSSIONS WITH USUN THAT THIS WOULD BE MOST EASILY DONE THROUGH REPRESENTATIVES IN NEW YORK. THESE REPRESENTATIVES WOULD BE WELL PLACED TO AGREE QUICKLY ON A FINAL TEXT AND THEN SIGN THE LETTER, WHICH COULD IN TURN BE FORWARDED TO THE PRESIDENT OF THE SECURITY COUNCIL BY THE U.S. REPRESENTATIVE.

THEREFORE, WE ARE ASKING USUN TO CONTACT THE REPRESENTATIVES OF AUSTRALIA, JAPAN, THE U.K. CZECHOSLOVAKIA, THE PHILIPPINES, MALAYSIA. INDONESIA AND EGYPT ON JANUARY 28 WITH THE REVISED TEXT INDICATING THAT THE U.S. WILL SOLICIT SIGNATURES ON FRIDAY FEBRUARY 1. WE HOPE THIS WILL PROVIDE SUFFICIENT TIME FOR GOVERNMENTS TO MAKE A FINAL DECISION ON WHETHER TO SIGN.

IN THE EVENT THAT HOST GOVERNMENT INDICATES SYMPATHY WITH THE POSITION EXPRESSED IN THE LETTER BUT IS UNWILLING TO SIGN A MULTICOUNTRY LETTER, EMBASSY MAY INVITE THE GOVERNMENT TO SEND ITS OWN LETTER TO THE UN.

0041

1/29 김 기

관리번호	91-41

원 본

외 무 부

종 별 :

번 호 : AVW-0106　　　　일 시 : 91 0128 1700

수 신 : 장관(국기,미안,구이)

발 신 : 주 오스트리아 대사

제 목 : 북한의 핵안전협정문제

대:WAV-0059

IAEA 사무국 관계관에 의하면 표제 관련 최근 북한측으로 부터 새로운 접촉이 없었다고 함. 이와 관련, 당지 북한대표부 윤호진 참사관이 지난 1.3. IAEA 핵안전협정 관계관을 방문한 바 있으나(신년인사) 특별한 이야기가 없었다고 함.

(끝)

예고:91.12.31 일반

검 토 필(1991. 6.30.)

일반문서로 재분류(1991.12.31.)

국기국　차관　1차보　미주국　구주국　안기부

0042

PAGE 1　　　　91.01.29 06:10

외신 2과 통제관 FE

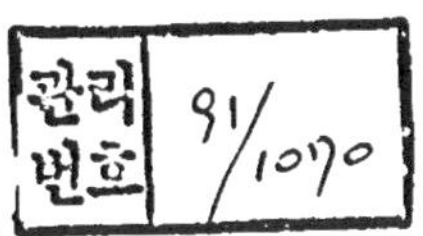

長官報告事項

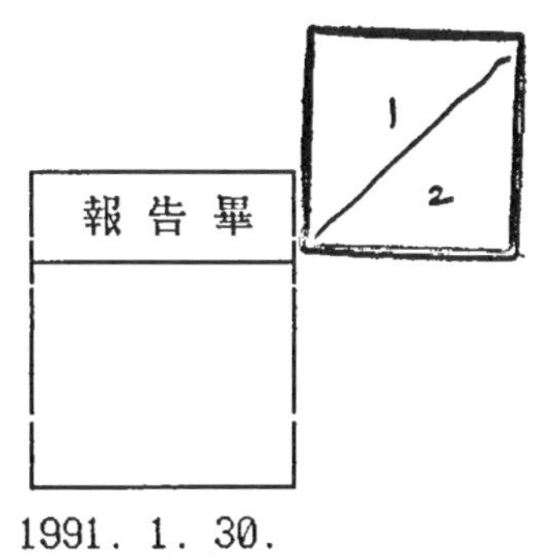

1991. 1. 30.
國際機構條約局
國際機構課(06)

題 目 : 북한의 IAEA와의 안전조치협정 체결문제

1. 북한은 IAEA와의 핵안전조치 협정 체결과 관련, 외교부 성명을 유엔 안보리문서(90.11.21)와 IAEA 이사회 회람문서(90.12.11)로 배포한 바 있음. 2. 이에 대한 한.미간 대책 협의 및 최근 미국이 취한 조치와 아국의 조치사항 건의등 관련사항을 아래와 같이 보고드립니다.

1. 북한측 동향

o 북한은 90.11.21자 유엔 안보리 문서 및 90.12.11자 IAEA 이사회 회람 문서 배포를 통하여 핵안전조치협정의 서명이 지연되고 있는것은 IAEA와 북한간의 문제때문이 아니라 미.북한 관계 때문임을 IAEA가 발표했다고 사실을 왜곡 선전하면서, 미국의 핵선제 불사용 보장문제를 논의키 위한 대미 직접 협상의 개시를 재차 요구함.

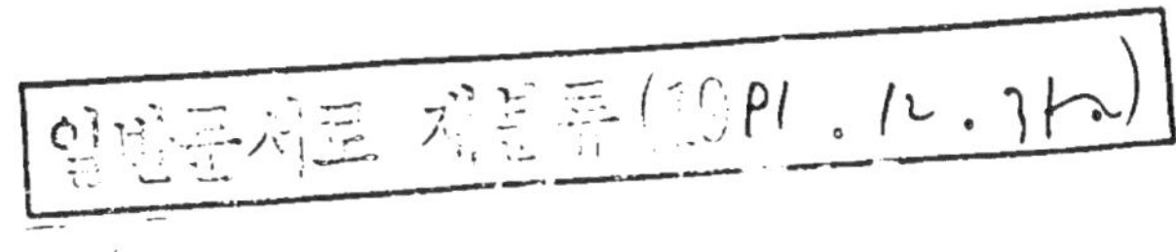

공람	국제기구과	91년 1월 30일	담 당	과 장	국 장	차관보	차 관	장 관
			[signature]	[signature]	[signature]			

0043

2. 한.미 협의

o 이와 관련, 본부는 별첨과 같은 아국입장을 유엔 대표부에 보내고 안보리 문서로 배포 할것을 미측과 협의한바, 미국은 북한의 핵문제가 남.북한간만의 문제가 아니라 국제사회에 대한 북한의 책임문제라는 점에서 아측의 대응조치를 당분간 유보해 줄것을 요청하고, 우방국 공동 명의의 유엔 안보리의장 앞 서한 제출 및 IAEA 사무국측의 해명을 추진한다는 입장을 밝힘.

3. 미국의 대응조치

o 그동안 미국은 쏘련, 영국, 호주, 일본, 체코, 필리핀, 말련, 인니, 이집트등 9개국에 대해 대북한 반박서한의 공동서명을 교섭한 결과, 쏘련은 서명을 거부했으며 일본과 호주는 동의했으나 여타국들은 현재까지 미결정 상태인바, 미국은 유엔주재 미대표부를 통하여 쏘련을 제외한 상기 8개국의 유엔 대표부 대사들에게 91.2.1 동 서한의 서명을 요청 예정임.

o 한편, 미국은 90.12.3. 서방 7개국(영, 불, 독, 이태리, 오지리, 카나다, 호주)에 대해 북한과의 관계개선을 추진함에 있어서 북한의 핵안전조치 협정 서명이 최우선의 고려가 되어야 할 것이라는 미국의 입장을 전달함.

4. IAEA 사무국측 조치

o IAEA 사무총장은 북한이 미국의 핵선제 불사용 보장을 안전조치 협정 체결의 전제조건으로 요구한데 대하여 동 문제는 미-북한간 문제이며, IAEA는 직접 개입하지 않는다는 입장을 표명한바 있음 (90.11.2 Blix 사무총장의 일본 경제신문과의 인터뷰시)

0044

o 아국이 미국.일본과 함께 북한측 배포 문서내용에 대한 IAEA측의 해명을 요청한 결과, IAEA 사무국은 Blix 사무총장의 인터뷰 기사에 대한 해명문과 주오지리 미대사의 대북한 반박 서한을 북한측 IAEA 이사회 회람문서에 대한 Addendum으로 배포함(91.1.2자)

o 또한 91.2월 IAEA 이사회(2.26-28, 비엔나)에서 Blix 사무총장은 동경 기자회견을 상세 보고하고 자신이 북한측 입장을 용인하는 것이 아님을 밝힐 예정임.

5. 아국 조치사항 건의

o 기본적으로 북한 핵무기 개발의 제1차적 위협 당사자는 아국이라는 관점에서 미국과 IAEA측의 상기 조치와 병행하여 아국 단독으로 대북한 반박 성명을 유엔 안보리와 IAEA 이사회 회람문서로 배포토록 조치할 것을 건의함(유엔 안보리 회람용으로 기 작성한 아국 성명문안 별첨). 끝

0045

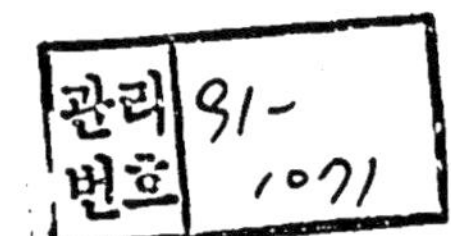

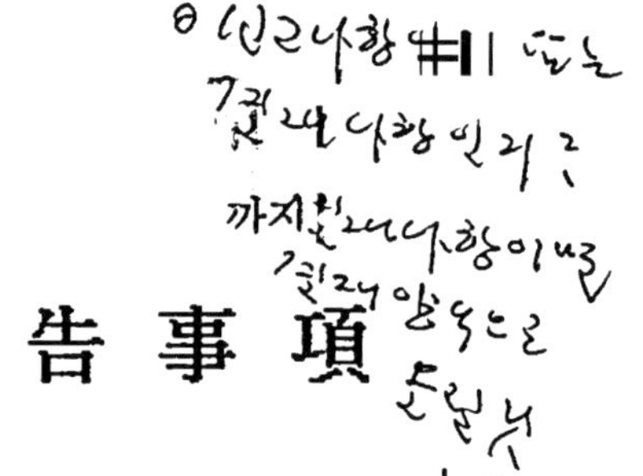

長官報告事項

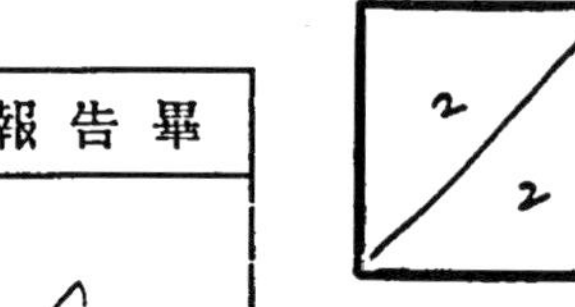

1991. 1. 30.
國際機構條約局
國際機構課(06)

題 目 : 북한의 IAEA와의 안전조치협정 체결문제

1. 북한은 IAEA와의 핵안전조치 협정 체결과 관련, 외교부 성명을 유엔 안보리문서(90.11.21)와 IAEA 이사회 회람문서(90.12.11)로 배포한바 있음.
2. 이에 대한 한.미간 대책 협의 및 최근 미국이 취한 조치와 아국의 조치사항 건의등 관련사항을 아래와 같이 보고드립니다.

1. 북한측 동향

o 북한은 90.11.21자 유엔 안보리 문서 및 90.12.11자 IAEA 이사회 회람 문서 배포를 통하여 핵안전조치협정의 서명이 지연되고 있는것은 IAEA와 북한간의 문제때문이 아니라 미.북한 관계 때문입을 IAEA가 발표했다고 사실을 왜곡 선전하면서, 미국의 핵선제 불사용 보장문제를 논의키 위한 대미 직접 협상의 개시를 재차 요구함.

2. 한.미 협의

o 이와 관련, 본부는 별첨과 같은 아국입장을 주유엔 대표부에 보내고 안보리 문서로 배포 할것을 미측과 협의한바, 미국은 북한의 핵문제가 남.북한간만의 문제가 아니라 국제사회에 대한 북한의 책임문제라는 점에서 아측의 대응조치를 당분간 유보해 줄것을 요청하고, 우방국 공동 명의의 유엔 안보리의장 앞 서한 제출 및 IAEA 사무국측의 해명을 추진한다는 입장을 밝힘.

검토필 (1991. 6. 30.)

- 1 -

0046

3. 미국의 대응조치

o 그동안 미국은 쏘련, 영국, 호주, 일본, 체코, 필리핀, 말련, 인니, 이집트등 9개국에 대해 대북한 반박서한의 공동서명을 교섭한 결과, 쏘련은 서명을 거부했으며 일본과 호주는 동의했으나 여타국들은 현재까지 미결정 상태인바, 미국은 유엔주재 미대표부를 통하여 쏘련을 제외한 상기 8개국의 유엔 대표부 대사들에게 91.2.1 동 서한의 서명을 요청 예정임.

o 한편, 미국은 90.12.3. 서방 7개국(영, 불, 독, 이태리, 오지리, 카나다, 호주)에 대해 북한과의 관계개선을 추진함에 있어서 북한의 핵안전조치 협정 서명이 최우선의 고려가 되어야 할 것이라는 미국의 입장을 전달함.

4. IAEA 사무국측 조치

o IAEA 사무총장은 북한이 미국의 핵선제 불사용 보장을 안전조치 협정 체결의 전제조건으로 요구한데 대하여 동 문제는 미-북한간 문제이며, IAEA는 직접 개입하지 않는다는 입장을 표명한바 있음 (90.11.2 Blix 사무총장의 일본 경제신문과의 인터뷰시)

o 아국이 미국.일본과 함께 북한측 배포 문서내용에 대한 IAEA측의 해명을 요청한 결과, IAEA 사무국은 Blix 사무총장의 인터뷰 기사에 대한 해명문과 주오지리 미대사의 대북한 반박 서한을 북한측 IAEA 이사회 회람문서에 대한 Addendum으로 배포함(91.1.2자)

o 또한 91.2월 IAEA 이사회(2.26-28, 비엔나)에서 Blix 사무총장은 동경 기자회견을 상세 보고하고 자신이 북한측 입장을 용인하는 것이 아님을 밝힐 예정임.

5. 아국 조치사항 건의

o 기본적으로 북한 핵무기 개발의 제1차적 위협 당사자는 아국이라는 관점에서 미국과 IAEA측의 상기 조치와 병행하여 아국 단독으로 대북한 반박 성명을 유엔 안보리와 IAEA 이사회 회람문서로 배포토록 조치할 것을 건의함(유엔 안보리 회람용으로 기 작성한 아국 성명문안 별첨). 끝

Position of ROKG on the Question of the NPT Safeguards Agreement between DPRK and IAEA

In connection with the statement of DPRK, circulated as in document No. S/21957 of 21 November 1990, on the question of concluding a fullscope safeguards agreement between DPRK and the International Atomic Energy Agency (IAEA), I have the honour to reiterate the position of ROK Government as follows.

DPRK acceded to the Treaty on the Non-Proliferation of Nuclear Weapons(NPT) in December 1985, the stipulations of which impose duties on acceding State to conclude a fullscope safeguards agreement with IAEA within 18 months from its accession. Safeguard measures under Article Ⅲ of the Treaty are essential obligations to be fulfilled by all State parties under the NPT regime and central to its effectiveness and strength.

ROK Government cannot but express serious concern that DPRK, a NPT party with significant nuclear activities, has failed to conclude safeguards agreement for almost five years. This delay by DPRK far beyond the legal deadline of the signing of the safeguards agreement is clear violation of one of the fundamental obligations required under the Treaty and poses a threat to the international non-proliferation regime.

0049

There is no provision in NPT to support linkages to other political issues or to condition conclusion of an agreement on external factors such as DPRK claims as an excuse of delaying the conclusion with IAEA. Such attitude of DPRK not only endangers the NPT regime but also threatens the security of the world ensured by nuclear non-proliferation.

ROKG strongly urges DPRK to comply with its treaty obligation to conclude and implement the requisite safeguards agreement as soon as possible and thereby remove a stumbling block standing in the way to confidence-building and reconciliation process on the Korean peninsula.

End.

0050

1. THIS IS AN ACTION MESSAGE. IT IS INTENDED TO ENABLE AND ENCOURAGE EMBASSIES AT THEIR DISCRETION TO UNDERTAKE A VARIETY OF INITIATIVES ON THIS SUBJECT, PARTICULARLY IN COUNTRIES NOT HERETOFORE ENGAGED WITH THIS PROBLEM.

2. BACKGROUND - THE DEMOCRATIC PEOPLES REPUBLIC OF KOREA (DPRK).

THE DPRK'S COURTSHIP OF AN INCREASING NUMBER OF COUNTRIES IS ONE ASPECT OF A NEW AGGRESSIVENESS IN NORTH KOREA'S FOREIGN POLICY THE SUCCESS OF THE REPUBLIC OF KOREA IN ESTABLISHING DIPLOMATIC RELATIONS WITH THE SOVIET UNION AND THE FORMER COMMUNIST STATES OF EASTERN EUROPE, AND OF BEGINNING NORMALIZATION WITH CHINA, HAS FORCED THE DPRK TO CONSIDER EXPANDING ITS OWN INTERNATIONAL RELATIONSHIPS IN COMPENSATION. PYONGYANG IS DRIVEN BY MORE THAN PRIDE; THE SOVIETS, THE CHINESE, AND THE FORMER EASTERN BLOC HAVE CUT BACK ON AID AND BARTER TRADE, FORCING NORTH KOREA INCREASINGLY INTO THE

GLOBAL MARKET ECONOMY. THE DPRK FACES THIS DIFFICULT TRANSITION WITH THE HANDICAPS OF AN INEFFICIENT STALINIST COMMAND ECONOMY AND A RIGID POLITICAL LEADERSHIP EXTREMELY RELUCTANT TO UNDERTAKE DOMESTIC POLITICAL OR ECONOMIC REFORM. PREDICTABLY, THE RESULT HAS BEEN AN OVERALL DECLINE IN ECONOMIC PERFORMANCE LEADING TO FURTHER PRESSURE ON THE LEADERSHIP TO FIND SOLUTIONS.

3. PYONGYANG HAS RESPONDED TO ITS DISTRESSED CIRCUMSTANCES BY ECONOMIC TINKERING, TIGHTER DOMESTIC CONTROLS, AND A VIGOROUS DIPLOMATIC CAMPAIGN TO IMPROVE ITS INTERNATIONAL STANDING. PYONGYANG'S OFFER TO NORMALIZE RELATIONS WITH JAPAN 45 YEARS AFTER THE END OF WORLD WAR II IS AN ATTEMPT BOTH TO BALANCE THE ROK'S SUCCESS WITH THE SOVIETS AND CHINESE AND TO LAY CLAIM TO SIGNIFICANT REPARATIONS PAYMENTS TO SHORE UP A THREADBARE ECONOMY. RECENT APPROACHES TO AUSTRALIA, CANADA, ITALY, THE U.K, AND GERMANY PROBABLY HAVE BEEN PROMPTED BY A MIX OF POLITICAL AND ECONOMIC MOTIVES.

4. THE U.S. RESPONSE.

IN OCTOBER 1988 THE U.S. IN CLOSE COORDINATION WITH THE ROKG, RELAXED A NUMBER OF RESTRICTIONS ON RELATIONS WITH THE DPRK IN ORDER TO REDUCE NORTH KOREA'S ISOLATION, SUPPORT THE NORTH-SOUTH DIALOGUE, AND ULTIMATELY REDUCE

0051

91.1.15

THE RISK OF A MILITARY CLASH ON THE PENINSULA. HOWEVER, WHILE WE PERMITTED ACADEMIC, CULTURAL, AND FAMILY EXCHANGES AND ESTABLISHED A CHANNEL IN BEIJING FOR SUBSTANTIVE DIPLOMATIC CONTACTS, WE ALSO MADE CLEAR THAT FURTHER IMPROVEMENT DEPENDED ON POSITIVE STEPS FROM THE DPRK, INCLUDING PARTICIPATION IN A DIALOGUE WITH THE ROK, RETURN OF U.S. MIA REMAINS FROM THE KOREAN WAR, CONCLUSION OF AN IAEA FULL SCOPE SAFEGUARDS AGREEMENT, CESSATION OR DIMINUTION OF VIRULENT ANTI-U.S. SLANDER, AND CREDIBLE ASSURANCES THAT PYONGYANG DOES NOT SUPPORT TERRORISM.

5. THE DPRK RESPONSE.

NORTH KOREA HAS, IN FACT, TAKEN SOME STEPS IN THESE AREAS. IT HAS RETURNED SIX SETS OF REMAINS OF KOREAN WAR ERA DEAD AND OFFERED TO RETURN ELEVEN MORE SETS; IT HAS COMPLETED THREE ROUNDS OF PRIME MINISTERIAL TALKS BETWEEN THE TWO KOREAS AND SCHEDULED A FOURTH ROUND; IT HAS REDUCED ITS VIRULENT ANTI-AMERICAN PROPAGANDA; AND IT HAS DISCUSSED CONFIDENCE BUILDING MEASURES WITH THE SOUTH. HOWEVER, THE SAFEGUARDS ISSUE HAS BECOME INCREASINGLY IMPORTANT IN OUR VIEW AND IN THE VIEW OF

MANY OF OUR FRIENDS AND ALLIES. DPRK REFUSAL TO SIGN AND IMPLEMENT A SAFEGUARDS AGREEMENT POSES A GREAT OBSTACLE TO REAL IMPROVEMENT OF U.S. TIES WITH THE PYONGYANG.

6. DPRK VS IAEA SAFEGUARDS.

NORTH KOREA ACCEDED TO THE NUCLEAR NON-PROLIFERATION TREATY IN 1985, AND IN SO DOING ACCEPTED AN NPT REQUIREMENT TO CONCLUDE AN IAEA FULL SCOPE SAFEGUARDS AGREEMENT WITHIN 18 MONTHS. FIVE YEARS HAVE PASSED, AND THE DPRK HAS NOT TAKEN THIS STEP. MOREOVER, IT HAS BECOME INCREASINGLY EVIDENT THAT NORTH KOREA IS PROCEEDING WITH AN UNSAFEGUARDED NUCLEAR PROGRAM THAT HAS THE POTENTIAL TO RESULT IN THE PRODUCTION OF NUCLEAR WEAPONS. NORTH KOREA HAS DISCUSSED THE SAFEGUARDS AGREEMENT EXTENSIVELY WITH THE IAEA IN VIENNA. PYONGYANG HAS BEEN APPROACHED BY A WIDE RANGE OF COUNTRIES, INCLUDING CHINA AND THE USSR, AND HAS ALSO BEEN URGED IN INTERNATIONAL FORA (THE IAEA BOARD OF GOVERNORS AND THE NPT REVIEW CONFERENCE) TO FULFILL PROMPTLY THIS NPT SAFEGUARDS OBLIGATION. DESPITE THIS PRESSURE, THE DPRK HAS STEADFASTLY REFUSED TO ACCEPT FULL SCOPE SAFEGUARDS, EVEN DENYING THAT IT HAS UNSAFEGUARDED FACILITIES (WHICH WE KNOW TO BE UNTRUE).

7. DPRK VS USG.

NORTH KOREA ASSERTS AS ITS PRINCIPAL REASONS FOR NOT

0052

SIGNING AN NPT SAFEGUARDS AGREEMENT THAT SAFEGUARDS ARE A BILATERAL SECURITY ISSUE BETWEEN THE U.S. AND NORTH KOREA, AND THAT THE U.S. MUST GIVE LEGALLY BINDING GUARANTEES NOT TO THREATEN THE DPRK WITH NUCLEAR WEAPONS. IN SHORT, NORTH KOREA WANTS TO NEGOTIATE BILATERALLY A SPECIFIC NEGATIVE SECURITY ASSURANCE WITH THE U.S. WE HAVE CONSISTENTLY REJECTED THIS DEMAND. IT IS INAPPROPRIATE TO GIVE BILATERAL ASSURANCES TO INDUCE A COUNTRY TO COMPLY WITH ITS NPT OBLIGATIONS. NO NPT HAS HERETOFORE ATTEMPTED TO CONDITION ITS ACCEPTANCE OF IAEA FULL SCOPE SAFEGUARDS, OR ANY OTHER NPT OBLIGATION, ON ANY EXTRANEOUS MATTER. NORTH KOREA'S ADHERENCE TO THE NPT AND ITS TREATY OBLIGATION TO ACCEPT SAFEGUARDS IS WITHOUT CONDITION, AS IS THE CASE FOR ANY NPT TREATY ADHERENT

8. THE U.S. HAS RESTATED SEVERAL TIMES OVER THE PAST YEAR ITS GENERAL NEGATIVE SECURITY ASSURANCE, (NSA)' WHICH STATES THAT THE U.S. WILL NOT USE NUCLEAR WEAPONS AGAINST ANY NON-NUCLEAR WEAPON STATE PARTY TO THE NPT OR

ANY COMPARABLE INTERNATIONALLY BINDING COMMITMENT NOT TO ACQUIRE NUCLEAR EXPLOSIVE DEVICES, EXCEPT IN THE CASE OF AN ATTACK ON THE U.S., ITS TERRITORIES OR ARMED FORCES. OR ITS ALLIES, BY SUCH A STATE ALLIED TO A NUCLEAR WEAPONS STATE OR ASSOCIATED WITH A NUCLEAR WEAPONS STATE IN CARRYING OUT OR SUSTAINING THE ATTACK. WE HAVE ALSO STATED CLEARLY THAT IT WOULD APPLY TO NORTH KOREA IF IT MEETS THE CRITERIA STATED THEREIN. WE HAVE AGREED TO RESTATE THE GENERAL NSA IN WRITING AT THE IAEA WHEN THE DIRECTOR GENERAL NOTIFIES THE BOARD THAT HE INTENDS TO SEND AN AGREED STANDARD SAFEGUARDS AGREEMENT TO THE BOARD FOR APPROVAL.

9. THE DANGER OF NUCLEAR PROLIFERATION ON THE KOREAN PENINSULA SHOULD BE EVIDENT TO ALL. PROSPECTIVE PROLIFERATION BY THE NORTH WOULD POSE A DILEMMA FOR THE ROK, AND JAPAN WOULD FEEL THREATENED AS WELL. BOTH THE ROK AND JAPAN HAVE ADVANCED CIVILIAN NUCLEAR INDUSTRIES AND STRONG NUCLEAR TECHNOLOGY BASES THAT WOULD ALLOW THEM THEORETICALLY TO RESPOND IN KIND TO A NUCLEAR THREAT. HOWEVER, THE ROK HAS FULL SCOPE SAFEGUARDS IN FORCE AND THERE ARE NO INDICATIONS THAT SEOUL IS RECONSIDERING ITS NON-NUCLEAR WEAPONS POLICY. JAPAN, OF COURSE, FIRMLY ADHERES TO ITS "NON NUCLEAR POLICY" - NO INTRODUCTION, MANUFACTURE OR STORING OF NUCLEAR WEAPONS IN JAPAN.

10. THE ROLE OF EMBASSIES.

OUR PURPOSE IN APPROACHING OTHER GOVERNMENTS AND NON OFFICIALS IS NOT/NOT TO DISCOURAGE CONTACTS WITH DPRK OFFICIALS, ACADEMICIANS OR OTHERS. ON THE CONTRARY,

0053

- -

OPENING NORTH KOREA TO OUTSIDE IDEAS AND INFLUENCES IS AN IMPORTANT COMPONENT OF U.S. (AND ROK) POLICY. RATHER OUR PURPOSE IS TO SEE THAT THE DPRK FROM AS MANY SOURCES AS POSSIBLE, RECEIVES AN ACCURATE REFLECTION OF U.S. AND OTHER CONCERNED COUNTRIES' VIEWS ON THE IMPORTANCE OF PYONGYANG'S SIGNING AND IMPLEMENTING A FULL SCOPE SAFEGUARDS AGREEMENT. ALL ACTION ADDRESSEES ARE ACCREDITED TO GOVERNMENTS WHICH ARE RECORDED AS HAVING OFFICIAL RELATIONS WITH THE DPRK, OR MAY BE APPROACHED BY THE DPRK, AND ARE MEMBERS OF THE IAEA AND WOULD THEREFORE BE ASSUMED TO FAVOR NORTH KOREA FULFILLING ITS NPT OBLIGATIONS TO THAT ORGANIZATION BY SIGNING AND IMPLEMENTING A FULL SCOPE SAFEGUARDS AGREEMENT. HOWEVER, THE DEPARTMENT HAS REASON TO BELIEVE THAT NORTH KOREAN REPRESENTATIVES ABROAD AT THE IAEA, THE UN AND FOREIGN CAPITALS DO NOT ACCURATELY REPORT TO PYONGYANG THE OPPROBRIUM WHICH ITS CONTINUED POLICY OF

NON-FULFILLMENT AT THE IAEA IS GENERATING.

11. ACTION REQUESTED:

YOU ARE INSTRUCTED TO BE PARTICULARLY ALERT FOR OPPORTUNITIES TO PRESENT USG VIEWS ON THIS MATTER:

-- TO POTENTIALLY SYMPATHETIC OFFICIAL OR UNOFFICIAL TRAVELLERS FROM YOUR HOST COUNTRY TO NORTH KOREA, AND

-- TO OFFICIALS OR OTHERS IN YOUR HOST COUNTRY WHO ARE TO RECEIVE TRAVELLING NORTH KOREA OFFICIALS.

THE DEPARTMENT WILL MAKE EVERY EFFORT TO ADVISE YOU IN ADVANCE OF SUCH INDIVIDUALS BUT EXPECTS TO RELY PRINCIPALLY ON POSTS' INITIATIVE.

12. WE LEAVE TO POSTS' DISCRETION WHICH MAY BE THE MOST TELLING ARGUMENTS TO EMPLOY WITH INDIVIDUALS WHO MAY BE UNFAMILIAR WITH BOTH NORTH KOREA AND IAEA SAFEGUARDS BUT ARE BELIEVED TO BE SYMPATHETIC TO GLOBAL NUCLEAR NON-PROLIFERATION EFFORTS AND ARE ABOUT TO ENCOUNTER NORTH KOREAN OFFICIALS. THE DEPARTMENT RECOGNIZES THAT IN SOME COUNTRIES ANY APPROACH RUNS THE RISK OF BEING MISINTERPRETED AS A MAJOR SHIFT IN U.S. POLICY TOWARD THE DPRK OR AS A USG EFFORT TO ENLIST THE HOST COUNTRY TO BE A CHANNEL OF COMMUNICATION TO THE DPRK ON MORE THAN THIS SINGLE ISSUE. ACCORDING, YOUR APPROACH SHOULD BE TO RAISE ONLY THE ISSUE OF NORTH KOREAN NUCLEAR SAFEGUARDS, REQUESTING THAT SAFEGUARDS BE RAISED AS A MAJOR AGENDA ITEM IN TALKS WITH NORTH KOREANS. WHERE APPROPRIATE, YOUR HOSTS SHOULD BE URGED NOT TO EXPAND DIPLOMATIC AND ECONOMIC RELATIONS, UNTIL PYONGYANG FULFILLS ITS NPT OBLIGATIONS, I.E. SIGNATURE AND IMPLEMENTATION OF AN IAEA FULL SCOPE SAFEGUARDS

0054

AGREEMENT. YOU MAY UTILIZE AS YOU SEE FIT THE FOLLOWING TALKING POINTS:

-- IN RECENT MONTHS; NORTH KOREA HAS EXPRESSED AN INCREASING INTEREST IN BROADENING RELATIONS WITH MANY COUNTRIES.

-- THIS IS DUE IN LARGE PART TO THE SUCCESS OF SOUTH KOREA IN ESTABLISHING DIPLOMATIC (AND ECONOMIC) RELATIONS WITH THE USSR AND EASTERN EUROPE, AND IN BEGINNING NORMALIZATION WITH CHINA.

-- THERE IS ALSO AN ECONOMIC DIMENSION. PYONGYANG CAN NO LONGER RELY ON FAVORABLE AID AND BARTER TERMS FROM

THE SOVIETS AND CHINESE. WE KNOW THAT ECONOMIC GROWTH HAS SLOWED, AND THAT THE NORTH KOREAN ECONOMY IS IN DISTRESS. PART OF PYONGYANG'S EFFORT TO BROADEN ITS RELATIONS IS DOUBTLESSLY BASED ON THE DESIRE TO BENEFIT FROM TRADE AND AID.

-- ALTHOUGH ACTIVE DIPLOMATICALLY, NORTH KOREA IS DOING LITTLE TO REFORM ITS INEFFICIENT, WASTEFUL COMMAND ECONOMY. NEITHER HAS IT UNDERTAKEN SIGNIFICANT REFORM AND LIBERALIZATION OF ITS HIGHLY CONTROLLED, STALINIST POLITICAL SYSTEM. IN FACT, OUR IMPRESSION IS THAT NORTH KOREA IS MAKING CONCESSIONS IN ITS FOREIGN RELATIONS IN ORDER TO PRESERVE ITS DOMESTIC SYSTEM INTACT, INCLUDING THE PLANNED SUCCESSION FROM KIM IL SUNG TO HIS SON, KIM CHONG IL.

-- NORTH KOREA ALSO CONTINUES TO POSE A SERIOUS MILITARY THREAT TO SOUTH KOREA. ITS MILLION-PLUS MAN ARMY IS LARGELY DEPLOYED IN OFFENSIVE POSITIONS CLOSE TO THE BORDER, AND IN SPITE OF ITS ECONOMIC STRAITS PYONGYANG CONTINUES TO SPEND A LARGE PERCENT OF ITS GNP ON ITS MILITARY.

-- OF PARTICULAR CONCERN, NORTH KOREA DEVOTES CONSIDERABLE RESOURCES AND EFFORT TO AN UNACKNOWLEDGED NUCLEAR PROGRAM NOT COVERED BY IAEA SAFEGUARDS. INDEED, NORTH KOREA HAS BEEN OPERATING AN UNSAFEGUARDED REACTOR SINCE 1987 AND APPEARS TO BE DEVELOPING ADDITIONAL NUCLEAR FACILITIES. OUR JUDGMENT IS THAT NORTH KOREA'S NUCLEAR PROGRAM COULD SUPPORT THE DEVELOPMENT OF NUCLEAR WEAPONS. WE REGARD THIS PROGRAM AS A THREAT TO THE SECURITY OF NORTHEAST ASIA, A THREAT TO THE NPT, AND A POTENTIAL PROLIFERATION ISSUE OF CONCERN TO ALL COUNTRIES.

0055

-- WE DO NOT BELIEVE THAT NORTH KOREA WOULD BE ABLE TO DEVELOP A NUCLEAR WEAPON UNTIL MID-DECADE AT THE EARLIEST. BUT IT IS ESSENTIAL TO DEAL WITH THIS

POTENTIAL DEVELOPMENT AS EARLY AS POSSIBLE.

-- NORTH KOREA ADHERED TO THE NUCLEAR NON-PROLIFERATION TREATY IN 1985. IN SO DOING, NORTH KOREA ACCEPTED THE OBLIGATION OF PLACING ALL ITS NUCLEAR ACTIVITIES UNDER IAEA SAFEGUARDS WITHIN 18 MONTHS.

-- THE ROK HAS FULL SCOPE SAFEGUARDS IN EFFECT, AND THERE ARE NO INDICATIONS THAT SEOUL IS RECONSIDERING ITS NON-NUCLEAR WEAPONS POLICY UNDER THE NPT.

-- THE DANGER OF NUCLEAR PROLIFERATION ON THE KOREAN PENINSULA SHOULD BE EVIDENT TO ALL. THE NORTH KOREAN NUCLEAR PROGRAM IS UNDERMINING REGIONAL STABILITY AND IS ONE OF THE MOST IMPORTANT SECURITY CONCERNS IN EAST ASIA. THE ROK ALREADY FEELS THREATENED.

-- IT IS THUS IN THE INTERESTS OF ALL COUNTRIES THAT NORTH KOREA CONCLUDE AND IMPLEMENT A FULL SCOPE SAFEGUARDS AGREEMENT WITH THE IAEA.

-- MANY GOVERNMENTS WITH LITTLE HISTORIC CONNECTION WITH PYONGYANG MAY NOW BE ACQUIRING LEVERAGE AS A RESULT OF NORTH KOREA'S DRIVE TO BUILD A WIDER RANGE OF DIPLOMATIC AND ECONOMIC TIES.

-- WE BELIEVE THAT EXISTING DIPLOMATIC AND ECONOMIC RELATIONS SHOULD NOT BE FURTHER EXPANDED UNTIL PYONGYANG COMPLIES WITH ITS NPT OBLIGATIONS AND PLACES ALL ITS NUCLEAR ACTIVITIES UNDER IAEA SAFEGUARDS BY SIGNATURE AND IMPLEMENTATION OF AN NPT FULL SCOPE SAFEGUARDS AGREEMENT. THIS IS ALSO THE BASIS OF U.S. POLICY TOWARD NORTH KOREA.

13. FOR: ALGIERS, AMMAN, BELGRADE, BONN, BUCHAREST, BUDAPEST, CAIRO, JAKARTA, LAGOS, LISBON, NEW DELHI, PRAGUE, SOFIA, ULAANBATTAR AND WARSAW. YOU WILL NOTE THE OBSERVATION IN PARA 10, SUPRA, REGARDING THE DIFFICULTY OF ENSURING THAT THE VIEWS OF FOREIGN GOVERNMENTS ON THIS SUBJECT ARE ACCURATELY MADE KNOWN TO THE DPRK GOVERNMENT IN PYONGYANG. THE GOVERNMENT TO WHICH YOU ARE ACCREDITED IS UNDERSTOOD TO MAINTAIN AN OFFICIAL PRESENCE THERE. UNLESS YOU DEEM IT UNDESIRABLE AND SO INFORM THE DEPARTMENT, YOU SHOULD ASK YOUR HOST GOVERNMENT TO CONSIDER RAISING THIS SUBJECT THROUGH THEIR OFFICIALS IN PYONGYANG WITH THE DPRK AUTHORITIES, DRAWING ON THE FOREGOING AS APPROPRIATE.

14. FOR BAMAKO AND LIBREVILLE: WE UNDERSTAND THAT THE GOVERNMENTS OF MALI AND GABON ALSO MAINTAIN EMBASSIES IN PYONGYANG. WE RELY ON YOUR DISCRETION TO DETERMINE WHETHER OR NOT IT MIGHT BE COUNTERPRODUCTIVE TO TRY AND INVOLVE YOUR HOST COUNTRY IN THIS MATTER.

15. FOR NEA POSTS: WE APPRECIATE THE UNUSUAL CONDITIONS AT SOME NEA POSTS AT THIS TIME AND WILL ACCEPT YOUR JUDGMENT SHOULD YOU CHOOSE TO DEFER ANY ACTION.

0056

16. FOR BEIJING, BONN, BUDAPEST, MOSCOW, PRAGUE AND TOKYO. THIS MESSAGE SUPPLEMENTS THE ONGOING EFFORT YOU ARE ALREADY MAKING ON THIS SUBJECT.

AUSTRALIAN NON-PAPER ON
NORTH KOREAN AND IAEA SAFEGUARDS

WE AGREE THAT IT IS IMPORTANT TO RESPOND TO THE DPRK STATEMENT AND UNDERLINE THAT THIS IS NOT JUST A BILATERAL ISSUE BETWEEN THE DPRK AND THE U.S. AND MORE GENERALLY TO CONTINUE BILATERAL AND MULTILATERAL PRESSURE ON THE DPRK OVER THE SAFEGUARDS ISSUE. WE ARE THEREFORE PREPARED, IN THE COMPANY OF THE OTHER COUNTRIES MENTIONED, TO CO-SPONSOR THE PROPOSED LETTER TO THE PRESIDENT OF THE SECURITY COUNCIL, AND IN THE IAEA WE WILL ALSO CONTINUE TO TAKE A PROMINENT ROLE.

- WE WOULD PREFER, HOWEVER, IF THERE WERE SOME NON-ALIGNED CO-SPONSORS TO THE LETTER TO THE U.N., PARTICULARLY FROM THE ASIAN REGION, AND BELIEVE THE EFFORT INVOLVED WOULD BE WORTHWHILE.

- ONE OR TWO NON-ALIGNED CO-SPONSORS WOULD BE A CLEARER MESSAGE TO THE DPRK AND TO OTHER POTENTIAL ERRANT NPT MEMBERS THAT NPT MEMBERS FROM ALL POLITICAL GROUPS ARE UNITED ON THIS ISSUE.

- THIS WAS THE CASE AT THE FOURTH NPT REVIEW CONFERENCE WHERE A NUMBER OF NON-ALIGNED COUNTRIES CO-SPONSORED AUSTRALIAN LANGUAGE ON FULLSCOPE SAFEGUARDS AND THE CONCLUSION OF SAFEGUARDS AGREEMENTS.

- WE WOULD SUGGEST AN APPROACH TO INDONESIA, MALAYSIA, PHILIPPINES AND EGYPT, ALL CO-SPONSORS OF THE NPTRC LANGUAGE.

HOWEVER, IT REMAINS AUSTRALIA'S VIEW THAT, IF PROLIFERATION IS TO BE AVERTED, WE NEED TO LOOK BEYOND THE SYMPTOM OF THE SAFEGUARDS AGREEMENT TO TRY AND ADDRESS THE CAUSES OF THE DPRK'S NUCLEAR WEAPONS PROGRAM. WE SHOULD EXAMINE WAYS TO HELP TO CREATE A DIFFERENT BALANCE OF INCENTIVES AND DISINCENTIVES SO AS TO INDUCE THE DPRK TO ABANDON A NUCLEAR WEAPONS OPTION. IF THIS IS NOT DONE SOON AND THE DPRK'S NUCLEAR PROGRAM CONTINUES UNABATED AND UNSAFEGUARDED, IT WILL GENERATE PRESSURES IN THE ROK AND JAPAN WHICH WILL HAVE FUNDAMENTAL EFFECTS ON NORTH ASIAN AND PACIFIC SECURITY AS WELL AS HAVE SERIOUS CONSEQUENCES FOR THE CREDIBILITY OF THE NPT AND IAEA SAFEGUARDS.

AUSTRALIA WILL GIVE THE UNITED STATES SOME FURTHER THOUGHTS ON THIS QUESTION IN THE NEAR FUTURE.

./..

0057

91.1.15

FINALLY, WE NOTE THE LANGUAGE IN PARAGRAPH THREE OF THE PROPOSED LETTER ON NEGATIVE NUCLEAR SECURITY ASSURANCES. AUSTRALIA WOULD ENCOURAGE THE DEPOSITARY POWERS TO CONTINUE THEIR EFFORTS TO DEVISE A COMMON STATEMENT WHICH COULD BE ENCOMPASSED IN AN INTERNATIONAL TREATY PRIOR TO 1995. WE BELIEVE SUCH AN ACHIEVEMENT OF DIRECT RELEVANCE TO NON-NUCLEAR WEAPON STATE PARTIES TO BE IMPORTANT FOR A SUCCESSFUL EXTENSION OF THE NPT.

0058

Christenson 미대사관 1등서기관, 1.16 안보과장 전달
1/16 김
1. 구상 설명
2. proposed letter 구득
Mayorskiy : 소 외무성 과학기술과 (S&T) Head

U.S. RESPONSE TO MAYORSKIY ON
NORTH KOREA AND THE IAEA

(A) THE USG IS PLEASED TO NOTE MAYORSKIY'S REITERATION OF THE SOVIET POSITION ON THIS MATTER THAT "BILATERAL RELATIONSHIPS SHOULD NOT PROVIDE EXCUSES FOR NATIONS UNWILLING TO COMPLY WITH THE RULES OF THE NPT." THIS IS ALSO THE USG POSITION.

(B) WE NOTE MAYORSKIY'S OBSERVATION THAT A LETTER REBUTTING NORTH KOREA'S FORMAL ATTEMPT TO OVERTURN THIS U.S.-USSR POSITION, WHICH IS SHARED BY MOST OTHER GOVERNMENTS, IS A BIG STEP FOR THE USSR. HOWEVER, NORTH KOREA'S MAJOR EFFORT AGAINST THIS IMPORTANT COMMON PRINCIPLE MUST BE COUNTERED AND DEFEATED. THIS REQUIRES SUCH A "BIG STEP" BY BOTH THE U.S. AND THE USSR.

(C) AUSTRALIA HAS INDICATED ITS OWN WILLINGNESS TO SIGN, BUT IT IS INTERESTED IN THE USSR'S REACTION. WE HAVE NOT YET HEARD FROM OTHERS.

(D) COULD MAYORSKIY ELABORATE ON HIS STATEMENT (REF A PARA 6) THAT BLIX HAS CLARIFIED HIS POSITION SATISFACTORILY? WE ARE UNAWARE OF ANY SUCH CLARIFICATION. (THE IAEA STATEMENT SIMPLY IDENTIFIED THE JAPAN ECONOMIC JOURNAL ARTICLE AS THE SOURCE OF NORTH KOREA'S ASSERTION THAT THE IAEA HAD ANNOUNCED A POSITION AND QUOTED WHAT THE ARTICLE ACTUALLY SAID WITHOUT TAKING ISSUE WITH IT. THE IAEA HAS REFUSED PUBLICLY TO REPUDIATE THE INCORRECT INFERENCE THAT NORTH KOREA HAS DRAWN FROM THAT ARTICLE ABOUT THE FOSITION OF THE IAEA. BLIX HAS INDICATED THAT HE WILL CLARIFY IT TO THE BOARD IN FEBRUARY.)

(E) YOU SHOULD REMIND MAYORSKIY THAT THE U.S. HAS ATTEMPTED, IN PARTICULAR DURING JULY DISCUSSIONS IN VIENNA, TO SHOW FLEXIBILITY IN MEETING NORTH KOREA.S DESIRE FOR ASSURANCES IN THE NUCLEAR AREA. IN PARALLEL WITH NORTH KOREAN CONCLUSION OF A STANDARD NPT SAFEGUARDS AGREEMENT, THE U.S. WAS WILLING TO CIRCULATE TO BOARD MEMBERS OUR STANDARD NEGATIVE SECURITY ASSURANCE WITH A STATEMENT THAT IT APFLIED TO NORTH KOREA IF IT MET THE CRITERIA AND A STATEMENT THAT THE U.S. WAS NOT A THREAT TO NORTH KOREAN SECURITY. WE ALSO PASSED TO NORTH KOREA, THROUGH THE IAEA, A SIDE PAPER STATING OUR WILLINGNESS TO DISCUSS THE SIGNIFICANCE AND IMPLICATIONS OF OUR EXISTING NSA FOR NORTH KOREA AND TO BROADEN OUR OVERALL DIALOGUE, FOLLOWING CONCLUSION OF THE AGREEMENT.

(F) NORTH KOREA HAS ATTEMPTED TO STRENGTHEN ITS POSITION BY MAKING FALSE ACCUSATIONS ABOUT U.S. BEHAVIOR UNDER THE NPT, ABOUT ITS OWN OBLIGATIONS UNDER THE NPT, AND ABOUT THE ATTITUDE OF THE IAEA TOWARD THE CURRENT IMPASSE. WE DO NOT BELIEVE THIS LETTER SIMPLY WENT UNNOTICED.

0059

91.1.15 Christenson 서기관에게 접수 (3기국)

INTERNATIONAL REBUTTAL MAY SERVE TO CONVINCE NORTH KOREA IT CANNOT MAINTAIN A POSITION BASED ON FALSEHOODS AND REMIND IT OF ITS INTERNATIONAL ISOLATION ON THIS ISSUE.

(G) THE USSR, AS A DEPOSITARY GOVERNMENT, SHOULD CONSIDER JOINING THE U.S. AND OTHER GOVERNMENTS IN REFUTING THESE DISTORTIONS OF FACT AND ATTACKS ON THE NFT.

0060

SOVIET NON-PAPER ON NORTH KOREAN AND THE IAEA

THE SOVIET SIDE HAS ATTENTIVELY STUDIED THE DRAFT LETTER TO THE UN SECURITY COUNCIL TRANSMITTED TO THE MFA BY THE EMBASSY ON JANUARY 3, 1991, CONCERNING THE NOVEMBER 16 DECLARATION OF THE DPRK FOREIGN MINISTER. AS A RESULT OF THIS STUDY, WE WOULD LIKE TO INFORM THE AMERICAN SIDE OF THE FOLLOWING VIEWS.

THE SOVIET UNION, AS A DEPOSITARY OF THE NPT, CONSISTENTLY AND FIRMLY INSISTS ON THE FULFILLMENT OF THEIR OBLIGATIONS BY ALL STATES PARTY TO THE NPT. THIS APPLIES IN FULL TO THE QUESTION OF THE DPRK'S OBLIGATION UNDER THE NPT TO CONCLUDE THE REQUIRED IAEA FULL-SCOPE SAFEGUARDS AGREEMENT. THE SOVIET SIDE DOES NOT SHARE THE ARGUMENTATION COMING FROM THE KOREAN SIDE CONCERNING THE BASIS OF ITS POSITION AND WHICH WAS EXPRESSED IN THE DPRK FOREIGN MINISTER'S NOVEMBER 16, 1990 STATEMENT. WE STAND FIRMLY ON THE POSITION THAT CITATIONS BY A GOVERNMENT ABOUT PROBLEMS ARISING IN RELATIONS WITH ANOTHER GOVERNMENT CANNOT FREE IT FROM THE FULFILLMENT OF OBLIGATIONS UNDERTAKEN UNDER MULTILATERAL AGREEMENTS SUCH AS THE NPT. WE HAVE INFORMED THE KOREAN SIDE OF THIS POINT OF VIEW MORE THAN ONCE. THE SOVIET SIDE INTENDS TO CONTINUE TO PRESS THE DPRK TO FULFILL ITS OBLIGATIONS UNDER THE NPT COMPLETELY. MORE THAN THIS, WE INSIST ON THE DIRECT RELATION BETWEEN SUCH COMPLETION AND THE POSSIBLITY OF FURTHER GROWTH IN BILATERAL SOVIET-KOREAN COOPERATION IN THE AREA OF PEACEFUL USES OF ATOMIC ENERGY, ABOUT WHICH THE AMERICAN SIDE WAS INFORMED DURING THE RECENT BILATERAL NUCLEAR NON-PROLIFERATION CONSULTATIONS.

AT THE SAME TIME, THE SOVIET SIDE HAS THE MOST SERIOUS DOUBTS CONCERNING THE ADVISABILITY OF THE AMERICAN SIDE'S PROPOSED COLLECTIVE LETTER TO THE UN SECURITY COUNCIL. A POLITICAL DEMARCHE AT SUCH A LEVEL IS MANIFESTLY DISPROPORTIONATE TO THE REAL SCALE OF THE TASK. AS A RESULT, A SITUATION MAY OCCUR WHERE, THROUGH THE INITIATIVE OF THE DEPOSITARIES, INTERNATIONAL ATTENTION MAY BE DIRECTED TO A DOCUMENT WHICH BY ITSELF WOULD HAVE CREATED NO NOTICEABLE RESONANCE IN UN OR IAEA CIRCLES. THIS WILL AGGRAVATE AND UNDERLINE THE CONFLICT INHERENT IN THE SITUATION.

0061

91. 1. 18 접수 (Bonsignore 과장)
3기부

THERE ARE SEVERAL QUESTIONS ALSO ABOUT THE DRAFT LETTER TO THE SECURITY COUNCIL. FOR EXAMPLE, THE SECOND PARAGRAPH IS INCORRECT. IT IS DOUBTFUL WHETHER SUCH A COLLECTIVE LETTER IS THE APPROPRIATE FORM FOR GENERAL CONFIRMATION OF THE DEPOSITARIES' NEGATIVE ASSURANCES TO NON-NUCLEAR GOVERNMENTS, SINCE EACH (DEPOSITARY) GAVE THESE IN A UNILATERAL FORM. (THE PROPOSED LETTER) IS EVEN LESS SUITABLE FOR THE ADVANCEMENT OF THE NEGATIVE SECURITY ASSURANCES OF ONLY ONE OF THE DEPOSITARIES. FINALLY, IT IS HARDLY APPROPRIATE TO INCLUDE IN THE LETTER AN INTERPRETATION OF THE POSITION OF THE IAEA, WHICH IS THE EXCLUSIVE PREROGATIVE OF THAT AGENCY AND ITS DIRECTOR GENERAL.

CERTAINLY, EACH DEPOSITARY HAS THE RIGHT TO REACT TO THE DPRK FOREIGN MINISTER'S DECLARATION AS IT FEELS MOST ADVISABLE. AS FOR THE SOVIET SIDE, WE INTEND ONCE AGAIN TO APPROACH THE KOREAN SIDE WITH ANSWERING EXPLANATIONS AND ARGUMENTS. AT THE SAME TIME, THE SOVIET SIDE WOULD LIKE TO SUGGEST TO THE AMERICAN SIDE THAT, IN A SPIRIT OF GOOD WILL AND IN THE INTERESTS OF STRENGTHENING THE NPT REGIME, IT REEXAMINE THE POSSIBILITY OF "PERSONALIZING" ITS NEGATIVE SECURITY ASSURANCES TO THE DPRK. WE BELIEVE THAT SUCH A RELATIVELY SIMPLE STEP TOWARDS MEETING THE DPRK POSITION WOULD CREATE A HELPFUL CONDITION FOR RESOLUTION OF THE QUESTION OF DPRK CONCLUSION OF ITS IAEA FULL-SCOPE SAFEGUARDS AGREEMENT.

END INFORMAL TRANSLATION SOVIET NON-PAPER.

0062

관리 번호	91-60

분류번호	보존기간

발 신 전 보

번 호 : WUN-0194 910131 1748 AO 종별 :

수 신 : 주 유엔, 오지리 대사. 총영사 (사본 : 주미대사) WAV -0069 WUS -0382

발 신 : 장 관 (국기)

제 목 : 북한의 UN/IAEA 문서 배포

연 : WUN-2016, WAV-1156(90.12.4)

1. 주한 미대사관은 1.28 표제 관련 미국의 대응조치 진전상황에 관해 아래와 같이 알려왔음.

가. 미국은 쏘련, 영국, 호주, 일본, 체코, 필리핀, 말련, 인니, 이집트등 9개국에 대해 유엔 안보리 의장앞 대북한 반박 서한의 공동 서명을 추진해 왔음(서한문안 별첨 참고)

나. 미국의 공동 서명 요청에 대해 쏘련은 거부했으며, 일본과 호주는 동의했고 여타국들로부터는 현재까지 결정을 통보받지 못한 상태임. 한국은 개별적으로 대응할 뜻을 표시하였음.

다. 미국은 상기 서한에 유엔 주재 관련국 대표들이 서명토록 할 방침인바, 유엔 주재 미대표부에 쏘련을 제외한 상기 8개국의 유엔대표부 대사들을 1.28 접촉, 미국이 2.1(금) 서명을 요청할 것임을 알리도록 지시함.

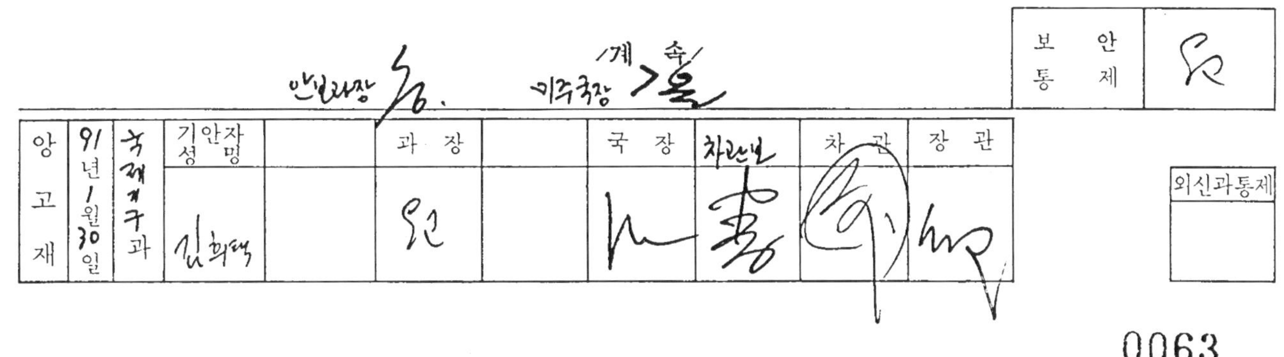

보 안 통 제	

/계 속/

앙 고 재	91년 1월 30일	국제기구과	기안자 성 명		과 장		국 장	차관보	차 관	장 관
			김희택							

외신과통제

0063

라. 미국의 입장에는 공감하나 공동서명을 원치않는 국가들에 대하여는 각국 정부가 개별적으로 유엔에 서한을 제출토록 요청할 것임.

2. 상기 관련, 주유엔 대사는 연호(WUN-2016)로 송부한 아국입장 성명문을 유엔 안보리 문서로, 주오지리 대사는 연호(WAV-1156)로 송부한 아국 입장 성명문을 서두만 고친후 IAEA 이사회 문서로 각각 배포되도록 조치하고 결과 보고바람.

3. 단, 동 조치에 앞서 귀지 주재 미국과 일본 대표에게 아국이 다음과 같은 이유로 "2"항과 같이 단독 반박코자 함을 설명바람.

o 기본적으로 북한 핵개발의 제1차적 위협 당사자는 한국이라는 아측 입장에서 볼때, 미측 조치와 병행하여 유엔과 IAEA에서 아국 단독으로 반박 성명을 발표하는 것이 북한의 책동에 대한 효과적 대응으로 봄.

첨부 : 미측 서한문안. 끝

(1991.12.31.)

(장관 이상옥)

예고 : 91.12.31. 일반

검토필(1991. 6. 30.)

0064

AS PARTIES TO THE TREATY ON THE NON-PROLIFERATION OF NUCLEAR WEAPONS(NPT), THE UNDERSIGNED GOVERNMENTS WISH TO ADDRESS THEMSELVES TO THE STATEMENT OF THE FOREIGN MINISTRY OF THE DEMOCRATIC PEOPLE'S REPUBLIC OF KOREA(DPRK), ISSUED ON NOVEMBER 16, 1990 AND CIRCULATED AS SECURITY COUNCIL DOCUMENT S/21957 AND IAEA BOARD OF GOVERNORS DOCUMENT GOV/INF/594.

THE UNDERSIGNED GOVERNMENTS CALL ON THE GOVERNMENT OF THE DPRK TO RECALL THAT ARTICLE III OF THE NPT REQUIRES A NONNUCLEAR-WEAPON STATE PARTY TO ACCEPT SAFEGUARDS, AS SET FORTH IN AN AGREEMENT TO BE NEGOTIATED AND CONCLUDED WITH THE INTERNATIONAL ATOMIC ENERGY AGENCY(IAEA), ON ALL SOURCE AND SPECIAL NUCLEAR MATERIAL IN ALL ITS PEACEFUL NUCLEAR ACTIVITIES. EQUALLY CLEAR IS THE OBLIGATION IN ARTICLE III FOR THE NONNUCLEAR-WEAPON STATE PARTY TO HAVE THAT THE AGREEMENT ENTER INTO FORCE NOT LATER THAN EIGHTEEN MONTHS AFTER THE INITIATION OF NEGOTIATIONS. A STATE PARTY CANNOT CONDITION THIS UNDERTAKING ON THE ACTIONS OF ANOTHER STATE PARTY TO THE TREATY, ON SEPARATE NEGOTIATIONS WITH ANOTHER STATE, OR ON CONCLUSION OF ANOTHER AGREEMENT SUCH AS ONE RELATING TO A NUCLEAR-WEAPONS-FREE ZONE.

THE UNDERSIGNED GOVERNMENTS AFFIRM THAT IT IS NOT ACCEPTABLE THAT, IN THE ABOVE-MENTIONED STATEMENT, THE GOVERNMENT OF THE DPRK TRIES TO JUSTIFY ITS NONFULFILLMENT OF THE NPT OBLIGATIONS BY CONDITIONING IT ON THE ACTIONS OF ANOTHER COUNTRY. MOREOVER, THERE IS NO BASIS FOR THE DPRK'S IMPLICATION THAT THE UNITED STATES IS NOT FULFILLING ITS TREATY OBLIGATIONS BY VIRTUE OF ITS SECURITY ARRANGEMENTS WITH THE REPUBLIC OF KOREA. NOR IS THERE ANY OTHER BASIS FOR CONCLUDING THAT THE UNITED STATES HAS NOT DISCHARGED ITS OBLIGATIONS UNDER THE TREATY.

THE DPRK INCORRECTLY IMPLIES THAT THE IAEA TAKES THE POSITION THAT THE QUESTION OF THE SAFEGUARDS AGREEMENT HAS NOT BEEN SOLVED BECAUSE OF RELATIONS BETWEEN THE DPRK AND THE UNITED STATES. THE SECRETARIAT HAS TAKEN NOTE THAT THE DPRK IS CONDITIONING ITS SIGNATURE OF THE SAFEGUARDS AGREEMENT ON RECEIPT OF ASSURANCES FROM THE U.S. REGARDING USE OF NUCLEAR WEAPONS AND THAT THE QUESTION OF SUCH ASSURANCES MUST BE LEFT TO THE TWO COUNTRIES TO WORK OUT. THE AGENCY HAS NOT TAKEN THE POSITION THAT CONCLUSION OF THE SAFEGUARDS AGREEMENT CAN LEGITIMATELY BE LINKED TO SUCH ASSURANCES.

THE UNDERSIGNED GOVERNMENTS CALL ON THE DEMOCRATIC PEOPLE'S REPUBLIC OF KOREA TO CONCLUDE AND IMPLEMENT A FULL SCOPE SAFEGUARDS AGREEMENT WITH THE IAEA IMMEDIATELY AND THUS TO FULFILL ITS OBLIGATIONS AS A STATE PARTY TO THE NPT.

END TEXT.

0065

관리 번호	91-59

분류번호	보존기간

발 신 전 보

번 호 : WUN-0196 910131 1844 AO 종별 : 지급

WAV -0070

수 신 : 주 유엔, 오지리 대사. 총영사

발 신 : 장 관 (국기)

제 목 : 북한의 UN/IAEA 문서 배포

연 : WUN-2016(1), 0194(2)

WAV-1156(1), 0069(2)

연호(1)로 송부한 아국입장 성명문중 마지막 paragraph의 첫부분에 아래 문장(" " 부분)을 삽입한후, 배포 조치하기 바람.

"ROK would be most threatened in case DPRK develops its own nuclear weapons. Therefore," ROKG strongly urges .... (이하 동일함). 끝

(장 관)

예고 : 91.12.31. 일반

일반문서로 재분류(1991. 12. 31.)

검토필(1991. 6. 30.)

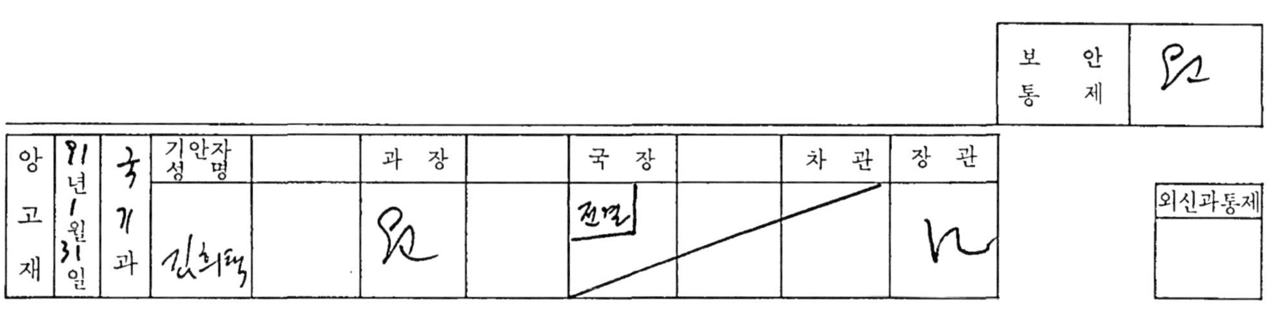

보안통제	

앙고재	91년 1월 31일	국기과	기안자 성명		과 장		국 장		차 관	장 관
			김희택				전결			

외신과통제

0066

발 신 전 보

분류번호	보존기간

번 호 : WAV-0071 910131 1844 AO 종별 :

수 신 : 주 오지리 대사. 총영사 (~~시본:주 대사~~)

발 신 : 장 관 (국기)

제 목 : 북한의 핵안전협정 문제

표제관련, 북한-일본 제1차 수교회담(1.30-31, 평양)의 기조연설에서 양측 대표가 밝힌 입장을 아래 통보하니 참고바람.

1. 일본
   - o 북한이 핵개발을 한다면 일본의 안전보장에 극히 중요한 문제로서 깊이 우려함.
   - o 유일한 피폭국으로서 일본 국민은 핵에 대해 대단히 민감함. 이런 우려를 불식하기 위해 북한이 하루라도 빨리 핵사찰 수용의무를 이행할 것을 강력히 희망함.

2. 북한
   - o IAEA와의 안전조치협정 체결이 늦어지고 있는것은 미국이 남한에 핵무기를 배치, 우리를 위협하고 있기 때문임.
   - o 핵사찰은 남한에 배치된 미국의 핵무기와 동시에 해야 함. 끝

(국제기구조약국장 문동석)

보 안 통 제	원

앙 고 재	91년 1월 31일	국기과	기안자 성명		과 장		국 장		차 관	장 관
			김희택		(서명)		전결			(서명)

외신과통제

0067

2/1 길 기

원 본

관리번호	91-62

외 무 부

종 별 :

번 호 : UNW-0253 일 시 : 91 0131 2000

수 신 : 장관(국기,국연,기정)

발 신 : 주 유엔 대사

제 목 : 북한의 핵안전 협정문제

대:WUN-0194

대호, 주유엔 일본 대표부의 담당관인 KAWAKAMI 1 등 서기관이 금 1.31. 당관 금참사관에게 알려온 표제건 관련 사항을 아래보고함.

1. 미측은 당초 미, 일 양국 공동명의만으로 라도 안보리 문서제출을 희망해 왔으나 일본측은 안보리 문서를 조속 제출하는것은 좋으나 미, 일 양국만이 서명하는경우, 현재 진행중인 일-북한 접촉에서의 일본의 표제건 제기가 마치 미국의 요구에 따른것 같은 인상을 북한에 줄 우려가있고 또 IAEA 이사회도 2 월하순으로 예정되어 있으므로 2.1. 에 안보리 문서를 제출코자 서두르는것 보다 추가서명국을 확보하는것이 필요함을 설명하여 문서제출을 다음주로 연기키로 합의했다고함.

2. 이와관련, 동 담당관은 현재 호주및 체코가 공동 서명키로 했으며 필리핀, 인니및 말레이지아 와 교섭이 진행중에 있는것으로 안다고 말하고 일본은 미측에대해 독일, 이태리, 화란및 카나다등 국가와도 교섭해 주도록 요구했다고함.

3. 일본으로서는 표제건의 성격상 최소한 6-7 개국 정도가 공동 서명 할수 있게 되기를 희망하고 있음. 끝

(대사 현홍주-국장)

예고:91.12.31. 일반

일반문서로 재분류(1991.12.31.)

검 토 필(1991. 6. 30.)

국기국 장관 차관 1차보 2차보 국기국 청와대 안기부

PAGE 1

91.02.01 11:30

외신 2과 통제관 FE

0068

외 무 부

종 별 :

번 호 : AVW-0129 일 시 : 91 0201 1500

수 신 : 장관(국기,미안,구이)

발 신 : 주 오스트리아 대사

제 목 : IAEA 문서 배포

대:(1)WAV-1156(90.12.4)

(2)WAV-0069

1. 대호(1) 아측 입장 성명문을 별첨과 같이 일부 수정, 시행할 것을 건의함.

2. 당관은 동 성명문의 IAEA 제출을 위해 2.5(화) 11:30 IAEA 관계관과 면담 약속을 하였음.

검 토 필(1991. 6.30.)

(끝)

예고:91.12.31 일반별첨:

POSITION OF THE GOVERNMENT OF THE REPUBLIC OF KOREA

ON THE QUESTION OF THE NPT

SAFEGUARDS AGREEMENT BETWEEN AND IAEA

,, IN, CONNECTION WITH THE STATEMENT OF THE DEMOCRATIC PEOPLE'S REPUBLIC OF KOREA(DPRK), CIRCULATED IN GOV/INF/594 OF 11 DECEMBER 1990, ON THE QUESTION OF CONCLUDING A SAFEGUARDS AGREEMENT BETWEEN DPRK AND THE INTERNATIONAL ATOMIC ENERGY AGENCY(IAEA), THE GOVERNMENT OF THE REPUBLIC OF KOREA WISHES TO REITERATE ITS POSITION AS FOLLOWS.

,, DPRK ACCEDED TO THE TREATY ON THE NON-PROLIFERATION OF NUCLEAR WEAPONS(NPT) IN DECEMBER 1985, WHICH BINDS A NON-NUCLEAR WEAPON STATE PARTY TOCONCLUDE A FULLSCOPE SAFEGUARDS AGREEMENT WITH IAEA WITHIN 18 MONTHS FROMITS ACCESSION. SAFEGUARD MEASURES UNDER ARTICLE III OF THE TREATY ARE ESSENTIAL PART OF THE NPT REGIME.

,, THE GOVERNMENT OR THE REPUBLIC OF KOREA EXPRESSES ITS ANNOYANCE THEDPRK WITH SIGNIFICANT NUCLEAR ACTIVITIES HAS FAILED TO FULFILL ITS OBLIGATIONS

국기국 차관 1차보 2차보 미주국 구주국

PAGE 1 91.02.02 00:43

외신 2과 통제관 BW

0069

UNDER THE TREATY FOR MORE THAN FIVE YEARS. THIS DELAY IS A CLEAR VIOLATION OF THE TREATY PROVISIONS AND POSES A THREAT TO THE INTERNATIONAL NON-PROLIFERATION REGIME.

,, THERE ARE NO PROVISIONS IN NPT WHICH JUSTIFY ANY LINKAGE BETWEEN FAILURE OF DPRK TO CONCLUDE THE SAFEGUARDS AGREEMTNT UNDER THE TREATY AND OTHER POLITICAL ISSUES OR EXTRANEOUS FACTORS AS IT INVOKES. THIS ATTITUDE OFDPRK ENDANGERS THE NPT REGIME IN GENERAL AND THE SECURITY IN NORTHEAST ASIA IN PARTICULAR. THE GOVERNMENT OF THE REPUBLIC OF KOREA IS SERIOUSLY CONCERNED ABOUT THE DEVELOPMENT BY DPRK OF NUCLEAR WEAPONS.

,, THE GOVERNMENT OF THE REPUBLIC OF KOREA STRONGLY URGES THE DPRK TO COMPLY WITH ITS TREATY OBLIGATIONS BY CONCLUDING AND IMPLEMENTING THE SAFEGUARDS AGREEMENT WITH IAEA WITHOUT FURTHER ADO, THEREBY REMOVING A STUMBLING BLOCK TO THE CONFIDENCE-BUILDING AND RECONCILIATION PROCESS ON THE KOREAN PENINSULA.

(끝)

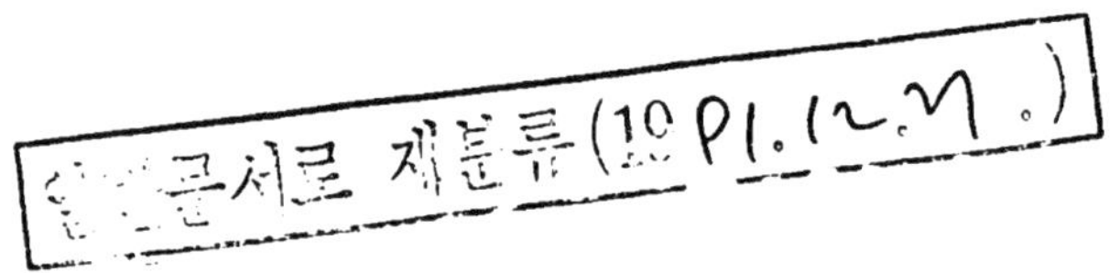

관리 번호	91-68

	분류번호	보존기간

발 신 전 보

번 호 : WUN-0217 910202 1321 CG 종별 : 긴급

WAV -0083 WUS -0421

수 신 : 주 유엔, 오지리 대사. 총영사 (사본 : 주미대사)

발 신 : 장 관 (국기)

제 목 : UN/IAEA 문서 배포

연 : WUN-0194, WAV-0069

대 : AVW-0129

연호, 유엔 안보리 및 IAEA 제출용 아국입장 성명문을 일부 수정하여 Full Text를 별첨 타전하니 동 수정된 Text를 사용하여 시행하고 결과 보고바람.

첨부 : 상기 성명문. 끝

(장 관)

예고 : 91.12.31. 일반

일반문서로 재분류(1991.12.31.)

검 토 필(1991. 6. 30.)

보안 통제	

앙 고 재	91년 2월 2일	국기과	기안자 성명		과 장		국 장	1차보	차 관	장 관
			김희택							

외신과통제

0071

Position of the Government of the Republic of Korea on the Question of the NPT Safeuards Agreement between DPRK and IAEA

In connection with the statement of the Democratic People's Republic of Korea, circulated as a Security Council document(S/21957) of 21 November 1990, on the question of concluding a fullscope safeguards agreement between the Democratic People's Republic of Korea and the International Atomic Energy Agency (IAEA), the Government of the Republic of Korea wishes to reiterate its position as follows.

The Democratic People's Republic of Korea acceded to the Treaty on the Non-Proliferation of Nuclear Weapons(NPT) in December 1985, the stipulations of which impose duties on acceding State to conclude a fullscope safeguards agreement with IAEA within 18 months from its accession. Safeguard measures under Article Ⅲ of the NPT are essential obligations to be fulfilled by all State parties under the NPT regime and central to its effectiveness and and strength.

The Government of the Republic of Korea cannot but express serious concern that the Democratic People's Republic of Korea, a NPT party with significant nuclear activities, has failed to conclude safeguards agreement for almost five years. This delay by the Democratic People's Republic of Korea far beyond the legal deadline of the signing of the safeguards agreement is clear violation of one of the fundamental obligations required under the Treaty and poses a threat to the international non-proliferation regime.

0072

There are no provisions in the NPT which justify any linkage between failure of the Democratic People's Republic of Korea to conclude the safeguards agreement under the Treaty and other politial issues or extraneous factors as it invokes. This attitude of the Democratic People's Republic of Korea endangers the NPT regime in general and the security in Northeast Asia in particular. The Government of the Republic of Korea is seriously concerned about the development of nuclear weapons by the Democratic People's Republic of Korea.

The Government of the Republic of Korea strongly urges the Democratic People's Republic of Korea to comply with its treaty obligation to conclude and implement the requisite safeguards agreement as soon as possible and thereby remove a stumbling block standing in the way to confidence-building and reconciliation process on the Korean peninsula.

End.

0073

2/5 길 기

원 본

외 무 부

암호수신

종 별 :

번 호 : UNW-0268 일 시 : 91 0204 1800

수 신 : 장관(박원화 국제기구과장)

발 신 : 주 유엔 금정호

제 목 : 대:WUN-0217

제번하옵고, 대호 아국 성명문 두번째 PARA 의 "ACCEDING STATE " 는 이를 "ACCEDING NON-NUCLEAR-WEAPON STATE" 로 하는것이 어떨까 사료되어 참고로 보고합니다. 건승. 끝

예고:독후파기

국기국

0074

PAGE 1

91.02.05 08:28

외신 2과 통제관 BW

9/5 길
외신2과 기조치 기

관리번호	91-79

원 본

외 무 부

종 별 :

번 호 : UNW-0270 일 시 : 91 0204 1800

수 신 : 장관(국기,국연) (사본: 주미, 오지리대사) WUS-0470, WAV-0091,

발 신 : 주 유엔대사

제 목 : 북한의 핵안전 협정문제

대:WUN-0217

연:UNW-0253

1. 표제건 관련, 당관 금참사관은 금 .2.4 주유엔 미대표부의 표제건 담당관인 MS. LAURA CLERICI 와 접촉, 진전상황을 알아본바 이를 요지 아래보고함.

가. 공동서명 교섭대상국

카나다, 이태리 독일 화란 영국 소련 체코 폴란드 일본 호주 말레이지아 인니 비율빈 이집트(14 개국)

나. 현재까지의 각국반응

1)현재까지 공동서명에 기본적으로 동의한 국가는 일본, 호주및 체코이며 영국과 소련은 부정적 반응을 보임.그러나 상기 동의 국가들도 공동서명국이 충분치 않을경우 개별적으로 서한을 제출한다는 입장이며 영국은 북한이 안전협정서명관련, 어떤 조치를 취할 가능성이 있고 북한의 안보리 문서가 ATTENTION 을 끌지 못한 상태에서 반박서한을 제출하는 경우 오히려 북한입장을 주지시킬 가능성이 있다는 반응을 보였다고함.

2)카나다, 이태리, 독일및 화란은 비교적 적극적인 반응을 보이고있음.

3)기타 인니, 비율빈, 말레이지아, 이집트등은 조심스런 태도로 이를 검토중임.

2.CELERICI 담당관은 미국으로서는 물론 다수국가가 공동서명케 되기를 바라나 무엇보다 아시아 국가들을 포함시키고자 노력하고 있으며 금주말 내지 내주초까지 공동서명국 확보교섭을 계속해 나갈것이라고 함. 그러나 상기 시점까지도충분한 공동서명국이 확보되지 않을경우에는 미국 단독으로 문서를 제출할것이며 일본및 호주도 개별적으로 이를 제출하게 될것으로 본다고 말함.

3. 한편, 대호 아국의 반박성명문은 그 성격상 공동서명 문서와 병행 추진할수있는

국기국 장관 차관 1차보 2차보 미주국 국기국 정문국 청와대 안기부

PAGE 1

91.02.05 08:30

외신 2과 통제관 BW

0075

성질의 것이긴하나 아국 성명문을 안보리 문서로 먼저 제출하는 경우 미국의 공동서명국 확보노력에 지장을 초래할 가능성이 없지 않으며 또한 공동서명 문서(또는 개별문서) 의 효과를 살린다는 의미에서도 아측문서는 상기 문서 제출후 이를 안보리 및 IAEA 에 제출함이 좋을것으로 사료되는바, 본부의견 회시바람. 끝

(대사 현홍주-장관)

예고:91.12.31. 일반

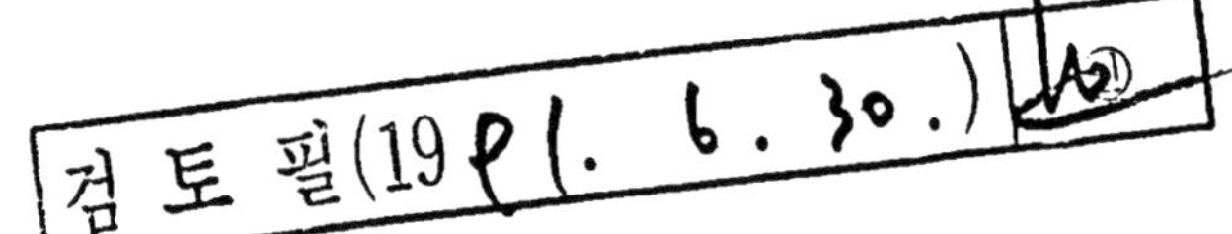

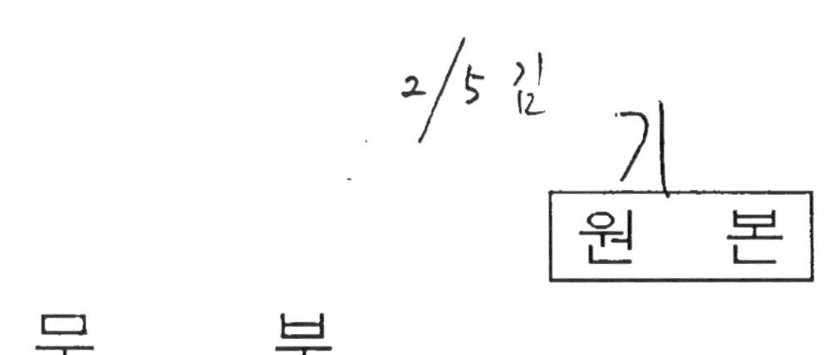

관리 번호	90-71

외 무 부

종 별 : 긴 급

번 호 : AVW-0138 일 시 : 91 0204 2020

수 신 : 장관(문동석 국제기구조약국장)

발 신 : 주 오스트리아 대사

제 목 : IAEA 문서

대:WAV-0069 및 1157(90.12.4)

연:AVW-0135 및 0129

1. 대호(WAV-1157)를 수정한 연호(AVW-0129)에 문제점이 없었던 것은 아니었으나 본부의 원안 존중 동기 때문에 그러할 수 밖에 없었던 것임을 양지 바람.

2. 명 2.5. 오전 IAEA 와의 약속 등 시간적 제약속에서 귀전(WAV-0087)을 참조하여 별첨과 같이 시행함을 양해바람.

3. 다만, 아래 실천 사항을 귀 업무에 참고바람.

가. 귀전(WAV-0087) 1 항 가. 의 논의(제 3 항 2 항 및 3 항 거론)는 본건과 직접적으로 무관함. 그 이유는 아측 문서(안)의 두번째 부분은 어디까지나 NPT 조약 제 3 조 1 항과 4 항에 관한 것이기 때문임. 우리가 핵무기 국가의 안전협정 체결 의무를 논의하고 있는 것이 아니고 비핵국인 북한의 의무에 촛점을 두고 있기 때문임. 미국, 영국, 소련은 안전조치 협정을 체결할 의무를 부하받지 않고 있으며 불란서나 중공이 NPT 당사국이 되더라도 마찬가지임. 따라서 여기에서 ACCEDING STATES 라고 하는 것은 옳지 않음.

나.THE LEGAL DEADLINE OF THE SIGNING OF THE SAFEGUARDS AGREEMENT 부분을 고친 이유에 대해서는 NPT 3 조 4 항을 참조바람. 작년말 ENDO 일본대사는 본인과의 면담시 북한이 안전협정에 서명만 하고 발효조치를 하지 않을 수도 있을 것이라고 말한 바 있음을 첨언함.

4. 자주 있는 일은 아니지만 특히 전무성을 요하는 다자 업무의 처리에 있어서는 외무본부와 관계 재외공관이 긴밀히 협의할 필요가 있음을 강조하고자 함.

5. 직업외교관들인 우리가 우리의 상대방들(특히 BLIX 사무총장은 국제법률학자이며 조약법 전문가임)로 부터 멸시 받지 않도록 이렇게 약간 고통스런

국기국

91.02.05 06:45

외신 2과 통제관 CF

0077

과정을 겪게되지 않나 생각함.,6. 곧 재회를 고대함.

-별첨-

WAV-0083 중 수정부분

1. 첫번째 PARA .....ON THE QUESTION OF CONCLUDING A FULLSCOPE SAFEGUARDS.... 중 "FULLSCOPE"를 삭제

2. 두번째 PARA ....IMPOSE DUTIES ON ACEDING STATE TO CONSLUDE... 의 "ACEDING STATE"를 "A NON-NUCLEAR WEAPON STATE PARTY"로 대체

3. 세번째 PARA 중간의 THIS DELAY BY THE DEMOCRATIC... 에서 "THIS DELAY"를 "THE DELAY"로 수정

4. 세번째 PARA ...DEADLINE OF THE SIGNING OF THE SAFEGUARDS AGREEMENT IS.... 를 "...DEADLINE OF THE ENTRY INTO FORCE OF ITS SAFEGUARDS AGREEMENT WITH IAEA IS...."로 대체

5. 세번째 PARA ....IS CLEAR VIOLATION OF ONE OF THE FUNDAMENTAL.... 에서 CLEAR 앞에 "A"를 추가하고 "ONE OF"를 삭제

6. 마지막 PARA ....A STUMBLING BLOCK STANDING IN THE WAY TO.... 에서 STANDING IN THE WAY 를 삭제.

(끝)

예고:91.12.31 일반

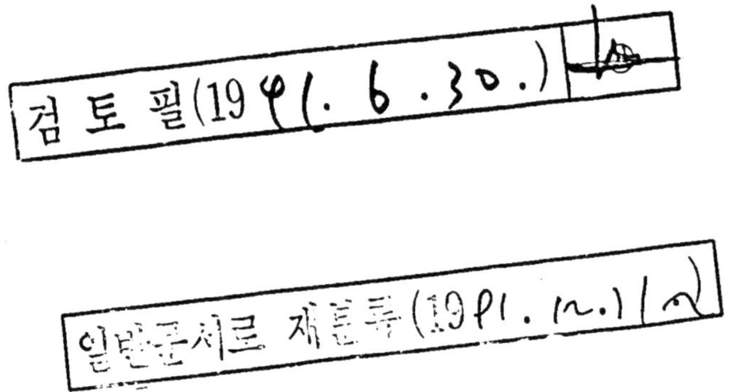

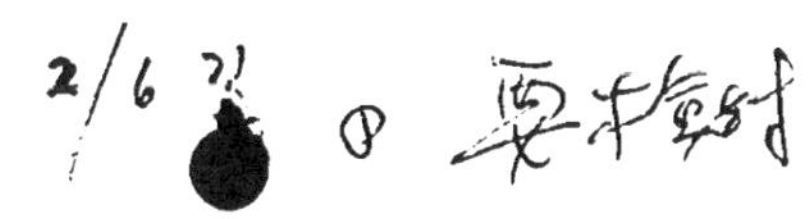

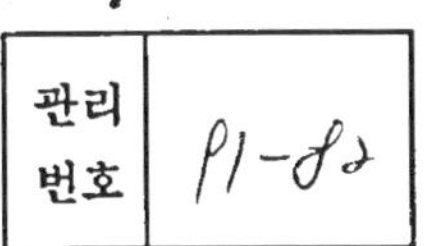

원 본

외 무 부

종 별 :

번 호 : AVW-0141 일 시 : 91 0205 1700

수 신 : 장관(국기,미안,구이,주유엔대사(중계필))

발 신 : 주 오스트리아 대사

제 목 : IAEA 문서 제출

대:WAV-0069 및 0083

연:AVW-0138

1. 함명철 공사는 금 2.5 오전 11:30 아국 입장 성명문을 IAEA 이사회 문서로 배포하여줄 것을 요청하는 본직의 IAEA 사무총장 앞 별전 서한을 WILMSHURST IAEA 대외국장에게 전달하였음. WILMSHURST 국장은 동 성명문이 2.9(금)경 IAEA 이사회 문서로 배포될 수 있도록 조치하겠다고 하였음.

2. 당관은 또한 금 2.5. 당지 주재 미국 및 일본대표부에 대해 대호 지시에따라 아측의 조치내용을 설명하였음.

3. 아국이 북한의 핵안전협정 체결 문제에 대한 직접 이해 당사자로서, 아국 입장을 IAEA 이사회 문서로 밝혔음을 고려할 때, IAEA이사회 참석을 통해 아국 입장을 개진할 때가 되었다고 보이므로, 2 월 이사회 참석, 발언하는 문제를 검토하여 주시기 바람.

별첨:본직서한 및 성명문

(끝)

예고:91.12.31 일반

검 토 필(1991. 6. 30.)

별첨:

1. 서한

KPM091-7

5 FEBRUARY 1991

SIR,

I HAVE THE HONOUR TO REQUEST YOU, UNDER THE INSTRUCTIONS OF MY GOVERNMENT, TO CIRCULATE AS AN INFORMATION DOCUMENT FOR THE BOARD OF GOVERNORS THE

국기국 1차보 미주국 구주국

PAGE 1

91.02.06 05:20

외신 2과 통제관 DO

0079

POSITION OF THE GOVERNMENT OF THE REPUBLIC OF KOREA ATTACHED HERE TO CONCERNING NEGOTIATIONS FOR THE SAFEGUARDS AGREEMENT THE DEMOCRATIC PEOPLE'S REPUBLIC OF KOREA IS OBLIGATED TO CONCLUDE WITH IAEA UNDER THE TREATY ON THE NON-PROLIFERATION OF NUCLEAR WEAPONS.

PLEASE ACCEPT, SIR, THE ASSURANCES OF MY HIGHEST CONSIDERATION.

LEE CHANG-CHOON

AMBASSADOR AND

PERMANENT REPRESENTATIVE

ENC: AS STATED

DR. HANS BLIX

DIRECTOR-GENERAL

INTERNATIONAL ATOMIC ENERGY AGENCY

VIENNA

2. 성명문

POSITION OF THE GOVERNMENT OF THE REPUBLIC OF KOREA

ON THE QUESTION OF THE NPT

SAFEGUARDS AGREEMENT BETWEEN DPRK AND IAEA

IN CONNECTION WITH THE STATEMENT OF THE DEMOCRATIC PEOPLE'S REPUBLIC OF KOREA, CIRCULATED IN GOV/INF/594 OF 11 DECEMBER 1990, ON THE QUESTION OF CONCLUDING A SAFEGUARDS AGREEMENT BETWEEN THE DEMOCRATIC REOPLE'S REPUBLIC OF KOREA AND THE INTERNATIONAL ATOMIC ENERGY AGENCY(IAEA), THE GOVERNMENT OF THE REPUBLIC OF KOREA WISHES TO REITERATE ITS POSITON AS FOLLOWS.

THE DEMOCRATIC PEOPLE'S REPUBLIC OF KOREA ACCEDED TO THE TREATY ON THE NON-PROLIFERATION OF NUCLEAR WEAPONS(NPT) IN DECEMBER 1985, THE STIPULATIONS OF WHICH IMPOSE DUTIES ON A NON-NUCLEAR WEAPON STATE PARTY TO CONCLUDE A FULLSCOPE SAFEGUARDS AGREEMENT WITH IAEA WITHIN 18 MONTHS FROM ITS ACCESSION. SAFEGUARDS MEASURES UNDER ARTICLE III OF THE NPT ARE ESSENTIAL OBLIGATIOONS TO BE FULFILLED BY ALL STATE PARTIES UNDER THE NPT REGIME AND CENTRAL TO ITS EFFECTIVENESS AND STRENGTH.

THE GOVERNMENT OF THE REPUBLIC OF KOREA CANNOT BUT EXPRESS SERIOUS CONCERN

PAGE 2

0080

THAT THE DEMOCRATIC PEOPLE'S REPUBLIC OF KOREA, A STATE PARTY TO THE NPT WITH SIGNIFICANT NUCLEAR ACTIVITIES, HAS FAILED TO CONCLUDE THE SAFEGUARDS AGREEMENT FOR MORE THAN FIVE YEARS. THE DELAY BY THE DEMOCRATIC PEOPLE'S REPUBLIC OF KOREA FAR BEYOND THE LEGAL DEADLINE OF THE ENTRY INTO FORCE OF ITS SAFEGUARDS AGREEMENT WITH IAEA IS A CLEAR VIOLATION OF THE FUNDAMENTAL OBLIGATIONS REQUIRED UNDER THE TREATY AND POSES A THREAT TO THE INTERNATIONAL NON-PROLIFERATION REGIME.

THERE ARE NO PROVISIONS IN THE NPT WHICH JUSTIFY ANY LINKAGE BETWEEN FAILURE OF THE DEMOCRATIC PEOPLE'S REPUBLIC OF KOREA TO CONCLUDE THE SAFEGUARDS AGREEMENT UNDER THE TREATY AND OTHER POLITICAL ISSUES OR EXTRANEOUS FACTORS AS IT INVOKES. THIS ATTITUDE OF THE DEMOCRATIC PEOPLE'S REPUBLIC OF KOREA ENDANGERS THE NPT REGIME IN GENE(463)AL AND THE SECURITY IN NORTHEAST ASIA IN PARTICULAR. THE GOVERNMENT OF THE REPUBLIC OF KOREA IS SERIOUSLY CONCERNED ABOUT THE DEVELOPMENT OF NUCLEAR WEAPONS BY THE DEMOCRATIC PEOPLE'S REPUBLIC OF KOREA.

THE GOVERNMENT OF THE REPUBLIC OF KOREA STRONGLY URGES THE DEMOCRATIC PEOPLE'S REPUBLIC OF KOREA TO COMPLY WITH IST TREATY OBLIGATIONS TO CONCLUDE AND IMPLEMENT THE REQUISITE SAFEGUARDS AGREEMENT AS SOON AS POSSIBLE AND THEREBY REMOVE A STUMBLING BLOCK TO CONFIDENCE-BUILDING AND RECONCILIATION PROCESS ON THE KOREAN PENINSULA.

(끝)

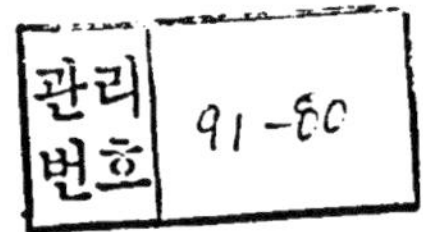

	분류번호	보존기간

발 신 전 보

번 호 : WUN-0232 910205 2019 CG 종별 :

수 신 : 주 유엔 대사. 총영사 (사본: 주미, 오지리대사)

발 신 : 장 관 (국기) WUS-0472 WAV-0092

제 목 : 북한의 핵안전협정 문제

대 : UNW-0270

1. IAEA 사무국에 대해서는 2.5. 주오지리대사가 아측 반박성명문을 이미 전달하였음. (미측에서도 이미 동건관련 1.2. 미국의 입장을 설명하는 서한을 IAEA 회람문서로 제출한 바 있음)

2. 대호 3항 귀견과 같이 조치하는데 이견없음. 단, 미국을 위시하여 각국이 개별적으로 제출하게 되는 경우에는 아국도 이와 비슷한 시기에 행하는 것이 적절할 것으로 사료되니, 미국등 각국의 문서재출 동향을 잘 파악 대처하기 바람. 끝.

예 고 : 1991.12.31. 일반

(국제기구조약국장 문동석)

검 토 필(1991. 6.30.)

보 안 통 제	

앙 고 재	91년 2월 5일	국기과	기안자 성 명		과 장		국 장		차 관	장 관

외신과통제

0082

관리 번호	91-55

	분류번호	보존기간

발 신 전 보

번 호 : WUN-0234 910206 1147 AO 종별 :

수 신 : 주 유엔 대사. 총영사 (신기복 대사)

발 신 : 장 관 (국제기구조약국장 문동석)

제 목 : 업 연

대 : UNW-0268(91.2.4)

연 : AVW-0141(91.2.5)

1. 북한 입장에 대한 아국 반박 성명문안에 대하여 주오지리 대사가 수차 의견을 개진한 결과 연호 IAEA에 제출된 아국 성명문은 귀관에 통보한 내용과는 약간 상이하게 되었음.

2. 추후 유엔 안보리 제출시 사용할 아국 성명문을 IAEA에 제출된 아국 성명문과 동일하게 하는것이 바람직하다고 사료하는바, 결정하시기 바람. 건승빕니다. 끝

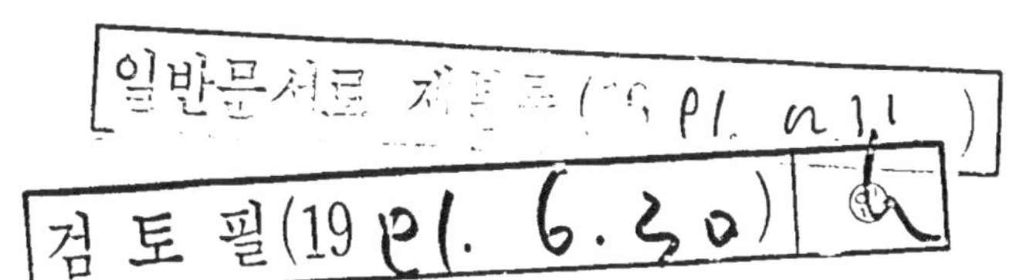
일반문서로 재분류(19 91. 12. 31 .)
검 토 필(19 91. 6. 30)

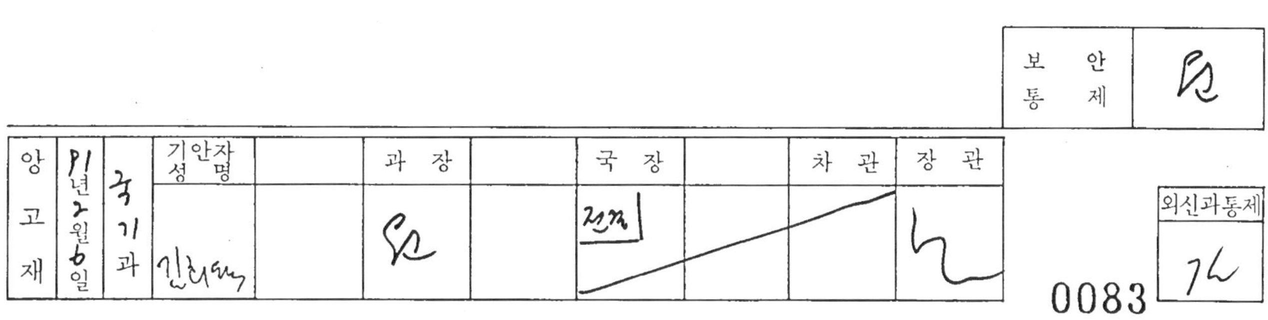

				보 안 통 제	

앙 고 재	91년 2월 6일	국기과	기안자 성 명		과 장		국 장		차 관	장 관
			김				전결			

외신과통제

0083

2/7 길 기

원 본

관리번호	91-85

외 무 부

종 별 :

번 호 : UNW-0283 일 시 : 91 0206 1900

수 신 : 장관(국기,미안) 사본:주오지리대사:본부중계 주미국가배포

발 신 : 주 유엔 대사

제 목 : 북한의 핵안전 협정문제

연 UNW-0270

1. 연호, 금참사관이 금 2.6. 당지 미대표부 및 일본대표부와 접촉, 연호 진전상황을 알아본바, 금일 현재 호주, 카나다및 폴랜드가 미, 일과 공동서명키로했다고 하며 체코, 화란및 독일도 이에 합류하게 될것으로 보인다고함.

2. 미국및 일본대표부는 공동서명문서 제출에는 문제가 없을것으로 보나 내주초까지 공동서명국 추가 교섭을 계속할 것이라고함. 끝

(대사 현홍주-국장)

예고:91.12.31. 일반

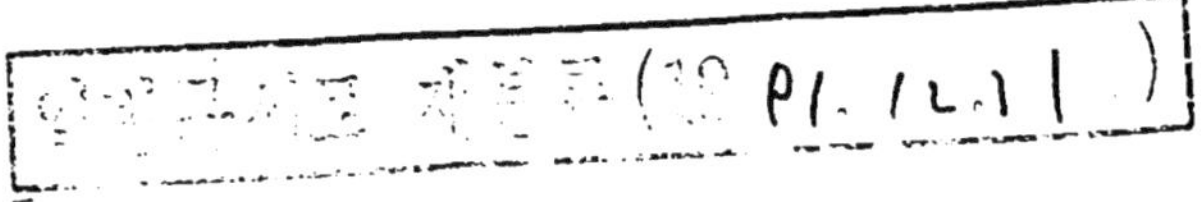

검 토 필(1991. 6.30.)

국기국 미주국

PAGE 1

91.02.07 10:40

외신 2과 통제관 BT

0084

2/9 길 기

원 본

암호수신

외 무 부

종 별 : 지 급

번 호 : AVW-0156 일 시 : 91 0208 1430

수 신 : 장관(국기,미안,구이,주유엔,미대사)

발 신 : 주 오스트리아 대사

제 목 : IAEA 이사회 문서 배포

연:AVW-0141

IAEA 사무국은 금 2.8(금)일자로 별전 이사회 문서를 배포하였음.

(끝)

별첨:AVW(F)-0003

국기국 1차보 미주국 구주국 과기처 장관 차관 정문국 청와대 안기부 (국기이관)

PAGE 1

91.02.09 00:21

외신 2과 통제관 CE

0085

AVW(F)-0003 10208 1430

장관(국기, 미안, 구이)

주오스트리아 대사

B

GOV/INF/594/Add.3
8 February 1991

International Atomic Energy Agency
BOARD OF GOVERNORS

RESTRICTED Distr.
Original: ENGLISH

For official use only

STATEMENT OF THE FOREIGN MINISTRY OF THE DEMOCRATIC PEOPLE'S REPUBLIC OF KOREA

Communication received from the Republic of Korea

The text "Position of the Government of the Republic of Korea on the question of the NPT safeguards agreement between DPRK and IAEA" reproduced overleaf is being circulated to members of the Board of Governors at the request of the Resident Representative of the Republic of Korea.

3742Y/4/200Y

0086

POSITION OF THE GOVERNMENT OF THE REPUBLIC OF KOREA ON THE QUESTION OF THE NPT SAFEGUARDS AGREEMENT BETWEEN DPRK AND IAEA

In connection with the statement of the Democratic People's Republic of Korea, circulated in GOV/INF/594 of 11 December 1990, on the question of concluding a safeguards agreement between the Democratic People's Republic of Korea and the International Atomic Energy Agency (IAEA), the Government of the Republic of Korea wishes to reiterate its position as follows.

The Democratic People's Republic of Korea acceded to the Treaty on the Non-Proliferation of Nuclear Weapons (NPT) in December 1985, the stipulations of which impose duties on a non-nuclear weapon state party to conclude a fullscope safeguards agreement with IAEA within 18 months from its accession. Safeguards measures under Article III of the NPT are essential obligations to be fulfilled by all state parties under the NPT regime and central to its effectiveness and strength.

The Government of the Republic of Korea cannot but express serious concern that the Democratic People's Republic of Korea, a state party to the NPT with significant nuclear activities, has failed to conclude the safeguards agreement for more than five years. The delay by the Democratic People's Republic of Korea far beyond the legal deadline of the entry into force of its safeguards agreement with IAEA is a clear violation of the fundamental obligations required under the Treaty and poses a threat to the international non-proliferation regime.

There are no provisions in the NPT which justify any linkage between failure of the Democratic People's Republic of Korea to conclude the safeguards agreement under the Treaty and other political issues or extraneous factors as it invokes. This attitude of the Democratic People's Republic of Korea endangers the NPT regime in general and the security in Northeast Asia in particular. The Government of the Republic of Korea is seriously concerned about the development of nuclear weapons by the Democratic People's Republic of Korea.

The Government of the Republic of Korea strongly urges the Democratic People's Republic of Korea to comply with its treaty obligations to conclude and implement the requisite safeguards agreement as soon as possible and thereby remove a stumbling block to confidence-building and reconciliation process on the Korean peninsula.

0087

- - - - -

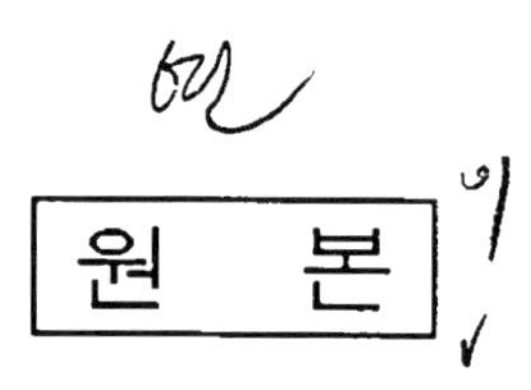

관리 번호	

외 무 부

종 별 :

번 호 : UNW-0328 일 시 : 91 0212 2330

수 신 : 장관(국기,국연,미안)(사본:주오지리대사:본부중계필)

발 신 : 주 유엔 대사

제 목 : 북한의 핵안전협정문제

연:UNW-0283

대:WUN-0194

1. 연호건, 미대표부에 의하면 영국이 본건입장을 변경, 별첨과같은 공동성명 DRAFT 를 제시하여옴에 따라 미측은현재 연호 공동서명합의 국가들에 대해 영국안의 수용여부를 문의중인바, 이들국가들이 영국안을 받아들일 경우에는 미측도 영국을 공동서명국가에 포함시키기 위해 이를 수락할 것이라고함.

2. 별첨 영국안은 대호 미측안중 미국이 NPT 의무를 이행하지 않고있다는 북한주장에 대한 반박 부분을 DELETE 하고 북한을 DPRK 대신 NORTH KOREA 로 호칭하는 등 미측안의 일부 표현을 수정한 내용임.

3. 한편 일본대표부에 알아본바, 현재 영국안에 대한 본부 훈령을 청훈중에있으나 미측과 같은 입장을 취하게 될것이라함.

4. 일본대표부에 의하면 상기 영국안이 채택되는경우에는 화란도 공동서명에 참여할것으로 보인다고 하나 상금 아시아국가에 대한 교섭에는 진전이 없다고함.

5. 본건 미측은 상기 영국안에 대한 각국의 입장 타진등을 거쳐 어떤안을 택하게 되건 금주말경에는 이를 안보리에 제출코자 계획중이라고함.

첨부:영국안

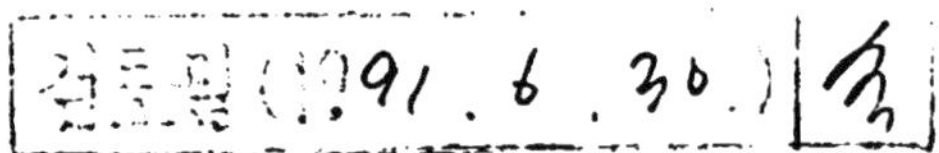

끝

19 의거(대사 현홍주)

예고:91.12.31. 일반

(영국 DRAFT)

AS PARTIES TO THE TREATY ON THE NONPROLIFERATION OF NUCLEAR WEAPONS (NPT), THE UNDERSIGNED GOVERNMENTS WISH TO ADDRESS THEMSELVES TO THE "STATEMENT OF

국기국 안기부	장관	차관	1차보	2차보	미주국	국기국	정문국	청와대

PAGE 1

91.02.13 15:00

외신 2과 통제관 BA

0088

THE FOREIGN MINISTRY OF THE DEMOCRATIC PEOPLE'S REPUBLIC OF KOREA, " ISSUED ON NOVEMBER 16,1990, AND CIRCULATED AS SECURITY COUNCIL DOCUMENT S/2L957 AND IAEA BOARD OF GOVERNORS DOCUMENT GOV/INF/594.

THE UNDERSIGNED GOVERNMENTS RECALL THAT ARTICLE III OF THE NPT REQUIRES A NON-NUCLEAR WEAPON STATE PARTY TO ACCEPT SAFEGUARDS, AS SET FORTH IN AN AGREEMENT TO BE NEGOTIATED AND CONCLUDED WITH THE INTERNATIONAL ATOMIC ENERGY AGENCY (IAEA), ON ALL SOURCE AND SPECIAL NUCLEAR MATERIAL IN ALL ITSPEACEFUL NUCLEAR ACTIVITIES. EQUALLY CLEAR IS THE OBLIGATION IN ARTICLE III FOR THE NON-NUCLEAR WEAPON STATE PARTY TO HAVE THAT AGREEMENT ENTER INTO FORCE NOT LATER THAN EIGHTEEN MONTHS AFTER THE INITIATION OF NEGOTIATIONS. A STATE PARTY CANNOT CONDITION THIS UNDERTAKING ON THE ACTIONS OF ANOTHER STATE PARTY TO THE TREATY, ON SEPARATE NEGOTIATIONS WITH ANOTHER STATE OR ON CONCLUSION OF ANOTHER AGREEMENT SUCH AS ONE RELATING TO A NUCLEAR-WEAPONS-FREE-ZONE. THE UNDERSIGNED GOVERNMENTS AFFIRM THAT IT IS NOT ACCEPTABLE THAT, IN THE ABOVE MENTIONED STATEMENT, NORTH KOREA TRIES TO JUSTIFY ITS FAILURE TO CONCLUDE A SAFEGUARDS AGREEMENT BY CONDITIONING IT ON THE ACTIONS OF ANOTHER COUNTRY.

THE STATEMENT INCORRECTLY IMPLIES THAT THE IAEA TAKES THE POSITION THAT THE QUESTION OF IAEA SAFEGUARDS AGREEMENT HAS NOR BEEN SOLVED BECAUSE OFRELATIONS BETWEEN NORTH KOREA AND THE UNITED STATES. THE SECRETARIAT HAS TAKEN NOTE THAT NORTH KOREA IS CONDITIONING ITS SIGNATURE OF THE SAFEGUARDS AGREEMENT ON RECEIPT OF ASSURANCES FROM THE US REGARDING USE OF NUCLEAR WEAPONS AND THAT THE QUESTION OF SUCH ASSURANCES MUST BE LEFT TO THE TWO COUNTRIES TO WORK OUT. THE AGENCY HAS NOT TAKEN THE POSITION THAT CONCLUSION OF THE SAFEGUARDS AGREEMENT CAN LEGITIMATELY BE LINKED TO SUCH ASSURANCES.

THE UNDERSIGNED GOVERNMENTS CALL ON NORTH KOREA TO CONCLUDE AND IMPLEMENT A FULL SCOPE SAFEGUARDS AGREEMENT WITH THE IAEA IMMEDIATELY. 끝.

관리번호	91-97

분류번호	보존기간

발 신 전 보

번 호 : WAV-0126 910213 1949 BX 종별 :

수 신 : 주 오지리 대사. 총영사 (사본: 주미대사) WUS -0589

발 신 : 장 관 (국기)

제 목 : 북한의 핵안전 협정문제

대 : AVW-0141

대호, 아국이 IAEA 2월 이사회에 (옵서버로) 참석, 발언하는 문제와 관련, 다음 사항을 포함하여 귀지 미국 대표부측과 협의하고 그 결과를 보고바람.

1. 북한과 IAEA간 안전조치 협정 체결 문제를 논의하는 IAEA forum 에서 아국은 엄격한 의미에서 직접 당사국이 아님. 따라서 이사회 의장이 아국 대표의 발언을 제한할 가능성이 있음.

2. 많은 이사국은 아국이 발언할 경우 IAEA forum 이 남북한간 설전장이 될 것에 우려할 가능성이 있음. 끝

(장 관)

예 고 : 91.12.31. 일반

일반문서로 재분류(1991. 12. 31.)

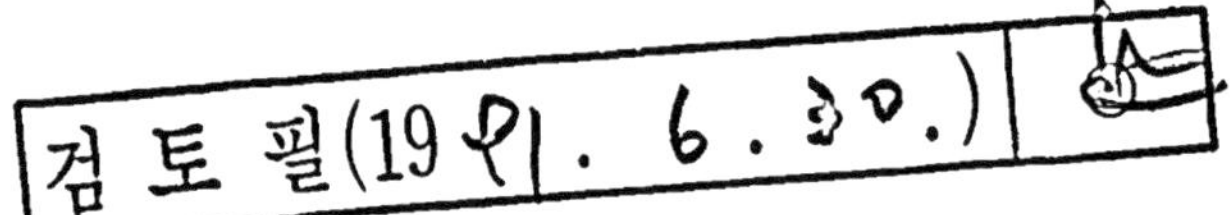

보안통제	

앙고재	91년 2월 13일	국기과	기안자 성명		과 장		국 장		차 관	장 관
			김				전결			

외신과통제

0090

7. TEXT OF UK DRAFT LETTER:

-- AS PARTIES TO THE TREATY ON THE NONPROLIFERATION OF NUCLEAR WEAPONS (NPT), THE UNDERSIGNED GOVERNMENTS WISH TO ADDRESS THEMSELVES TO THE "STATEMENT OF THE FOREIGN MINISTRY OF THE DEMOCRATIC PEOPLE'S REPUBLIC OF KOREA," ISSUED ON NOVEMBER 16, 1990, AND CIRCULATED AS SECURITY COUNCIL DOCUMENT S/21957 AND IAEA BOARD OF GOVERNORS DOCUMENT GOV/XINF/594.

-- THE UNDERSIGNED GOVERNMENTS RECALL THAT ARTICLE III NEGOTIATED AND CONCLUDED WITH THE INTERNATIONAL ATOMIC ENERGY AGENCY (IAEA), ON ALL SOURCE AND SPECIAL NUCLEAR MATERIAL IN ALL ITS PEACEFUL NUCLEAR ACTIVITIES. EQUALLY CLEAR IS THE OBLIGATION IN ARTICLE III FOR THE NON-NUCLEAR WEAPON STATE PARTY TO HAVE THAT AGREEMENT ENTER INTO FORCE NOT LATER THAN EIGHTEEN MONTHS AFTER THE INITIATION OF NEGOTIATIONS. A STATE PARTY CANNOT CONDITION THIS UNDERTAKING ON THE ACTIONS OF ANOTHER STATE PARTY TO THE TREATY, ON SEPARATE NEGOTIATIONS WITH ANOTHER STATE OR ON CONCLUSION OF ANOTHER AGREEMENT SUCH AS ONE RELATING TO A NUCLEAR-WEAPONS-FREE-ZONE. THE UNDERSIGNED GOVERNMENTS AFFIRM THAT IT IS NOT ACCEPTABLE THAT, IN THE ABOVE MENTIONED STATEMENT, NORTH KOREA TRIES TO JUSTIFY ITS FAILURE TO CONCLUDE A SAFEGUARDS AGREEMENT BY CONDITIONING IT ON THE ACTIONS OF ANOTHER COUNTRY.

-- THE STATEMENT INCORRECTLY IMPLIES THAT THE IAEA TAKES THE POSITION THAT THE QUESTION OF IAEA SAFEGUARDS AGREEMENT HAS NOT BEEN SOLVED BECAUSE OF RELATIONS BETWEEN NORTH KOREA AND THE UNITED STATES. THE SECRETARIAT HAS TAKEN NOTE THAT NORTH KOREA IS CONDITIONING ITS SIGNATURE OF THE SAFEGUARDS AGREEMENT ON RECEIPT OF ASSURANCES FROM THE US REGARDING USE OF NUCLEAR WEAPONS AND THAT THE QUESTION OF SUCH ASSURANCES MUST BE LEFT TO THE TWO COUNTRIES TO WORK OUT. THE AGENCY HAS NOT TAKEN THE POSITION THAT CONCLUSION OF THE SAFEGUARDS AGREEMENT CAN LEGITIMATELY BE LINKED TO SUCH ASSURANCES.

-- THE UNDERSIGNED GOVERNMENTS CALL ON NORTH KOREA TO CONCLUDE AND IMPLEMENT A FULL SCOPE SAFEGUARDS AGREEMENT WITH THE IAEA IMMEDIATELY. END TEXT.

0091

91. 2. 13 接受
Bonaignore 之

2/18 지

기

관리번호	91-95

외 무 부

종 별 :

번 호 : CNW-0205 　　　　일 시 : 91 0213 1645

수 신 : 장 관(미북,정이,국기,정일)

발 신 : 주 카나다 대사대리

제 목 : 카.북한 외교관 접촉(자료응신 제 16 호)

1. 2.13. 외무부 GWOZDECKY 한국담당관은 조창범 참사관에게 전화, 최근 카 외무부 원자력 관련 부서와의 내부 협의 결과 북한의 핵활동 관련 IAEA 안전조치 협정 체결 촉구등 핵 비확산 문제에 관한 카 정부의 관심을 북한측에 다시 전달키로 하였으며, 이를 위해 카측 제의로 2.20. (수) 북경에서 주중 카 대사관 JUTZI 공사와 북한 대사관 참사관간 접촉이 있을 예정임을 알려왔음.

2. 동 담당관에 의하면, 금번 접촉은 북한의 핵문제에 관한 SPECIFIC DEMARCH 가 목적이며 이는 특히 최근 걸프전쟁에 따라 핵 비확산 문제가 크게 부각되고 그간 최대 주목 대상국이었던 이락의 핵개발 가능성이 주요 핵시설에 대한 폭격으로 거의 제거됨으로서 이젠 북한이 최대 우려 대상국으로 주목되고 있는데 따른 것이라고 부언하였음. 상기 접촉 결과 현지 보고 있는대로 아측에 DEBRIEFING 해주기로 하였음. 끝

(대사대리-국장)

예고문 : 91.12.31. 일반

일반문서로 재분류(1991.12.31.)

검 토 필(1991. 6.10.)

미주국	장관	차관	1차보	2차보	국기국	정문국	정문국	안기부

PAGE 1 　　　　91.02.14 07:18

외신 2과 통제관 DO

0092

관리번호	91-108

원 본

외 무 부

종 별 :

번 호 : UNW-0378 일 시 : 91 0219 1950

수 신 : 장관(국기,국연,미안,기정)(사본:주오지리대사:중계필)

발 신 : 주 유엔 대사

제 목 : 북한의 핵 안전협정문제

연:UNW-0328

1. 연호건, 당관 금참사관이 금 2.19 당지 미주및 일본대표부에 알아본바에의하면 미, 일측이 그간 연호 영국측 DRAFT 에 대한 각국의 입장을 알아보았으나 영국이 최종적으로 표제건 공동서명에 참가할수 없다는 입장을 밝혀옴에 따라오는 2.21(목) 당초 미국측 DRAFT 에 대한 서명을 받아 2.22(금)이를 안보리에제출예정이라고 하며 미, 일 외에 금일 현재 공동서명 약속국가는 호주, 카나다, 폴랜드라고함.

2. 한편, 현재 비율빈 및 이집트에 대한 교섭이 진행중인바, 일본은 아시아및 비동맹 국가의 확보가 매우 중요하다고 보고 상기 양국중 일국이라도 공동서명에 참가시키코자 노력중이라고함.

3. 사기 공동서명문안이 2.22. 제출되는경우 아측문서는 이를 2.26 경 제출예정임.끝

(대사 현홍주-국장)

예고:91.12.31. 일반

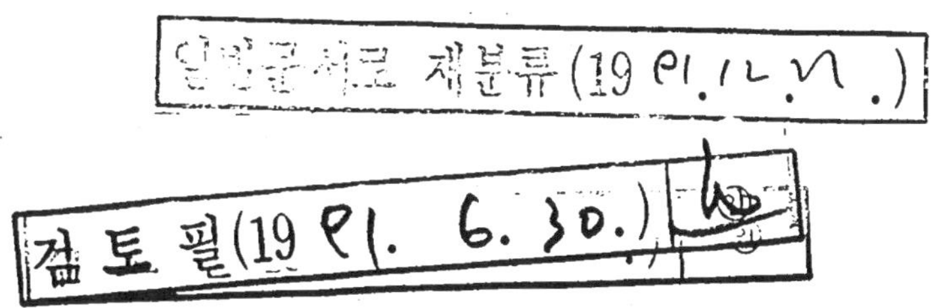

국기국	장관	차관	1차보	2차보	미주국	국기국	정문국	청와대
안기부								

PAGE 1

91.02.20 10:43

외신 2과 통제관 BW

0093

외 무 부

암호수신

종 별 :

번 호 : AVW-0192 일 시 : 91 0219 1200

수 신 : 장관(국기,미안,과기처)

발 신 : 주 오스트리아 대사

제 목 : IAEA 문서 배포(북한 외교부성명)

1. IAEA 는 북한의 요청에 따라 ''TEAM SPIRIT 91''과 관련한 91.1.26. 자 북한 외교부 성명을 IAEA 이사회 문서로 금 2.19. 배포(GOV/INF/603)하였음.

2. 동문서 FAX(AVW(F)-0004) 송부함.

(끝)

국기국	장관	차관	1차보	2차보	미주국	정문국	청와대	안기부
과기처								

0094

PAGE 1

91.02.20 07:35

외신 2과 통제관 BW

AV I (F) - 0004 -10219-1200 B

장관 (국기, 미안, 과기처)

주 오스트리아 대사

International Atomic Energy Agency

BOARD OF GOVERNORS

GOV/INF/603
13 February 1991

RESTRICTED Distr.
Original: ENGLISH

For official use only

STATEMENT OF 26 JANUARY 1991 BY THE FOREIGN MINISTRY
OF THE DEMOCRATIC PEOPLE'S REPUBLIC OF KOREA

The attached text of a statement made in Pyonyang on 26 January 1991 is being circulated to members of the Board of Governors at the request of the Resident Representative of the Democratic People's Republic of Korea.

배부처	장관실	차관실	一차보	二차보	기획실	의전장	아주국	미주국	구주국	중아국	국기국	경제국	통상국	정문국	영교국	총무과	감사관	공보관	외연원	청와대	총리실	안기부	문공부	과기처
								/			9													/

3여

1-5

3781Y/280Y

91-00577

0095

ATTACHMENT

STATEMENT OF 26 JANUARY 1991 BY THE FOREIGN MINISTRY OF THE DEMOCRATIC PEOPLE'S REPUBLIC OF KOREA

The United States and the south Korean authorities announced their plan to stage "Team Spirit 91" - an aggressive joint military exercise - in defiance of the unanimous protest of all the Korean people and the world's peace-loving peoples.

The decision to stage this adventurous war game is an intolerable challenge to the Democratic People's Republic of Korea, which has made sincere efforts to ensure a lasting peace on the Korean peninsula and create preconditions for its peaceful reunification. It is an unpardonable act to reverse developments on the Korean peninsula that were heading for detente and to plunge the north and the south into another vortex of tension and confrontation.

The moment has now been reached when the thick ice of confrontation and division between the north and the south is beginning to thaw and the desire for reunification is growing very strong, drawing the attention of the world to the Korean peninsula.

All those who are interested in a lasting peace and in the peaceful reunification of Korea should refrain from going against the aspirations of the people and the trend of the times.

In view of the fact that in recent years the hard-won multi-channel north-south dialogue has on a number of occasions been abruptly suspended and everything has reverted to the starting-point of distrust and confrontation because of the annual "Team Spirit" exercises, the DPRK has emphatically called for the discontinuation of these exercises.

2-5

0096

If the United States and the south Korean authorities find it hard to discontinue these annual exercises, they could at least suspend them for two or three years while the high-level north-south talks are in progress.

Those who are deeply interested in a solution of the Korean question expected that the United States would not stage a "Team Spirit" exercise this year, in keeping with the situation on the Korean peninsula, which was oriented towards detente as it favoured north-south dialogue and contacts.

The United States, however, shattered all their hopes and expectations, talking a great deal about the holding of a "Team Spirit" exercise from the first month of the new year.

The United States and the south Korean authorities, who are never weary of contending that north-south dialogue is the main way to settle the Korean question, decided as usual to impose a "Team Spirit" joint military exercise against the wishes of the other negotiating party, ignoring our repeated requests. This is an undisguised campaign of military confrontation intended to destroy the high-level north-south talks.

The Government of the DPRK and the Korean people bitterly condemn these reckless war exercises of the United States and the south Korean authorities as a grave act wrecking dialogue and peace in Korea and peace in Asia and the rest of the world.

The "Team Spirit 91" joint military exercise is a trial nuclear war targeted against the north.

As the previous "Team Spirit" joint military exercises showed, the United States openly poses a nuclear threat to the DPRK by setting in motion many pieces of nuclear weaponry deployed in south Korea. Such moves have created in our country an emergency situation in which a nuclear war could break out.

3-5

0097

While ignoring this stark reality, the United States is trying to force the DPRK to sign a nuclear safeguards agreement with outcries about fictitious nuclear developments in the DPRK.

The actions of the United States are based on its piratical argument that it can sharpen its nuclear stick in a bid for world supremacy while a non-nuclear-weapon State like ours must not even raise the problem of removing the nuclear threat but yield to the nuclear threat of the United States; they represent an attempt to invent absurd pretexts to complete preparations for a nuclear war on the Korean peninsula.

The United States is continuing to resort to adventurous nuclear war manoeuvres, while declaiming the end of the cold war and the advent of an era of peace.

The United States must remove its nuclear threat to the DPRK before demanding that it sign the nuclear safeguards agreement.

The holding of the "Team Spirit" joint military manoeuvres is a particularly grave matter as it coincides with the unprecedentedly vicious campaign stirred up in south Korea against the north after the outbreak of war in the Gulf.

As soon as that war broke out, the south Korean authorities declared "an emergency wartime regime", with outcries about the fictitious "threat from the north", and incited north-south confrontation and aggravated tensions. This vividly reveals their bellicose and partitionist nature.

This is a deliberate move to unleash war in Korea in the 1990s, as in the 1950s, in collusion with the United States, which has become more arrogant since the destruction of equilibrium in international relations.

4-5

0098

Showing no sincerity in the talks with the north, the south Korean authorities have called for interference and intervention from outside and have now gone to the lengths of whipping up war hysteria against their fellow countrymen.

If the United States and the south Korean authorities truly want dialogue and peace in Korea, they should immediately discontinue the aggressive "Team Spirit 91" joint military manoeuvres.

The United States and the south Korean authorities cannot deny the heavy responsibility of having led the north-south dialogue to crisis again and of having aggravated tensions on the Korean peninsula by launching the "Team Spirit 91" joint military exercise.

The DPRK Government believes that the governments and peoples of the world's peace-loving countries, international organizations and other peace-loving organizations, and people from all strata that oppose war and love peace will pay close attention to the situation on the Korean peninsula and extend more active support to our people in their just efforts to achieve a lasting peace in Korea and her peaceful reunification despite the latest war manoeuvre of the United States and the south Korean authorities.

5-5

0099

북한문서 요지

o 팀스피리트 훈련은 한.미 합동의 공격적인 군사훈련으로서 현재의 남북한 긴장 완화 추세를 역행하는 것임. 동 훈련은 남북 고위급 회담이 진행중인 향후 2-3년간은 최소한 중단되어야 함.

o 지난번 팀스피리트 훈련시와 같이 미국은 남한 배치 핵무기를 동원하여 핵전쟁 위협을 하면서 북한의 핵안전협정 체결을 강요하고 있음.

o 미국은 북한이 핵개발한다고 허위 선전하면서 북한이 핵무기 위협문제를 제기조차 못하게 함.

o 미국은 북한의 핵안전협정 서명 요구에 앞서 북한에 대한 핵위협을 제거하여야 함.

o 남한은 걸프전쟁 발발후 북한의 위협을 내세워 비상 전시체제를 선포하면서 남북한간 긴장을 조성하고 있는바, 이는 1950년대와 같이 미국과 공모하여 한국에서 전쟁을 일으키려는 고의적 행동임.

o 미국과 남한이 진정 한국에서 대화와 평화를 원한다면 팀스피리트 합동훈련을 즉시 중단하여야 함.

0100

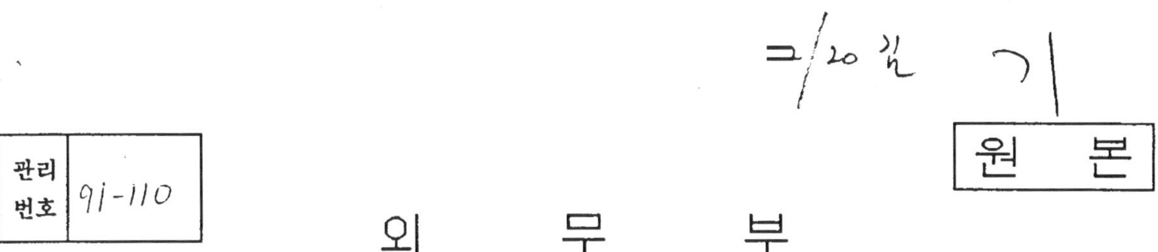

관리번호	91-110

원 본

외 무 부

종 별 :

번 호 : AVW-0206 　　　　　　　　일 시 : 91 0221 1600

수 신 : 장관(국기,미안,구이,정이,기정,과기처,청와대외교),사본:주일,중국

발 신 : 주 오스트리아 대사 　　(대),필리핀대사 (주일,주비 중계필)

제 목 : 북한의 남한 호칭문제

1. 금 2.21(목) 오전(10:00-11:30) 당지의 IAEA 회의실에서, 2.26. 개최 예정인 IAEA 정기 이사회를 앞두고, ENDO 일본대사의 사회로 개최된 IAEA 극동그룹회의(한국, 일본, 필리핀, 중공, 베트남, 북한 등 6 개국 참석. 몽고는 불참)에서 북한에 의한 남한 호칭표기 문제로 아래와 같은 해프닝이 있었음.

1. 윤번제에 따라 북한이 의장이었던 기간인 9.17 및 9.20. 에 개최된 극동그룹의 회의록 채택문제를 위요하고 그간 정정과정을 거치는 과정에서, 북한이 작성한 회의록중 북한의 국명이 DPRK 로 되어 있으나 한국은 SOUTH KOREA 로 되어 있기 때문에 ROK 로 정정해 줄 것을 요청한 바 있음.

3. 그러나 금일 상기 회의록을 확정 채택하는 과정에서 북한 대표(대사는 지난 1 월이래 공석) 참사관 윤호진은 북한이 한국의 국명을 정식으로 표기할수 없다는 취지로 발언하면서 조선은 하나이고 통일이 조만간 될 것이며 북한이 남북한 관계에서 남한의 정식 국명을 사용하고 있지 않으므로 ROK 로 표기할수 없다고 말하였음.

4. 이에 대하여 필리핀대사는 북한의도가 정치적인 것에 있는 것으로 보이나 86 년이래 극동그룹회의에서 남북한을 ROK 와 DPRK 로 각각 호칭하여왔고 IAEA 내에서도 그렇게 부르고 있으므로 북한의 주장이 부당하다는 취지로 발언하였으며, 일본대사도 이에 동조하면서 북한의 주장은 정치적 의도에서 비롯된 것으로 보이나, IAEA 에서는 적절하지 못하다는 취지로 반박하였음.

5. 의장이 아국의 입장을 물은데 대하여 본직은 중국과 베트남의 논평을 먼저 듣고 마지막으로 아국의 의견을 개진하겠다고 말하였음.

6. 중공대사는 부임한지 일천한 자로서 지금까지의 관례가 무엇이며 북한이그렇게할 "새로운요인"이 있는지를 묻고 교섭의 여지가 있을 것이라고 말하면서 약간 북한을 옹호하는 취지로 발언하였고, 베트남(대사 불참)은 입장을 유보하였음.

국기국	장관	차관	1차보	2차보	미주국	구주국	정문국	청와대
안기부	과기처							

PAGE 1 　　　　　　　　91.02.22 　05:57

외신 2과 　통제관 CE

0101

7. 본직은 상기와 같은 발언을 청취한 후 아래와 같이 말하였음.

가. 본직은 북한의 터무니 없는 소리를 듣고 슬픈 감정(A SAD FEELING)을 숨기지 못한다고 전제한 후 다음과 같은 질문을 제기하였음

1)북한은 문제의 회의록을 작성함에 있어서 국제기구의 지역그룹 의장으로서 공정하게, 공평하게, 객관성있게, 중립적으로(FAIRLY, IMPARTIALLY, OBJECTIVELY, NEUTRALY) 행동하고 있다고 생각하는가 ?

2)북한대표는 평양의 훈령에 따라 이 문제에 관해 대표하고 있는 것인가 ?

3)이 문제의 회의록이 북한의 내부문서(INTERAL PAPER) 라고 생각하는가 또는 국제문서라고 생각하는가 ?

4)여기가 한반도의 통일을 논의하는 적절한 장소(PROPER FORUM)라고 생각하는가 ?

나. 본직은 또한 필리핀과 일본대사를 겨냥하여 북한의 주장을 정치문제라고 규정하고 넘길수는 없는 근본문제(FUNDAMENTAL QUESTION) 임을 분명히 하면서, 수많은 국제기구를 포함하여 국제사회에서 한국이 ROK 로 표기되고 있는 것을무시하고 북한이 여기에서 시비를 건다면 이 회의를 더 이상 계속할 필요가 없을 것이라고 시사하였음.

다. 중공대사에 대하여도 중공이 국제적용례(MULTILATERAL CONTEXT)에서 한국을 어떻게 표기하고 있는가를 묻고 이 문제에 관해서는 협상의 여지가 없다(NOROOM FOR NEGOTIATION)고 말하면서 "새로운 요인)이 있을 수 없다고 잘라 말하였음.

라. 또한 본직은 일본 다음으로 윤번제에 따라 아국이 의장직을 맡게 되어 있는데 어느나라나 의장국이 되면 공평하고 불편부당해야하며, 아국은 그 임무를성실하게 이행할 것이므로, 북한도 의장국으로서 책무를 성실히 이행해야 할 것이라고 언급함.

8. 북한대표는 본직의 상기 질문과 발언에 관련하여 회피적으로 나오면서 다시 상기 3 항의 그입장을 되풀이 하였음.

9. 본직의 옆에 앉은 필리핀대사에게 본직이 MEMO 로 회의 중단을 종용함에따라, 필리핀대사는 북한에게 다시 입장의 재고를 요청하였으나 북한이 불응함에 따라 회의 중단을 제의 하였는데, 차기회의에서 북한이 입장을 변경하기를 중공과 일본이 희망하면서 다른 의제 항목에 대한 토의를 갖자고 제의하였음.

10. 북한은 그럼에도 불구하고 그 입장을 수정할수 없다는 취지로 나왔고, 의장은 다음 의제인 IAEA 총회의장직, 이사회 의석 등 배분의 지역윤번제 문제의토의에 들어갈 것을 제의하였음.

11. 이에 본직은 여기가 애들의 장난터(CHILDREN'S PLAY GROUND)도 아니고

PAGE 2

0102

비에나에서의 생활비가 비싸고 시간이 아까운 것을 생각하면 이렇게 1 시간 반동안 비생산적인 회의를 계속하는 것이 서글프다고 말하면서 "SOUTH KOREA 라는 국가가 IAEA 내에는 없는데" 어떻게 IAEA 내에서의 극동그룹 국가에 할당될 의석 문제를 북한과 함께 다룰수 있는가를 물으면서 금일회의의 중단을 요구하였음.

12. 중공대사가 선약을 이유로 회의장을 떠나게 됨에 따라 의장은 금일 회의를 끝낸다고 말하였음.

(끝)

예고 91.12.31 일반

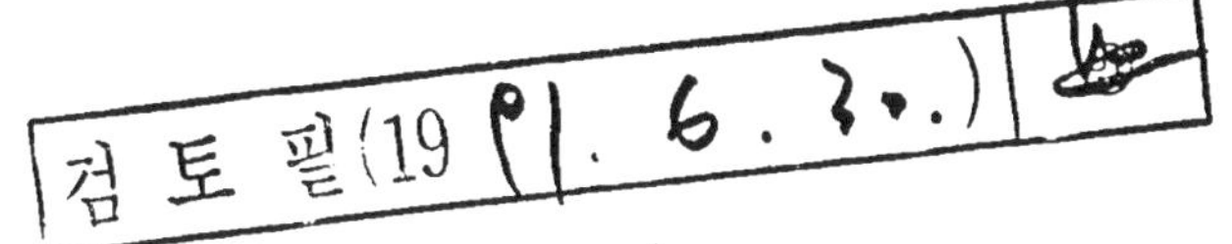

PAGE 3

0103

관리 번호 91-134

외 무 부

종 별 :

번 호 : CNW-0243 일 시 : 91 0221 1900

수 신 : 장 관(미북,미안,정이,국기,정일) 사본 : 박건우대사

발 신 : 주 카나 다 대사대리

제 목 : 카.북한 외교관 접촉

1991.12.31 에 예고문에 의거 일반문서로 재분류됨

검토필(1991.6.20.)

자료응신 제 19 호

연 : CNW-0205

2.21.(목) 조창범 참사관은 외무부 WATERFALL 북아과장 오찬, 연호 북경에서의 주중 카 대사관 JUTZI 공사와 북한 대사관 박석현 참사관간의 접촉(2.20) 결과에 관한 설명을 청취한바, 요지 아래 보고함.

1. 카측이 핵 비 확산문제에관한 카 정부의 관심을 강조, NPT 당사국으로서의 의무에 따른 북한의 IAEA 안전조치 협정 체결을 촉구하고 아울러 앞으로 카. 북한 관계 개선문제는 북한의 IAEA 안전조치 협정체결 문제와 남. 북한대화등 남.북한 관계의 진전 여하에 달려 있다는 종래 카 정부 입장을 강조한바, 북한은 하기요지 반응을 보였다 함.

가. IAEA 안전 조치 협정문제는 북한과 미국간의 문제이며, 남. 북한 관계 문제는 국내 문제임. 이를 카. 북한 관계와 연관짓는 것은 부당하며 카나다는 여사한 문제에 관여해서는 않됨. 카나다는 타국의 입장에 의해 영향 받지 말고문제를 독자적으로 판단해야 할것임.

나. 현재 남한엔 1,000 여개의 핵무기가 배치되어 있으며, 북한은 미국으로부터 핵무기 불사용의 구체적 보장을 받고자 하나, 미국은 이를 거부하고 있음. 카나다는 미국이 남한에서 핵무기를 철수토록 압력을 가해야 할것임.

다. 미국이 남한에 핵무기를 갖고 있으면서 북한에 대해 압력을 가하고 있는 것은 남. 북한의 분단을 유지하기 위한 수단이며, 만약 카나다가 같은 입장에서 분단된 한쪽에 배치된 핵무기에 의해 안보의 위협을 받고 있다면 어떻게 대처할것인지 묻고 싶음.

2. 이에 대해 JUTZI 공사는 미국이 이미 NEGATIVE SECURITY ASSURANCE 를 통해

미주국	장관	차관	1차보	2차보	의전장	미주국	국기국	정문국
정문국	청와대	안기부						

0104

PAGE 1 91.02.22 10:16

외신 2과 통제관 FE

일반적인 핵무기 불사용 보장을 하고 있다는 점, 한국은 핵무기 개발을 않고 있다는 점등을 지적하고 북한의 조속한 IAEA 안전조치 협정 체결 필요성을 거듭 강조했다함.

3. 또한 JUTZI 공사가 북한측의 제 4 차 남. 북 고위급 회담 중단 조치의 배경에 관해 문의 했던바, 박참사관은 팀스피리트 훈련 때문에 남. 북회담의 성과를 기대할수 없는 상황이라면서 북한은 팀스피리트 훈련을 앞으로 2 - 3 년간 중단토록 요구하였으나, 이 요구가 무시되었으며 따라서 회담 중단은 북한의 잘못 때문이 아니라고 주장했다함.

4. 평가

가. 카측은 금번 면담과정에서 북한측 태도를 종래에 비해 매우 강경하고 비타협적인 것이었으며("VERY TOUGH", "UNCOMPROMISING","HARSHER THAN IN THE PAST") 전혀 새로운 융통성의 조짐을 찾아볼수 없는 것이었다고 평가하고, 다만 북한측이 앞으로 계속적인 카. 북한 접촉을 통한 의견 교환엔 GENUIN INTEREST 를 갖고 있는 것으로 감촉되었다고함.

나. 또한 카측은 여사한 북한측의 태도는 당초 예상했던 것이며, 금번 접촉이 카측 입장을 북한측에 대해 직접 알리는 것이 주 목적이었기 때문에 동 접촉 결과가 NEITHER DISAPPOINTING NOR ENCOURAGING 한것이라고 부언하였음. 끝

(대사대리 조원일 -국장)

예고문 : ~~91.12.31. 일반~~

19 . . . 의 예고문에 의거 일반문서로 재분류됨

관리 번호	91-119

외 무 부

종 별 :

번 호 : UNW-0430 일 시 : 91 0222 2030

수 신 : 장관(국기,국연,미안,기정)(사본:주오지리대사:중계필)

발 신 : 주 유엔 대사

제 목 : 북한의 핵안전 협정문제

연:UNW-0378

연호 미, 일, 카나다 , 호주및 폴랜드 5 개국은 별첨과같이 표제건 북한의 안보리 문서(S/21957) 에 대한 공동명의 대응문서를 금 2.22. 주유엔대사 명의로유엔사무총장에게 제출하고 이를 안보리문서로 배포하여 줄것을 요청하였음. 끝

첨부:공동명의문서 :UNW(F)-076

(대사 현홍주-국장)

예고:91.12.31. 일반

일반문서로 재분류(1991 : 12.31.)

검토필(1991. 6.30.)

국기국 장관 차관 1차보 2차보 미주국 국기국 정문국 외연원
청와대 안기부

PAGE 1

91.02.23 10:40

외신 2과 통제관 BW

0106

UNW(F)-0176 10222 2030
(국기. 국연. 미안. 기정)

총204

February 21, 1991

Dear Mr. Secretary General:

As parties to the Treaty on the Non-Proliferation of Nuclear Weapons, the undersigned Governments wish to address themselves to the statement of the Foreign Ministry of the Democratic People's Republic of Korea, issued on November 16, 1990, and circulated as Security Council Document S/21957 and International Atomic Energy Agency Board of Governors Document GOV/INF/594.

The undersigned Governments call on the Government of the Democratic People's Republic of Korea to recall that Article III of the Treaty on the Non-Proliferation of Nuclear Weapons requires a nonnuclear-weapon state party to accept safeguards, as set forth in an agreement to be negotiated and concluded with the International Atomic Energy Agency, on all source and special nuclear material in all its peaceful nuclear activities. Equally clear is the obligation in Article III for the nonnuclear-weapon state party to have that the agreement enter into force not later than eighteen months after the initiation of negotiations. A state party cannot condition this undertaking on the actions of another state party to the Treaty, on separate negotiations with another state, or on conclusion of another agreement such as one relating to a nuclear-weapons-free zone.

The undersigned Governments affirm that it is not acceptable that, in the above mentioned statement, the Government of the Democratic People's Republic of Korea tries to justify its nonfulfillment of the Treaty on the Non-Proliferation of Nuclear Weapons obligations by conditioning it on the actions of another country. Moreover there is no basis for the Democratic People's Republic of Korea's implication that the United States is not fulfilling its treaty obligations by virtue of its security arrangement with the Republic of Korea. Nor is there any other basis for concluding that the United States has not discharged its obligations under the Treaty.

His Excellency,
Mr. Javier Perez de Cuellar,
Secretary General of the United Nations,
United Nations, Room S-3800,
New York, New York 10017.

2-1

0107

The Democratic People's Republic of Korea incorrectly implies that the International Atomic Energy Agency takes the position that the question of the safeguards agreement has not been solved because of relations between the Democratic People's Republic of Korea and the United States. The International Atomic Energy Agency Secretariat has taken note that the Democratic People's Republic of Korea is conditioning its signature of the safeguards agreement on receipt of assurances from the U.S. regarding use of nuclear weapons and that the question of such assurances must be left to the two countries to work out. The International Atomic Energy Agency has not taken the position that conclusion of the safeguards agreement can be legitimately be linked to such assurances.

The undersigned Governments call on the Democratic People's Republic of Korea to conclude and implement a full scope safeguards agreement with the International Atomic Energy Agency immediately and thus to fulfill its obligations as a state party to the Treaty on the Non-Proliferation of Nuclear Weapons.

We would appreciate it if you could arrange for this letter to be circulated as an official document of the Security Council.

Sincerely,

/s/
Peter Wilenski
Ambassador
Permanent Representative
of Australia to the United Nations

/s/
L. Yves Fortier, Q.C., O.C.
Ambassador
Permanent Representative
of Canada to the United Nations

/s/
Yoshio Hatano
Ambassador
Permanent Representative
of Japan to the United Nations

/s/
Dr. Stanislaw Pawlak
Ambassador
Permanent Representative
of Poland to the United Nations

/s/
Thomas R. Pickering
Ambassador
Permanent Representative of
the United States of America
to the United Nations

2-2

0108

IAEA 이사회 대책

1. IAEA 이사회 개요

   o 일시.장소 : 91.2.26-28, 비엔나

   o 참 가 국 : IAEA 이사국(35개국) 및 옵서버국

     * 아국은 현재 이사국이 아님

2. 이사회 대책

   o 금번 이사회 의제에 핵안전조치 협정 체결이 포함되어 있는바, 동 의제 토의시 북한의 핵안전협정 체결문제가 거론될 것으로 예상됨.

   o 이에 대비, 주오지리 대사를 통하여 오지리 주재 미, 일등 핵심 우방국 대사를 접촉, 아국대표가 IAEA 이사회 문서로 기 배포된 아국 입장 성명문 내용을 중심으로 대북한 협정체결 촉구 발언을 하는 방안등에 대해 협의토록 함.

   * 비이사국인 아국대표의 발언 신청시 이사회 의장(폴란드인)은 아국이 북한의 협정 체결 문제에 대한 직접적인 당사국이 아니라는 점에서 남.북한간 논쟁을 방지하기 위해 발언권을 제한할 가능성도 있음.

   * 90년 2월 및 6월의 IAEA 이사회시 북한(비이사국) 대표가 참석, 협정 체결문제 당사국으로서 발언을 하였으며 90년 9월이사회에는 불참하였음.

3. 참고사항

   o 북한은 협정체결 지연의 책임을 미측에 전가하는 내용의 외교부 성명을 유엔 안보리문서(90.11.21자) 및 IAEA 이사회 문서(90.12.11자)로 배포

   o 아국은 미국과 협의하에 대북한 반박문서를 IAEA 이사회 문서로 배포 (미측문서 91.1.2자, 아측문서 91.2.8자)

   o 유엔 안보리에서도 대북한 반박문서 배포 추진중(미국등 우방국 공동명의 문서 및 아국 단독 성명문 배포 예정). 끝

0109

2/23 긴 기

관리번호	91-114

원 본

외 무 부

종 별 : 긴 급

번 호 : AVW-0211 일 시 : 91 0222 0830

수 신 : 장관(국기,미안,기정)사본:주유엔,미,영,소련대사(본부중계필)

발 신 : 주 오지리 대사

제 목 : IAEA 이사회 전망과 대책

대:WAV-0137 및 0126

연:AVW-0206 및 0141

1. 당지의 일본대표부는, 금차 2 월 이사회에서도 가급적 많은 이사국들(특히 아세아 국가)이 대북한 압력 발언을 하도록 하라는 외무성의 훈령에 따라, 발언 확보 교섭을 벌이고 있으나 종전에 비하여 언질 확보 교섭이 저조함을 당관에알려 왔음.

2. 일본측에 의하면 금 2.21 현재 발언할 나라는 일본, 미국, 카나다, 호주,필리핀, 에짚트이며, 소련은 회피적이고 영국은 불명확한 태도를 보이고 있음.

3. 한편, 이사회 의장(폴란드)은 금차 이사회에서 북한 문제를 거론 하는 것 자체를 탐탁하지 않게 생각한다고 일본측에 말하였다고 함.

4. 미국대표부의 실무진은 아국의 발언문제에 대하여 소극적인 반응을 표시하였음.

5. 본직은 금차 이사회 개막 직전까지 이사회 의장과 영국대사 등을 접촉하고 북한문제 거론과 대북한 압력 발언 참가를 요청하고자 하는데, 본부로서의 대책을 회시해 주시고 필요한 조치(이사국 주재 아국 공관에 대한 교섭 지시)를 취해 줄것을 건의함.

6. 아국의 발언은 반드시 바람직스럽지 못한 측면도 있으나, 문제는 직접 이해 당사국으로서(대호 WAV-0126 1 항과 같이 아국이 직접 당사국이 아니라고 함은 이해하기 곤란함) 아국이 어떻게 MANEUVER 할 것인가의 태도 정립에 라 발언할 수도 있다고 생각함.

7. 본건을 취급함에 있어서는 북한이 기본적으로 안전조치협정을 체결할 생각이 없고 IAEA 를 그 외교 선전무대로 이용하고 있으나, 아측으로서는 대북한 압력 발언을 지속적으로 확보하고 그 강도를 올리며 홍보를 강화하는 도리 밖에 없다는 것을 유념할 필요가 있다고 봄.

국기국	장관	차관	1차보	2차보	미주국	청와대	안기부	안기부

PAGE 1 91.02.22 18:31

외신 2과 통제관 CH

0110

8. 작년 2 월 이사회에서는 16 개국, 6 월 이사회에서는 20 개국, 9 월 이사회에서는 15 개국이 발언 한 바 있음을 참고 바람.

(끝)

예고:91.12.31 일반

일반문서로 재분류(1991 .12.31.)

검 토 필(1991. 6.30.)

PAGE 2

0111

2/23 길 기

관리 번호	91-115

원 본

외 무 부

종 별 : 긴 급

번 호 : AVW-0220 일 시 : 91 0222 1830

수 신 : 장관(국기,미안,기정)

발 신 : 주 오스트리아 대사

제 목 : IAEA 이사회 대책

연:AVW-0211

1. 본직은 금 2.22(금) 오후(14:45-15:15) IAEA 이사회 의장 ZELAZNY(폴랜드) 교수를 방문 면담하였음.

가. 본직은, 금차 이사회에서도 종전과 같이 북한의 핵안전 협정 체결 문제가 거론될 것이므로, 의장이 이에 협조해 줄 것을 당부하였음.

나. 또한 본직은 북한에 의한 핵의 비평화적 목적으로의 전용에 직접 이해 관계를 가진 당사국으로서 아국이 본건에 대한 이사회의 토의 경과를 그간 지켜보았으나 북한이 계속 그 조약상의 책임을 회피하고 있는 것을 깊이 우려하는 입장을 최근 표시한바 있음을 상기시키면서, 이제는 이사회에서도 아국이 NPT 당사국으로서 그리고 IAEA 회원국으로서 입장을 개진할 때가 된 것으로 본다고 말하였음. 그러나 아국이 반드시 금차 이사회에서 발언한다는 것은 아니고 경우에 따라 발언할 수도 있으므로 이를 양해하고 협조해줄 것을 요청하였음.

다. 의장은 상기 두가지 요청에 대하여 협조를 약속하였음.

라. 다만, 금차 이사회에서 미국의 이락내 원자력 시설 폭격 문제로 논란이 있을 것이므로, 북한문제가 거론되는 것이 시기면에서 바람직스럽지 못하나 아국과 동조국(LIKE-MINDED COUNTRIES)의 입장을 이해한다는 사견을 그는 표시하였음.

마. 또한 그는 폴랜드의 원자력 전문가로서 한국의 시설과 역량에 관심을 표시하면서 특히 원자력 발전을 위한 금융, 보험, 기술개발 등에 관하여 한국의 전문가들과 정보 및 경험을 교환하고 싶다고 말하였음. 그는 금년 3 월 하순 또는 상반기중에 일본을 방문하는 기회에 또는 별도로 방한할 뜻을 비쳤음(본항에 관해서는 따로 추보 위계임)

2. 본직은 금일 당지의 인도네시아 및 태국대사를 오찬에 초청하고 금차

예고문서로 재분류(1991.12.31.)

국기국 장관 차관 1차보 2차보 미주국 안기부

PAGE 1

91.02.23 06:34

외신 2과 통제관 DO

0112

이사회에서 대북한 촉구 발언을 해줄 것을 당부하였던바, 그들은 발언하기로 약속하였음.(이사국 상주 아국 공관을 통한 교섭대상에서 인도네시아와 태국은 제외하는 것이 좋겠음.)

3. 소련은, 작년의 경우 세번 있었던 이사회에서 모두 촉구 발언을 하였는데, 금차 이사회에서도 발언하는 것이 바람직스러우므로 모스코를 통해 특별 교섭해 주시고 아래의 이사국을 상대로 교섭하도록 본부가 관계 공관에 지시해줄 것을 건의함: 영국, 벨지움, 이태리, 체코, 독일, 모로코, 나이제리아, 튜니시아, 포루갈, 베네주엘라(10 개국)

4. 본직이 금일 접촉한 WILSON 호주대사는 가급적 많은 나라들의 대북한 촉구발언 확보를 위해 노력하고 있음을 확인하였음.

5. 본직이 또한 금일 접촉한 ENDO 일본대사에 의하면, 화란은 업서버의 자격으로도 금차 이사회에서 발언하는 문제를 적극 검토하겠다고 말하였음을 알려주면서, 아국이 가만히 있는것은 이해하기 곤란하다는 의견을 피력하였음. 또한 그는 태국대사의 요청에 따라 ENDO 대사가 행할 대북한 촉구 발언 TEXT 를 금일 오후 제공하겠다고 함.

(끝)

예고:91.12.31 일반

검 토 필(1991. 6. 30.)

PAGE 2

0113

원 본

암 호 수 신

외 무 부

종 별 :

번 호 : AVW-0222 일 시 : 91 0222 1830

수 신 : 장관(국기,아이)

발 신 : 주오스트리아대사

제 목 : 북한의 남한 호칭문제 트집

연호 업무에 참고하고자하니 북경 상주 아국대표부의 정식명칭(영문 및 중국어)과 아국대표의 대외직함을 알려 주시기 바라며, 중공의 아국 호칭문제에 대한 최근 태도를 알려 주시기 바람. (끝)

국기국 아주국

PAGE 1 91.02.23 07:58

외신 2과 통제관 BW

0114

관리번호	91-120

	분류번호	보존기간

발 신 전 보

번 호 : WAV-0157 910223 1156 DP 종별 : 지급

수 신 : 주 오지리 대사. 총영사

발 신 : 장 관 (국기)

제 목 : IAEA 이사회 대책

대 : AVW-0211(1), AVW-0220(2)

1. 금번 2월 이사회에서 우방 이사국을 동원하여 대북한 압력 발언을 교섭하는 것은 귀직이 중심이 되어 현지 교섭하는데 역점을 두기바랍. 본부는 이와 병행하여 대호(2) 소련등 11개 이사국 주재 아국공관을 통하여 귀직 활동을 지원토록 조치하겠음.

2. 아국이 옵서버로 발언하는 문제는 이사회 의장과 주요 우방이사국 대표와의 협의하에, ~~귀직 재량으로 처리~~하기 바람. 끝

신중히 대처하면서, 필요시 회의분위기에 맞게 발언

(장 관)

예고 : 91.6.30. 일반

보안통제	

앙고재	91년 2월 23일	국기과	기안자 성명	과 장	국 장	1차관보	차 관	장 관

외신과통제

0115

관리번호	91-121

	분류번호	보존기간

발 신 전 보

번 호 : WSV-0544 910223 1157 DP 종별 : 지급

수 신 : 주 쏘 대사. 총영사 (사본 주오지리 대사) WAV -0158

발 신 : 장 관 (국기)

제 목 : IAEA 2월이사회 대비

1. 금2.26-28 비엔나에서 개최될 IAEA 2월 이사회에서 북한의 핵안전협정 체결 문제가 또다시 토의될 예정임.

2. 상기 관련, 본부는 주오지리 대사로 하여금 현지 우방이사국의 이사회 대표와 접촉하여 대북한 협정체결 압력 발언을 고섭토록 지시한바 있는바, 귀관은 주재국 정부와 접촉하여 IAEA 이사회의 북한 핵안전협정(safeguards agreement) 체결문제 토의시 주재국의 IAEA 이사회 대표가 NPT(핵무기 비확산 조약) 당사국으로서 북한이 조속 협정을 체결토록 촉구하는 발언을 행사하도록 교섭하고 결과 보고(사본: 주오지리 대사) 바람.
감안하여 금번 2월 이사회에서도 쏘련대표가 발언하여 주도록 적극 교섭바람. 끝

3. 귀직은 쏘련대표가 작년에 있었던 3차례의 IAEA 이사회(2월, 6월, 9월) 회의시 모두 북한의 협정체결 촉구 발언을 하였으며 쏘련의 발언비중이 큼을 감안하여 금번 2월 이사회에서도 쏘련대표가 발언하여 주도록 적극 교섭바람. 끝

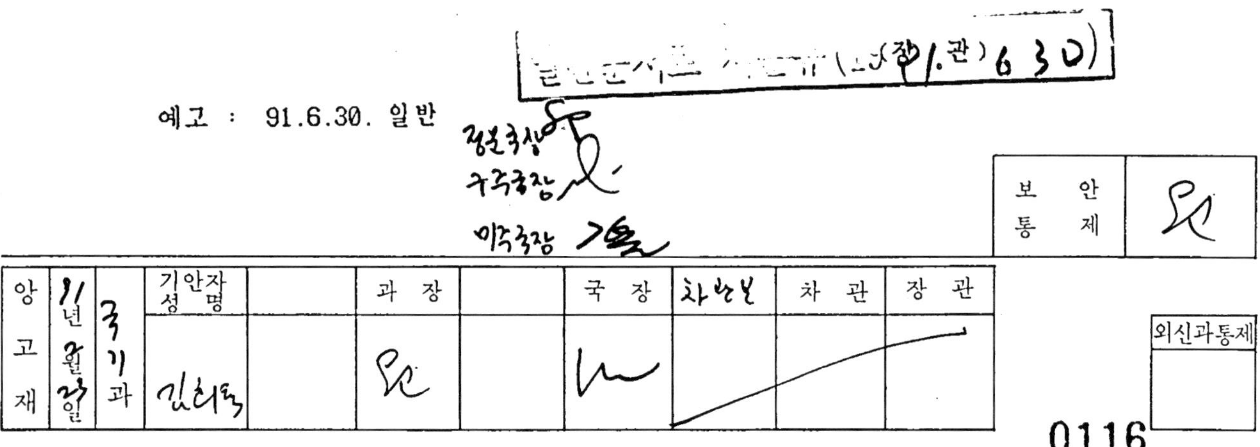
예고 : 91.6.30. 일반

보 안 통 제	

앙 고 재	91년 2월 23일	국기과	기안자 성 명		과 장		국 장		차 관	장 관
			김희특							

외신과통제

0116

관리 번호	91-122

	분류번호	보존기간

발 신 전 보

번 호 : WUK-0341 외 별지참조 종별 : 지급

WUK-0341 910223 1200 DP

수 신 : 주 수신처참조 대사. 총영사

발 신 : 장 관 (국기)

제 목 : IAEA 2월 이사회 대비

WBB -0069 WCZ -0130 WGE -0301 WMO -0054 WNJ -0076
WTN -0048 WPO -0088 WVZ -0038 WIT -0194 WUS -0697
WJA -0802 WUN -0374 WAV -0159

1. 금2.26-28 비엔나에서 개최될 IAEA 2월 이사회에서 북한의 핵안전협정 체결 문제가 또다시 토의될 예정임.

2. 상기 관련, 본부는 주오지리 대사로 하여금 현지 우방이사국의 이사회 대표와 접촉하여 대북한 협정체결 압력 발언을 교섭토록 지시한바 있는바, 귀관은 주재국 정부와 접촉하여 IAEA 이사회의 북한 핵안전협정(safeguards agreement) 체결문제 토의시 주재국의 IAEA 이사회 대표가 NPT(핵무기 비확산 조약) 당사국으로서 북한이 조속 협정을 체결토록 촉구하는 발언을 행사하도록 교섭하고 결과 보고(사본: 주오지리 대사) 바람.

~~3. 주쏘대사는 쏘련대표가 작년에 있었던 3차례의 IAEA 이사회(2월, 6월, 9월) 회의시 모두 북한의 협정체결 촉구 발언을 하였으며 쏘련의 발언비중이 큼을 감안하여 금번 2월 이사회에서도 쏘련대표가 발언하여 주도록 적극 교섭바람.~~ 끝

(장 관)

일반문서로 재분류(1991. 6. 30.)

예고 : 91.6.30. 일반

수신처 : ~~주쏘~~, 영국, 벨지움, 체코, 독일, 모로코, 나이제리아, 튜니시아, 폴투갈, 베네주엘라, 이태리대사(사본: 주미,일,유엔,오지리대사)

정문국장 구주국장 미주국장

보안 통제	

앙 고 재	91년 2월 23일	국기과	기안자 성명		과 장		국 장	차관보	차 관	장 관
			김희택							

외신과통제

0117

관리번호	91/1072

長官報告事項

報告畢

1/2

1991. 2. 25.
國際機構條約局
國際機構課(13)

題目 : 北韓의 核安全協定 締結 關聯, 友邦國 共同 署名文書 유엔 安保理 提出

北韓은 核安全措置協定 締結과 關聯, 外交部 聲明을 유엔 安保理文書 (90.11.21자)와 國際原子力機構(IAEA) 理事會 文書(90.12.11자)로 配布한바 있는바, 이에 對한 我國과 美國등 友邦國의 對應措置를 아래와 같이 報告드립니다.

1. 北韓側 文書內容

o 北韓은 IAEA와의 核安全措置協定 締結 遲延 理由가 IAEA와 北韓間의 問題 때문이 아니라 美-北韓關係 때문임을 IAEA가 發表했다고 歪曲 主張하면서, 協定 締結의 前提條件으로서 美國의 核先制 不使用 保障을 要求하고 同 問題 論議를 위한 對美 直接協商의 開始를 促求함.

2. 美國等 友邦國 對應措置

가. 經緯

o 北韓의 文書 配布에 對應, 本部는 我國의 反駁立場을 즉시 安保理 文書로 配布할 것을 美側과 協議한바, 美側은 北韓의 核問題가 南北韓間만의 問題가 아니라 國際社會에 對한 北韓의 責任問題라는 점에서 我側의 單獨對應을 留保해 줄것을 要請하면서 友邦國 共同 名義의 安保理 文書 提出을 推進한다는 立場을 밝히고 그간 友邦國들에 對해 共同 署名을 交涉해 왔음.

앙 고 재	국 제 기 구 과	년 월 일	담 당	과 장	국 장	차관보	차 관	장 관
			김					

0118

o 上記 共同署名 交涉結果 美國은 日本, 濠洲, 카나다, 폴란드와 共同 署名한 對北韓 反駁文書를 91.2.22 유엔 事務總長에게 提出하여 安保理 文書로 配布토록 要請하였음.

나. 友邦國 共同署名 文書內容

o 北韓이 核武器 非擴散 條約(NPT)上 義務인 安全措置協定 締結의 不履行을 他國의 行動과 連繫시키면서 正當化하려는 것은 容納할 수 없음.

o 北韓은 IAEA가 安全措置協定 問題의 未解決은 美-北韓關係 때문이라는 立場을 취한 것으로 歪曲하고 있으나, IAEA는 北韓의 安全措置協定 締結이 美國의 核先制 不使用 保障問題와 合法的으로 連繫될 수 있다는 立場을 취한바 없음.

o 北韓이 IAEA와의 安全措置 協定을 즉각 締結함으로써 NPT 當事國으로서의 義務를 履行할 것을 促求함.

3. 我國의 措置事項

o 我國은 美·日과 協議下에 上記 우방 5個國이 提出한것과 類似한 對北韓 反駁文書를 91.2.26頃 유엔 安保理 文書로 提出 豫定임.

o 我國은 이에 앞서 IAEA에서 對北韓 反駁文書를 美國에 이어 91.2.8 IAEA 理事會 文書로 旣 配布한바 있음.

o 또한 IAEA 2月理事會(91.2.26-28, 비엔나)에서 北韓의 核安全協定 締結問題가 再論될 것에 對備, 蘇聯등 11개 IAEA 理事國 주재 我國 公館에 對北韓 協定締結 促求 發言을 해주도록 交涉 指示하고 駐오지리 大使에게는 同 理事會에 옵서버로 參席, 必要時 發言토록 指示함. 끝

0119

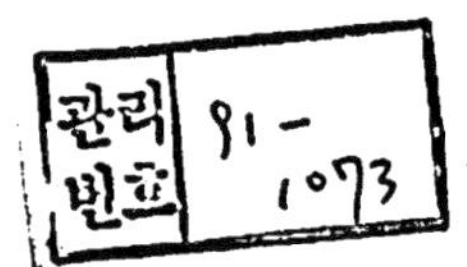

長 官 報 告 事 項

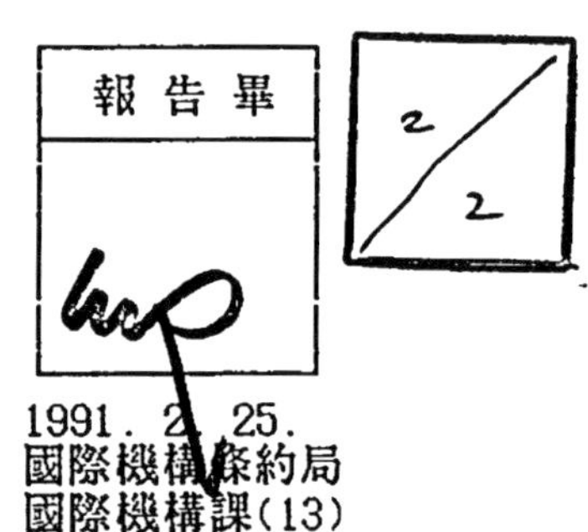

1991. 2. 25.
國際機構條約局
國際機構課(13)

題 目 : 北韓의 核安全協定 締結 關聯, 友邦國 共同 署名文書 유엔 安保理 提出

北韓은 核安全措置協定 締結과 關聯, 外交部 聲明을 유엔 安保理文書 (90.11.21자)와 國際原子力機構(IAEA) 理事會 文書(90.12.11자)로 配布한바 있는바, 이에 對한 我國과 美國등 友邦國의 對應措置를 아래와 같이 報告드립니다.

1. 北韓側 文書內容

o 北韓은 IAEA와의 核安全措置協定 締結 遲延 理由가 IAEA와 北韓間의 問題 때문이 아니라 美-北韓關係 때문임을 IAEA가 發表했다고 歪曲 主張하면서, 協定 締結의 前提條件으로서 美國의 核先制 不使用 保障을 要求하고 同 問題 論議를 위한 對美 直接協商의 開始를 促求함.

2. 美國等 友邦國 對應措置

가. 經緯

o 北韓의 文書 配布에 對應, 本部는 我國의 反駁立場을 즉시 安保理 文書로 配布할 것을 美側과 協議한바, 美側은 北韓의 核問題가 南北韓間만의 問題가 아니라 國際社會에 對한 北韓의 責任問題라는 점에서 我側의 單獨對應을 留保해 줄것을 要請하면서 友邦國 共同 名義의 安保理 文書 提出을 推進한다는 立場을 밝히고 그간 友邦國들에 對해 共同 署名을 交涉해 왔음.

0120

o 上記 共同署名 交涉結果 美國은 日本, 濠洲, 카나다, 폴란드와 共同 署名한 對北韓 反駁文書를 91.2.22 유엔 事務總長에게 提出하여 安保理 文書로 配布토록 要請하였음.

나. 友邦國 共同署名 文書內容

o 北韓이 核武器 非擴散 條約(NPT)上 義務인 安全措置協定 締結의 不履行을 他國의 行動과 連繫시키면서 正當化하려는 것은 容納할 수 없음.

o 北韓은 IAEA가 安全措置協定 問題의 未解決은 美-北韓關係 때문이라는 立場을 취한 것으로 歪曲하고 있으나, IAEA는 北韓의 安全措置協定 締結이 美國의 核先制 不使用 保障問題와 合法的으로 連繫될 수 있다는 立場을 취한바 없음.

o 北韓이 IAEA와의 安全措置 協定을 즉각 締結함으로써 NPT 當事國으로서의 義務를 履行할 것을 促求함.

3. 我國의 措置事項

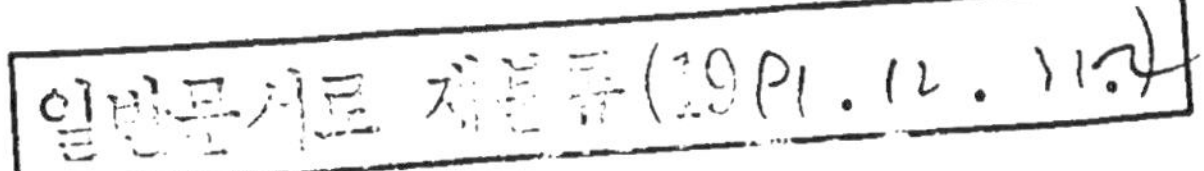

o 我國은 美·日과 協議下에 上記 우방 5個國이 提出한것과 類似한 對北韓 反駁文書를 91.2.26頃 유엔 安保理 文書로 提出 豫定임.

o 我國은 이에 앞서 IAEA에서 對北韓 反駁文書를 美國에 이어 91.2.8 IAEA 理事會 文書로 旣 配布한바 있음.

o 또한 IAEA 2月理事會(91.2.26-28, 비엔나)에서 北韓의 核安全協定 締結問題가 再論될 것에 對備, 蘇聯등 11개 IAEA 理事國 주재 我國 公館에 對北韓 協定締結 促求 發言을 해주도록 交涉 指示하고 駐오지리 大使에게는 同 理事會에 옵서버로 參席, 必要時 發言토록 指示함. 끝

0121

	분류번호	보존기간

발 신 전 보

번 호 : WAV-0163 910225 1335 DP 종별 :

수 신 : 주 오지리 대사. 총영사

발 신 : 장 관 (국기)

제 목 : 북한의 핵안전협정 문제

표제관련, 국내 언론 보도내용을 아래 통보하니 참고바람.

1. 김용순 북한 노동당 국제부장 발언(2.21, 나까야마 일 외상과 회담시)
   - o 미국은 1천여기의 핵미사일을 보유하고 있는바, 북한은 미국이 이들 핵 미사일의 사찰에 동의할때에만 북한 핵시설에 대한 국제사찰을 허용할것임.

2. 티타렌코 쏘련과학원 극동연구소장 내한 회견(2.23)
   - o 한반도의 비핵지대화는 동북아 평화 정착을 위한 쏘련정부의 기본 방침이기 때문에 실현 가능성이 높음.
   - o 현재 쏘련, 미국, 일본, 중국 학자들을 중심으로 협의가 활발하게 진행되고 있음.

3. 가네마루 전 일 부총리(2.22, 일본 교또에서의 일-조 우호 친선모임 연설시)
   - o 북한의 핵사찰 문제등을 협의토록 하기위해 미-북한 정상급 회담을 주선할 용의가 있음.
   - o 미국과 북한측에 상기 견해를 전달했으며 일본 외무성이 잘만 해주면 2-3년안에 이야기가 될지도 모름. 끝

(국제기구조약국장 문동석)

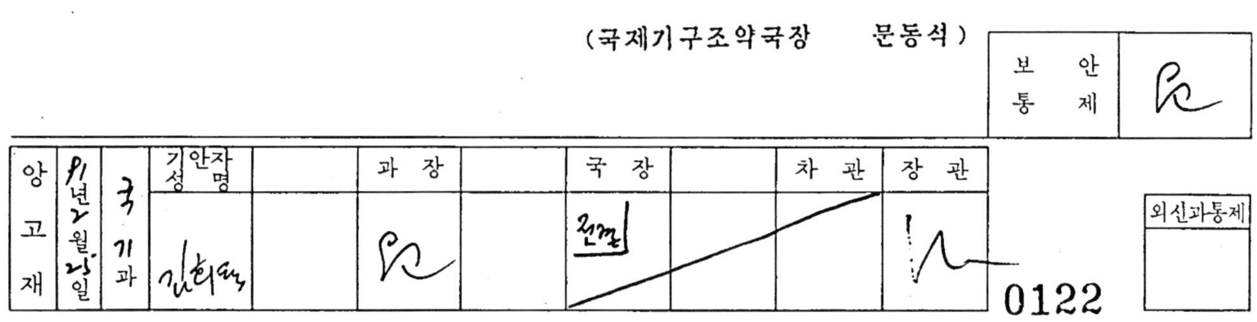

앙 고 재	91년 2월 25일	국기과	기안자 성명		과 장		국 장		차 관	장 관
			김희철				전결			

보안통제 | 외신과통제

0122

	분류번호	보존기간

발 신 전 보

번 호 : WAV-0165 910225 1534 DP 종별 : 지급(암호송신)

수 신 : 주 오지리 대사. ~~총영사~~

발 신 : 장 관 (국기)

제 목 : 북한의 남한 호칭문제 관련

대 : AVW-0222

대호 관련, 아래와 같이 통보함.

1. 북경 상주 아국대표부의 정식 명칭

가. 영 문 : Korea Trade Promotion Corporation Representative Office in Beijing

나. 중국어 : 대한무역진흥공사 주북경 대표처

2. 아국대표의 대외직함

가. 영 문 : Representative

나. 중국어 : 대표

3. 중국의 아국 호칭문제

o 한.중 양자간 공식회의(비공개)에서는 대한민국(ROK)으로 호칭 ~~을 사용~~합.

o 국제기구 회의에서는 북경 개최 제22차 ADB 총회(89.5.4-6)시 총회의장국인 중국은 아국을 남조선으로 호칭하였음(당시 아국은 displeasure 표시하면서 ~~조~~ 시정 요청한바 있음)

동북아2과장: [서명]

/계 속/

보안통제	[서명]

앙고재	91년 2월 25일	국기과	기안자 성명		과 장		국 장		차 관	장 관
			[서명]		[서명]		전결			[서명]

외신과통제

0123

o 중국 관영 언론에서는 "남조선(South Korea)"으로 호칭하면서 아국의 정식 명칭을 사용치 않고 있음

o '90 북경아시안 게임에서는 OCA(아시아 올림픽평의회)에 등록된 대로 아국을 Korea(한자로는 한국), 북한을 DPRK(한자로는 조선)로 표기한바 있음. 끝

(국제기구조약국장 문동석)

0124

관리번호	91-132

외 무 부

종 별 :

번 호 : JAW-1062　　　　일 시 : 91 0225 1944

수 신 : 장관(국기,아일,정이)

발 신 : 주 일 대사(일정)

제 목 : IAEA 이사회

대 : WJA-0802

1. 대호, 금 2.25. 오후 당관 박승무 정무과장은 외무성 사다오까 원자력과장을 면담, IAEA 2 월 이사회시 일측 대표가 북한의 핵안전 협정체결을 촉구하는발언을 해줄것을 요청 하였는바, 동과장은 북한이 NPT 조약을 비준한후 5 년이상 기간이 경과했음에도 아직까지 핵안전보장협정에 서명하지 않고 있는 것은 유감이라고 말하고, 일정부로서는 될수 있는대로 많은 이사국들이 이문제에 대해 발언하는게 좋다고 생각하며 이를 위해 일측이 주도적으로 관계국에 대해 발언하도록 요청중에 있다고 밝힘.

2. 동과장은 현재 본건 관련 발언예상국은 미국, 카나다, 에집트, 필리핀, 인니, 한국, 일본인것으로 알고 있다고 말하고 일측으로서는 아시아국가로서 이사국인 필리핀, 인니, 태국 3 개국의 발언이 중요하다고 생각하나 태국은 최근 북한과 국교수립등 관계가 개선되었기 때문인지는 모르나 이문제에 대해 발언한적이 없어 일측은 태국에 대해 발언토록 강하게 요청할 예정이라고 말함.

3. 동과장은 최근 북한이 핵사찰 문제에 관해 북측주장을 담은 문서를 국련및 IAEA 본부에 배포한바 있어 일본이 이에 대해 반박하는 문서를 관계국간의 공동서명 형식으로 배포할것을 계획, 미국, 호주, 폴란드, 카나다의 공동서명은 받았으나 EC 제국의 서명을 받지 못한바 있다고 밝히고, 이와같은 결과가 된것은IAEA 사무국의 WILMSHURST 섭외부장이 EC 제국에 대해 북한이 핵안전보장협정 체결을 고려하고 있는 현단계에서 그런 문서를 배포하는 것은 매우 SENSITIVE 하다는 정보를 흘려 결국 EC 제국이 이에 서명하지 않게 된것으로 알고 있다고 말함.

(동 과장은 WILMSHURST 섭외부장이 친북성향이므로 주의할 필요가 있다고 부언함.)

4. 또한 동과장은 IAEA 브릭스 사무국장이 4 월초 중국 대아만에 건설중인 원자력

국기국　장관　차관　1차보　2차보　아주국　정문국　청와대　안기부

91.02.25　23:32

외신 2과　통제관 FE

0125

발전소 시찰차 출장예정이며 그후 일본도 방문예정인바, 중국, 일본 방문중간에 김일성과 면담이 주선된다면 북한도 방문하겠다는 뜻을 가진것으로 알려지고 있다고 하면서, 동국장의 북한방문이 실현될 경우 북측에 핵안전협정체결에대한 관계국의 입장을 정확하게 전달한다면 모르지만 그렇지 않을 경우 오히려북측에 이용만 당할 가능서이 높아 염려하고 있다고 함.

5. 동과장은 상기 3,4 항의 내용이 자신의 출처라고 하는 사실을 대외적으로 인용하지 말것을 요청했음. 끝

(대사 이원경-국장)

예고:원본접수처:91.12.31. 일반

사본접수처:91.6.30. 파기

일반문서로 재분류(1991.12.31.)

검 토 필(1991. 6.30.)

PAGE 2

0126

2/26 김
아 : 국오

기

관리번호	91-135

원 본

외 무 부

종 별 :

번 호 : CZW-0135　　　　　　　　일 시 : 91 0225 2100

수 신 : 장관(국기,동구이,기정)

발 신 : 주 체코대사 (사본: 주오대사)

제 목 : IAEA 2월 이사회

대 WCZ-130

1. 최승호 참사관이 2.25 NIJEDLY 국제기구국장 면담, 대호 북한의 안전조치협정 체결문제 토의시 주재국이 북한의 협정체결을 촉구토록 발언해주도록요청함.

2. 동국장은 자국 대표단에게 한국 및 서구제국 대표와 협의하여 아측 요청방향으로 대응토록 지시하겠다 함(당지시간 2.25 17:00 동국장에게 확인한바, 이미 지시하였다 하였음)끝.

(대사-국장)

예고:91.12.31일반

검 토 필(1991. 6.30.)

일반문서로 재분류(1991. 12.31.)

국기국　장관　차관　1차보　구주국　청와대　안기부

PAGE 1　　　　　　　　91.02.26　09:36
외신 2과　통제관 CW

0127

2/26 길 기

관리 번호	91-131

원 본

외 무 부

종 별 :

번 호 : BBW-0146 일 시 : 91 0225 1630

수 신 : 장 관(국기)(사본:주오지리대사)

발 신 : 주 벨기에 대사

제 목 : IAEA 2월 이사회

대:WBB-0069

대호, 주재국 외무부 SAVERYS 핵문제 담당관에 의하면, 주재국 정부는 금번표제 회의관련, 지난 주말 주재국 현재 대표에게 북한의 핵안전 협정체결을 강력 촉구토록 훈령하였다 함. 끝.

(대사 정우영-국장)

예고:91.6.30. 일반

일반문서로 재분류(1991. 6. 30.)

국기국

0128

PAGE 1

91.02.26 05:01

외신 2과 통제관 FE

2/26 길 기

관리 번호	91-130

원 본

외 무 부

종 별 : 지 급

번 호 : GEW-0502 일 시 : 91 0225 1700

수 신 : 장관(국기) 사본:주독대사, 주 오지리 대사

발 신 : 주 독 대사대리

제 목 : IAEA 이사회

대:WGE-0301

1.2.25, 당관 전 참사관은 주재국 외무부 국제협력담당 NOCKER 국장을 방문, 대호 IAEA 이사회에서 주재국 대표가 북한의 협정체결을 촉구하는 발언을행할 것을 요청함. 이에 대해 NOCKER 국장은 주재국으로서도 북한의 핵안전협정체결을 촉구하는 입장이라고 말하고, 동 회의 주재국 이사(GOVERNOR)인 MR.REINHARD LOOSCH(과학기술부 국제협력담당 총국장)는 이문제를 잘알고 있으므로 적절한 발언을 행할것으로 안다고 언급함

2.LOOSCH 총국장은 2.24. 비엔나 향발 하였으므로 아측이 LOOSCH 대표와 현지에서 긴밀히 협조하기 바란다고 말함.

(대사대리 안현원-국장)

예고:91.6.30. 일반

일반문서로 재분류(1991. 6. 3.)

국기국 장관 차관 1차보 2차보 청와대 안기부

0129

PAGE 1 91.02.26 04:11

외신 2과 통제관 FE

1 2/26 길

11

관리번호	91-129

원 본

외 무 부

종 별 :

번 호 : UKW-0518 일 시 : 91 0225 1930

수 신 : 장관(국기,구일) 사본: 주오지리대사(직송필)

발 신 : 주 영 대사

제 목 : IAEA 이사회 대비

대: WUK-0341

1. 당관 조상훈 참사관은 2.25.(월) HUGH DAVIES 극동과장을 접촉, 영국대표가 금번 IAEA 이사회에서 북한의 안전협정 체결을 촉구하는 발언을 하여 주도록요망한바, 동 과장은 관련부서와 협조하여 적절한 조치를 취하겠다고 말했음

2. 당관 황준국 서기관이 IAN DAVIES 한국담당관에게 별도로 확인한바, 비핵담당과 YAGHMOURIAN 담당관은 이미 회의참석차 비엔나 향발했으나 출발전에 북한의 협정체결을 촉구하는 발언을 하도록 훈령을 받고 떠났으며, 당관의 상기 요청을 다시 전문으로 전달했으므로 영국이 발언을 할 것으로 확신한다고 말함. 끝

(대사 오재희-국장)

예고: 91.12.31. 일반

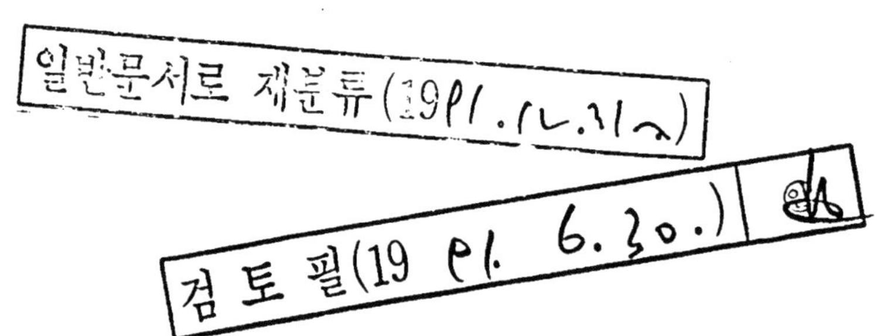

국기국 차관 1차보 구주국

PAGE 1

91.02.26 07:20

외신 2과 통제관 CW

0130

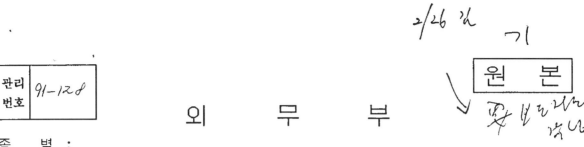

관리 번호 91-128

원 본

외 무 부

종 별 :

번 호 : UNW-0440　　　　일 시 : 91 0225 1500

수 신 : 장관 (국기,국연,미안,기정) 사본:노창희대사,주오지리대사(중계필)

발 신 : 주 유엔 대사

제 목 : 북한의 핵안전협정 문제

연: UNW-0378

연호 표제건에 관한 별첨 아국입장을 2.25.(월) 유엔사무총장에게 제출하고이를 안보리 문서로 배포하여 줄것을 요청하였음. 끝

(대사 현홍주-국장)

예고: 91.12.31. 일반

첨부: 아국입장 (FAX(UNW(F)-077)

일반문서로 재분류(1991.12.7.)

검 토 필(1991. 6. 30.)

국기국 장관 차관 1차보 2차보 미주국 국기국 청와대 안기부

PAGE 1　　　　91.02.26 07:30

외신 2과 통제관 BW

0131

UNW(F)-077 10225 1500 정부들 총 2매

POSITION OF THE GOVERNMENT OF THE REPUBLIC OF KOREA ON THE QUESTION OF THE SAFEGUARDS AGREEMENT BETWEEN THE DEMOCRATIC PEOPLE'S REPUBLIC OF KOREA AND THE INTERNATIONAL ATOMIC ENERGY AGENCY

In connection with the statement of the Ministry of Foreign Affairs of the Democratic People's Republic of Korea, issued on 16 November 1990, and circulated as Security Council document S/21957 dated 21 November 1990, on the question of concluding a safeguards agreement between the Democratic People's Republic of Korea and the International Atomic Energy Agency, the Government of the Republic of Korea wishes to reiterate its position on the matter as follows.

The Democratic People's Republic of Korea acceded to the Treaty on the Non-Proliferation of Nuclear Weapons in December of 1985, the stipulations of which impose duties on a non-nuclear weapon state party to conclude a full-scope safeguards agreement with the International Atomic Energy Agency within 18 months of its accession. Safeguard measures under Article III of the Treaty on the Non-Proliferation of Nuclear Weapons are essential obligations to be fulfilled by all state parties under the Treaty on the Non-Proliferation of Nuclear Weapons regime and central to its effectiveness and strength.

The Government of the Republic of Korea cannot but express serious concern that the Democratic People's Republic of Korea, a state party to the Treaty on the Non-Proliferation of Nuclear Weapons with significant nuclear activities, has failed to conclude the safeguards agreement for more than five years. The delay by

2-1

0132

the Democratic People's Republic of Korea far beyond the legal deadline of the entry into force of its safeguards agreement with the International Atomic Energy Agency is a clear violation of the fundamental obligations required under the Treaty and poses a threat to the international non-proliferation regime.

There are no provisions in the Treaty on the Non-Proliferation of Nuclear Weapons which justify any linkage between the failure of the Democratic People's Republic of Korea to conclude the safeguards agreement under the Treaty and other political issues or extraneous factors as it invokes. This attitude of the Democratic People's Republic of Korea endangers the Treaty on the Non-Proliferation of Nuclear Weapons regime in general and the security of Northeast Asia in particular. The Government of the Republic of Korea is seriously concerned about the development of nuclear weapons by the Democratic People's Republic of Korea.

The Government of the Republic of Korea strongly urges the Democratic People's Republic of Korea to comply with its treaty obligations to conclude and implement the requisite safeguards agreement as soon as possible and thereby remove a stumbling block to the confidence-building and reconciliation process on the Korean peninsula.

2-2

관리 번호	91-560

원 본

외 무 부

종 별 :

번 호 : UNW-0442　　　　일 시 : 91 0225 1820

수 신 : 장관(국기,국연,미안,기정)(사본:노창희대사,주오지리대사(중계필)

발 신 : 주 유엔 대사

제 목 : 북한의 핵 안전 협정문제

연:UNW-0430

연호 미.일 등 5 개국 공동명의 문서가 별첨과같이 1991.2.22. 자 안보리문서(S/22255) 로 배포되었음.

첨부:안보리문서:UNW(F)-078

끝

(대사 현홍주-국장)

예고:91.12.31. 일반

국기국 장관 차관 1차보 2차보 미주국 국기국 정문국 외연원
청와대 안기부

PAGE 1

91.02.26 08:49
외신 2과 통제관 BW

0134

UNW(FI)-078 10225 1820 총201
(국기. 국연. 미안. 기정) 사본: 노창희대사. 오지리대사(OK)

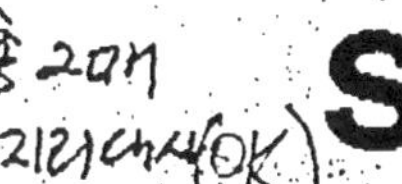

UNITED NATIONS

Security Council

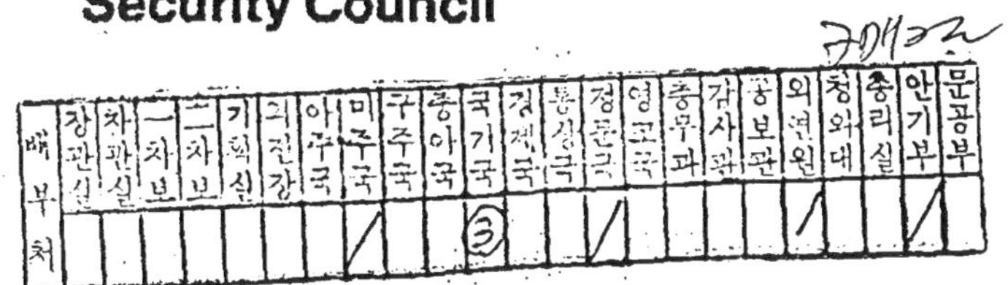

Distr.
GENERAL

S/22255
22 February 1991

ORIGINAL: ENGLISH

LETTER DATED 21 FEBRUARY 1991 FROM THE PERMANENT REPRESENTATIVES OF AUSTRALIA, CANADA, JAPAN, POLAND AND THE UNITED STATES OF AMERICA TO THE UNITED NATIONS ADDRESSED TO THE SECRETARY-GENERAL

As parties to the Treaty on the Non-Proliferation of Nuclear Weapons, the undersigned Governments wish to address themselves to the statement of the Foreign Ministry of the Democratic People's Republic of Korea, issued on 16 November 1990, and circulated as Security Council document S/21957 and International Atomic Energy Agency Board of Governors document GOV/INF/594.

The undersigned Governments call on the Government of the Democratic People's Republic of Korea to recall that Article III of the Treaty on the Non-Proliferation of Nuclear Weapons requires a non-nuclear-weapon State party to accept safeguards, as set forth in an agreement to be negotiated and concluded with the International Atomic Energy Agency, on all source and special nuclear material in all its peaceful nuclear activities. Equally clear is the obligation in Article III for the non-nuclear-weapon State party to have the agreement enter into force not later than eighteen months after the initiation of negotiations. A State party cannot condition this undertaking on the actions of another State party to the Treaty, on separate negotiations with another State, or on conclusion of another agreement such as one relating to a nuclear-weapons-free zone.

The undersigned Governments affirm that it is not acceptable that, in the above-mentioned statement, the Government of the Democratic People's Republic of Korea tries to justify its non-fulfilment of the Treaty on the Non-Proliferation of Nuclear Weapons obligations by conditioning it on the actions of another country. Moreover there is no basis for the Democratic People's Republic of Korea's implication that the United States is not fulfilling its treaty obligations by virtue of its security arrangement with the Republic of Korea. Nor is there any other basis for concluding that the United States has not discharged its obligations under the Treaty.

The Democratic People's Republic of Korea incorrectly implies that the International Atomic Energy Agency takes the position that the question of the safeguards agreement has not been solved because of relations between the Democratic People's Republic of Korea and the United States. The International

91-06055 2154f (E) /...

0135

2-1

Atomic Energy Agency Secretariat has taken note that the Democratic People's Republic of Korea is conditioning its signature of the safeguards agreement on receipt of assurances from the United States regarding use of nuclear weapons and that the question of such assurances must be left to the two countries to work out. The International Atomic Energy Agency has not taken the position that conclusion of the safeguards agreement can legitimately be linked to such assurances.

The undersigned Governments call on the Democratic People's Republic of Korea to conclude and implement a full scope safeguards agreement with the International Atomic Energy Agency immediately and thus to fulfil its obligations as a State party to the Treaty on the Non-Proliferation of Nuclear Weapons.

We would appreciate it if you could arrange for this letter to be circulated as a document of the Security Council.

(Signed) Peter WILENSKI
Ambassador
Permanent Representative of
Australia to the United Nations

(Signed) L. Yves FORTIER, Q.C., O.C.
Ambassador
Permanent Representative of
Canada to the United Nations

(Signed) Yoshio HATANO
Ambassador
Permanent Representative of
Japan to the United Nations

(Signed) Dr. Stanislaw PAWLAK
Ambassador
Permanent Representative of
Poland to the United Nations

(Signed) Thomas R. PICKERING
Ambassador
Permanent Representative of the
United States of America to the
United Nations

-----

2 - 2

0136

'91-02-26 09:19

2/26 기

관리번호	91-127

원 본

외 무 부

종 별 : 지 급

번 호 : AVW-0233 일 시 : 91 0225 1940

수 신 : 장관(국기,미안,구이,동구일,중동일,기정)

발 신 : 주 오스트리아대사

제 목 : IAEA 이사회 대책

연:AVW-0220 및 0211

1. 본직은 금 2.25(월) 당지 주국제기구 대표부 CLARK 영국대사 및 TALIANI이태리 대사를 오찬에 초청하고 금차 이사회에서 대북한 압력 발언을 해주도록요청하였음. 양국은 발언하기로 약속하였음.

2. 특히 영국대사는 금차 이사회에서 대북한 촉구 발언을 하지 않는다면 북한의 입장을 호도해 주는 결과가 될 것임을 지적하였으며, 계속 북한이 핵안전협정체결을 회피한다면 NPT 를 떠나는 것이 낫지 않겠는가 하는 사견을 피력하였음.

3. 또한 금차 이사회에서는 사무국이 협정체결을 위해 한번 더 노력하도록 권장하되, 차기 6 월 이사회까지도 진전이 없는 경우에는 사무총장이 그간의 대북한 접촉 경과를 자세히 이사회에 보고하도록 하고 이사회가 결의를 채택하는 등의 조치를 강구하는 문제를 검토할만 하다는 의견의 교환이 있었음.

4. 한편, 본직은 금일 오후(4.30-5.05) 오스트리아 외무성 GLEISSNER 차관보겸 군축.원자력 담당부장을 방문하고 오스트리아가 대북한 압력 발언에 가담해줄 것을 요청하였던바 호의적인 반응을 확보하였음.

5. 상기 4 항의 면담에서 GLEISSNER 차관보는 걸프전에 관련하여 소련은 연합국측이 도저히 수락할 수 없는 평화안을 내놓고 있다고 강력히 비난하였으며, 세바낫제 외상 사임 이후의 소련 외교는 여러가지면에서 역전되고 있기 때문에 미. 소 관계와 국제 관계 일반이 냉기류를 맞고 있는 것에 우려를 표명하였음.

(끝)

예고:91.6.30 일반

일반문서로 재분류(1991. 6 30)

국기국	장관	차관	1차보	2차보	미주국	구주국	구주국	중아국
청와대	안기부							

0137

PAGE 1

91.02.26 07:00

외신 2과 통제관 FE

2/26 길

기

관리 번호	91-133

원 본

외 무 부

종 별 :

번 호 : USW-0898 일 시 : 91 0225 1815

수 신 : 장관(국기,미북)사본:주 오지리대사(중계필)

발 신 : 주 미 대사

제 목 : IAEA 2월 이사회

대: WUS-0697

1. 대호 당관 유명환 참사관은 2.25(월) 국무부 RICHARDSON 한국과장을 면담, 아측 입장을 설명하고 금번 2 월 IAEA 이사회에서 미국 대표가 북한의 협정 체결을 촉구하는 발언을 하도록 요청함.

2. 이에 대해 동과장은 현지 주재 미국 대사가 아국과 긴밀히 협조하여 대처할것으로 알고 있다고 하면서 적극 협력하도록 하겠다고 말함.

(대사 박동진-국장)

91.6.30 일반

일반문서로 재분류(1991.6.30)

국기국 장관 차관 1차보 2차보 미주국 청와대 안기부

0138

PAGE 1 91.02.26 08:56

외신 2과 통제관 BW

분류번호	보존기간

발 신 전 보

번 호 : WAV-0176 910226 1801 FK 종별 : 지급

수 신 : 주 오지리 대사. 총영사

발 신 : 장 관 (국기)

제 목 : 북한 핵안전협정 문제

표제관련, 월간조선 91.3월호는 "북한 핵시설 폭격론"(필자 : 조갑제 월간조선 부장) 제하 아래 요지의 글을 게재한바, 참고바람.

1. 걸프전쟁의 여세를 몰아 미국은 "주체의 원폭"에 대한 근본적인 대책을 강구하고 있고 이스라엘식 자위적 선제공격의 시나리오도 거론되고 있음.

2. 최근 주한미군 사령부의 한 핵심부서에서는 북한의 핵무기 개발에 관한 대응책을 검토, 보고서로 작성하였음. 동 보고서는 북한의 핵 개발을 막는 방법중 하나로서 "예방적 선제공격"(pre-emptive strike)을 거론함.

3. 주한 미대사관의 한 고위간부는 사적인 모임에서 북한의 영변 핵 연구시설에 대한 폭격이야기를 꺼낸바 있음.

4. 한국군내에서도 북한의 핵개발 대책으로서 핵무장 선택권(Nuclear Option)과 함께 예방 공격문제가 거론되고 있음.

5. 북한의 핵무기 개발을 국제적 문제로 비화시켜 북한에 진지한 압력을 넣는 한가지 방법으로서 "예방적 폭격"을 전략적 위협수단(Strategic Bluffing)으로 활용해야 한다는 주장도 한.미 양국에서 대두되고 있음. 끝

(국제기구조약국장 문동석)

보안통제	
	[서명]

앙고재	91년 2월 26일	국기과	기안자 성명		과 장		국 장		차 관	장 관
			김희택		[서명]		[서명]			[서명]

외신과통제

0139

관리 번호	91-136

	분류번호	보존기간

발 신 전 보

번 호 : WUS-0742 910226 1813 FK 종별 :

WAV -0177

수 신 : 주 미, 오지리 대사. 총영사

발 신 : 장 관 (국기)

제 목 : IAEA 사무총장 방북정보

연 : JAW-1062(91.2.25)

1. 연호 주일대사 보고에 의하면 Blix 사무총장은 오는 4월초 중국과 일본을 방문하는 계기에 김일성과의 면담이 주선된다면 북한도 방문하겠다는 의사를 가지고 있다 함.

2. 상기 관련, 아래 이유로 Blix의 방북은 상당히 민감한 사안으로 사료되는바, 미측과 접촉, Blix의 방북 추진을 알리고 미측 의견도 타진, 보고바람.

   o 북한은 핵안전협정 체결문제를 실무적 차원의 문제가 아니라 정치적 선전용으로 최대한 이용하고 있음.

   o Blix의 방북으로 북한의 기존 책략을 변화시키는 것은 예상되지 않는 가운데 오히려 ~~역이적으로~~ 북한의 선전에 이용당할 가능성도 불배제. 끝

일반문서로 재분류(1991.12.31.)

(국제기구조약국장 문동석)

예고 : 91.12.31. 일반

검토필(1991. 6. 30.)

미주국장: 기룡

보안 통제	

앙 고 재	91년 2월 26일	국기과	기안자 성명		과 장		국 장		차 관	장 관
			김희택				정의			

외신과통제

0140

2/27 길

기

원 본

관리 번호 91-140

외 무 부

종 별 : 긴 급

번 호 : TNW-0116 일 시 : 91 0226 1500

수 신 : 장관(국기,중동이,기정동문),사본:주오지리대사(중계필)

발 신 : 주 튀니지 대사

제 목 : IAEA 이사회

대:WTN-0046

1. 당관 이우정참사관은 2.26 오전 주재국 외무부 국제기구국 FAROUK LAJIMI 부국장을 면담, 대호 사항을 교섭한 바 아래 보고함.

2. 이참사관은 튀니지정부가 그간 국제 회의 및 기구에서 국제법규를 충실히 이행해온 점과 모든 국가간 문제해결에서 항시 INTERNATIONAL LEGALITY 를 강조해왔음을 상기시키면서 대호 북한의 핵안전 협정 가입 의무 불이행의 부당성을 지적하고 동 의무실현을 위한 아국 및 NPT 회원국의 노력에 적극 협력해 줄 것을 요청하였음.

또한 튀니지정부가 지난해 2 월 제네바 IAEA 이사회에서도 북한의 상기 의무 이행을 촉구한 바 있음을 주지시키고 금번 회의에서도 주재국 대표가 동일한 입장을 견지, 북한의 의무 이행을 촉구하는 발언을 해 줄것을 당부하였음.

3. 동인은 자신이 UN 및 국제기구문제를 10 여년간 담당해 왔으며, 특히 수년전에는 외무부 아세아국 부국장으로 근무한 바 있어 한반도 문제에 관해 누구보다 잘 알고 있다고 하면서, 튀니지는 지난해 제네바 회의시와 마찬가지로 북한의 핵안전 협정 가입 실현을 위한 IAEA 이사국으로서의 책임을 다할 것이라고 답변하였음.

동인은 ZANNED 국기국장에게 즉시 동요청을 보고하고 금일내에 주오지리대사에게 관계지침을 시달하겠다고 말하였음. 끝.

(대사 변정현-국장)

예고:91.6.30. 일반

일반문서로 재분류(1991. 6.30.)

국기국 장관 차관 1차보 2차보 중아국 안기부

0141

PAGE 1

91.02.27 01:17

외신 2과 통제관 DO

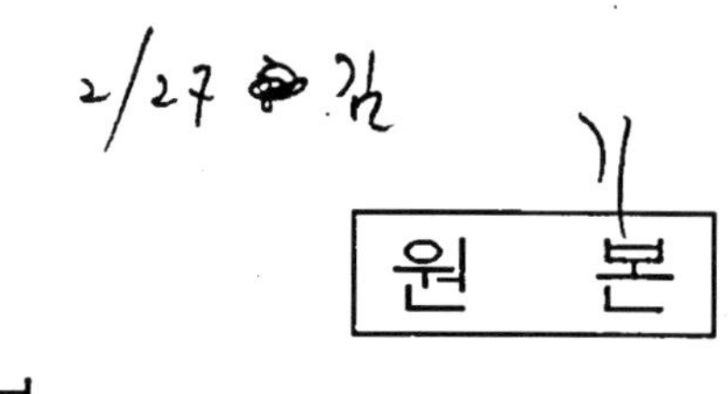

관리 번호	91-139

원 본

외 무 부

종 별 :

번 호 : ITW-0303 일 시 : 91 0226 1500

수 신 : 장관(국기,사본:주오지리대사-직송필)

발 신 : 주 이태리 대사

제 목 : IAEA 2월 이사회

대:WIT-0194

1. 대호 관련, 당관 문병록 참사관은 금 2.26. 외무성 담당관 WORBS 참사관과 접촉, 이태리가 그간 북한의 핵안전 협정 체결을 위해 아국의 입장을 지지하여 준데 사의를 표하고, 금번 이사회에서도 북한이 동 협정을 조속히 체결토록 촉구하는 발언을 하여 줄것을 요망하였음.

2. 동인은 이태리가 NPT 당사국으로서 금번 회의시 몇몇 동조국가와 함께 북한의 핵안전 협정 미체결 문제를 제기하고, 이의 조속한 체결을 촉구하도록 이미 현지에 훈령하였다고 답하였음. 끝

(대사 김석규-국장)

예고:91.06.30. 일반

일반문서로 재분류(1991.6.3)

국기국 장관 차관 1차보 2차보 구주국 안기부

0142

PAGE 1

91.02.27 05:05

외신 2과 통제관 DO

2/27 길　　　기

관리 번호	91-138

원 본

외 무 부

종 별 :

번 호 : MOW-0098　　　　일 시 : 91 0226 1900

수 신 : 장관(국기,사본:주오지리대사)(중계필)

발 신 : 주 모로코 대사

제 목 : IAEA 이사회

대:WMO-0054

본직은 2.26 주재국 외무성 HALIMA WARZAZI 국제기구국장을 방문 대호건 관련 모로코코 대표단의 지지 발언을 요청함.

동 국장은 이에대해 이미 회의가 시작되었으며, 모로코 대표단에 훈령이 벌써 하달되었으나 상부 결재를 얻어 지금 처리토록 하겠다고 하였음.

본직이 동 국장과 면담을 통해 감지한바에 의하면 모로코 대표단은 발언을 하더라도 원칙론에 입각, 핵안전협정 체결을안한 국가는 모두 조속 동 협정 체결을 촉구하는 내용으로 발언할 것으로 관측됨. 끝.

(대사이종업-국장)

예고:91.6.30 일반

일반문서로 재분류(1991. 6. 30.)

국기국

0143

PAGE 1　　　　91.02.27　05:41

외신 2과　통제관 DO

관리번호	91-137

원 본

외 무 부

종 별 :

번 호 : AVW-0234 일 시 : 91 0226 1930

수 신 : 장관(국기,미안,기정,과기처)(사본:주유엔,미,일,소,영대사:중계필)

발 신 : 주 오스트리아 대사

제 목 : IAEA 이사회 경과

1. 금 2.26(화) 오후(15:30-18:10) 개최된 이사회에서는 아국을 포함하여 모두 아래의 16 개국이 북한을 거명하여 핵안전 조치협정을 조기체결하도록 촉구하는 발언을 하였음(이하 발언순서): 폴랜드, 일본, 인도네시아, 체코슬로바키아, 독일, 미국, 벨지움, 카나다, 이태리, 소련, 호주, 에짚트, 영국, 오스트리아, 한국(업서버), 항가리(업서버)

2. 소련대사는 회의 개막 직전 본직에게 본국으로부터 촉구 발언에 관한 훈령을 접수하였다고 말하였으며, 폴랜드는 첫 발언자로서 북한에 대한 거명없이 일반적으로 촉구하였으나, 본직의 요청에 따라, 항가리 다음의 마지막 발언자로서 발언권을 얻어 북한을 거명하여 촉구한다는 해명 발언을 행하였음.

3. 태국은 일반적으로 촉구발언을 하였으며, 필리핀은 약속과는 달리 이번에는 발언하지 않았음.

4. 사무총장은 북한 문제에 관하여 아래와 같이 간략히 보고하였음.

5. "ON THE QUESTION OF THE NPT SAFEGUARDS AGREEMENT WITH THE DPRK, THERE HAVE BEEN NO FURTHER NEGOTIATIONS WITH THE AGENCY SINCE THE BOARD LAST MET. REMAINING MATTERS APPEAR TO BE OUTSIDE THE PURVIEW OF THE REQUISITE SAFEGUARDS AGREEMENT." 발언을 행하였음.(연설문 입수후 송부 위계임)

6. 미국은 종전의 입장에 라 협정체결을 촉구하였고, 미국과 북한간에 한차례 간단한 설전이 있었음(미국은 북한을 핵으로 위협하지 않고 있다고 말하였고, 북한은 미국과의 협의를 통해서만 문제를 해결할 수 있다고 응수하였음)

7. 의장은, 회의 결과를 요약하면서, 북한의 협정 체결 지연 사실과 북한이 표준 협정안에 따라 핵안전협정을 조기 체결하도록 촉구된 것에 대하여 사무총장이 북한당국에 주의를 환기하도록 요청하였음.

[illegible] 재분류(1991.12.31.)

국기국	장관	차관	1차보	2차보	미주국	안기부	과기처

PAGE 1

91.02.27 05:52

외신 2과 통제관 DO

0144

8. 본직은 별전(AVW(F)-005)과 같이 북한의 협정체결을 촉구하는 발언을 행하였음. (끝)

예고:91.12.31 일반

검 토 필(1991. 6. 30.)

PAGE 2

0145

AVW(F)-005 10226 1930

장관(국기, 비안, 기정, 과기처) 사본: 주유엔대표부, 주미·일·소·영 대사

주오스트리아 대사

Statement
made by
Ambassador Chang-Choon Lee
Resident Representative of the Republic of Korea to IAEA
at the Meeting of the Board of Governors, IAEA
on 26 February 1991, Vienna

Thank you, Mr Chairman, for giving my observer delegation the floor. With your permission, I wish to make a few comments on the question of the conclusion of a safeguards agreement between the Democratic People's Republic of Korea(DPRK) and the International Atomic Energy Agency(IAEA).

Since the February 1989 meeting of the Board of Governors, we have been listening with great care to discussions on the safeguards agreement with DPRK. Over the last two years, DPRK has been urged to fulfil its legal obligations to conclude a full scope safeguards agreement under the Treaty on the Non-Proliferation of Nuclear Weapons(NPT). Up until now, as many as 67 interventions have been made specifically to persuade DPRK as a party to NPT to abide by its commitment to safeguarding all its nuclear facilities and activities under the IAEA procedures.

We appreciate the earnest contributions made by those Governors inviting DPRK to sign the agreement with IAEA. While expressing disappointment and regret at gratuitous delay by DPRK, the Board hoped at each meeting that it would approve the safeguards agreement with DPRK next time. At its June meeting of last year, the Board even heard that it could convene a special session, maybe, in August in the hope that DPRK would sign the safeguards agreement before the opening of the Fourth NPT Review Conference in Geneva. What we are told since then is pieces of

-1-

DPRK's political propaganda and its conditioning of signing the safeguards agreement on other irrelevant matters.

In the meantime, it is well-known that DPRK is significantly engaged in nuclear activities. Unsafeguarded nuclear facilities and materials in North Korea are the major source of the concern which was recently expressed by my Government in IAEA Board of Governors Document GOV/INF/594/Add 3 dated 8 February 1991.

More than five years elapsed since DPRK had become a party to NPT. Its safeguards agreement with IAEA should have entered into force almost four years ago as stipulated in paragraph 4 of Article III of NPT.

At the outset of negotiations with IAEA, DPRK was saying that the error made by the Secretariat in sending a draft standard text of IAEA safeguards agreement was an intentional insult meant to delay the conclusion of the safeguards agreement in question.

In the middle of negotiations, DPRK was introducing a formulation to the effect that it can suspend the validity of the safeguards agreement if nuclear weapons will not be eliminated in the Korean peninsula and nuclear threat against it continues after the entry into force of the agreement. At this juncture, we were sceptical about whether DPRK was intended to conclude the safeguards agreement under NPT or it was manipulating the question of safeguards for its political purpose.

North Korea is now saying that the inspection of its nuclear activities should be linked to that of American nuclear weapons allegedly deployed in South Korea. This position of North Korea was made known at its normalization talks with Japan held in Pyongyang on 30 to 31 January this year.

We regret that DPRK has been exploiting the question of the safeguards agreement by conditioning its compliance with the obligations under the NPT on other extraneous matters. IAEA cannot serve as a proper place for dealing with peace and security in the Korean peninsula which should be dealt with through inter-Korean dialogue.

Having made the above comments, my delegation takes this opportunity to appeal to DPRK to review its policy for becoming a responsible member of the international community and to comply with its obligations under international law. We want to believe that DPRK joined NPT not to use it as an instrument of DPRK's external policy to serve unwarranted political objectives, but to remain a non-nuclear weapon state and adhere to peaceful uses of atomic energy. We would like DPRK to conduct its international relations in the normal way and sign the full scope safeguards agreement with IAEA also in the normal way as other 86 states parties to NPT did.

Before concluding, we would like to commend the Secretariat for its endeavours made thus far to conclude the safeguards agreement with DPRK. We request the Secretariat to make last-ditch efforts for DPRK to sign the agreement and implement its provisions. In the next June meeting of the

Board of Governors, there should be a decision as to whether the Board will only repeat what it has done over the last two years or it will take action on the question of DPRK. It would be advisable in this regard that the Director General will be requested to give to the Board a full account of the whole negotiations with DPRK in the next June meeting if the Board will not have the safeguards agreement with DPRK before it for approval by then.

2/27 길

기

관리번호	91-142

외 무 부

종 별 :

번 호 : UNW-0458 일 시 : 91 0226 1830

수 신 : 장관(국기,국연,미안,기정)사본:노창희대사(주오지리대사:중계필)

발 신 : 주 유엔 대사

제 목 : 북한의 핵안전협정문제

연:UNW-0440

연호, 아국입장 문서가 91.2.25 자 안보리문서(S/22269) 로 금 2.26 배포되었음.

첨부:상기 안보리문서 FAX3 매 :UNW(F)-084

끝

(대사 현홍주-국장)

예고:91.12.31. 일반

일반문서로 재분류(1991.12.31.)

검 토 필(1991. 6. 30.)

국기국 장관 차관 1차보 2차보 미주국 국기국 국기국 청와대 안기부

PAGE 1

91.02.27 08:49

외신 2과 통제관 BW

0150

FEB 26 '91 18:25 KOR MISSION P.1

UNW(F)-084 10226 1830
(국기. 국연. 미안. 기정) 사본: 노창희 대사, 주오리리대사

총3매

UNITED NATIONS

S

Security Council

Distr.
GENERAL

S/22269
25 February 1991

ORIGINAL: ENGLISH

NOTE BY THE PRESIDENT OF THE SECURITY COUNCIL

The attached letter, dated 25 February 1991, was addressed to the Secretary-General by the Permanent Observer of the Republic of Korea to the United Nations. In accordance with the request contained in the letter, the text is being circulated as a document of the Security Council.

91-06226 2169g (E) /...

0151

3-1

139 P01 LENINPROTOCOL '91-02-27 09:36

Annex

Letter dated 25 February 1991 from the Permanent Observer of the Republic of Korea to the United Nations addressed to the Secretary-General

Upon instructions from my Government, I have the honour to forward to you the text of the position of the Republic of Korea on the question of the safeguards agreement between the Democratic People's Republic of Korea and the International Atomic Energy Agency, under the provisions of the Treaty on the Non-Proliferation of Nuclear Weapons.

I would be grateful if you would have this letter and the enclosed text circulated as a document of the Security Council.

(Signed) Hong-choo HYUN
Ambassador
Permanent Observer

/...

3-2

0152

Enclosure

Position of the Government of the Republic of Korea on the question of the safeguards agreement between the Democratic People's Republic of Korea and the International Atomic Energy Agency

In connection with the statement of the Ministry of Foreign Affairs of the Democratic People's Republic of Korea, issued on 16 November 1990, and circulated as Security Council document S/21957 dated 21 November 1990, on the question of concluding a safeguards agreement between the Democratic People's Republic of Korea and the International Atomic Energy Agency, the Government of the Republic of Korea wishes to reiterate its position on the matter as follows.

The Democratic People's Republic of Korea acceded to the Treaty on the Non-Proliferation of Nuclear Weapons in December 1985, the stipulations of which impose duties on a non-nuclear-weapon State party to conclude a full-scope safeguards agreement with the International Atomic Energy Agency within 18 months of its accession. Safeguard measures under Article III of the Treaty on the Non-Proliferation of Nuclear Weapons are essential obligations to be fulfilled by all State parties under the Treaty on the Non-Proliferation of Nuclear Weapons regime and central to its effectiveness and strength.

The Government of the Republic of Korea cannot but express serious concern that the Democratic People's Republic of Korea, a State party to the Treaty on the Non-Proliferation of Nuclear Weapons with significant nuclear activities, has failed to conclude the safeguards agreement for more than five years. The delay by the Democratic People's Republic of Korea far beyond the legal deadline of the entry into force of its safeguards agreement with the International Atomic Energy Agency is a clear violation of the fundamental obligations required under the Treaty and poses a threat to the international non-proliferation regime.

There are no provisions in the Treaty on the Non-Proliferation of Nuclear Weapons which justify any linkage between the failure of the Democratic People's Republic of Korea to conclude the safeguards agreement under the Treaty and other political issues or extraneous factors as it invokes. This attitude of the Democratic People's Republic of Korea endangers the Treaty on the Non-Proliferation of Nuclear Weapons regime in general and the security of Northeast Asia in particular. The Government of the Republic of Korea is seriously concerned about the development of nuclear weapons by the Democratic People's Republic of Korea.

The Government of the Republic of Korea strongly urges the Democratic People's Republic of Korea to comply with its treaty obligations to conclude and implement the requisite safeguards agreement as soon as possible and thereby remove a stumbling block to the confidence-building and reconciliation process on the Korean peninsula.

3-7

0153

3/5 길
시보 국연, 과이안

주 국 련 대 표 부

주국련 20250- 1991. 2. 26.

수신 장 관 121

참조 국제기구조약국장

제목 북한의 핵 안전 협정 문제

연 : UNW-0458

연호 표제건 아국입장 안보리문서(S/22269)를 별첨 송부합니다.

첨 부 : 안보리 문서 (S/22269) 3부. 끝.

주 국 련 대 사

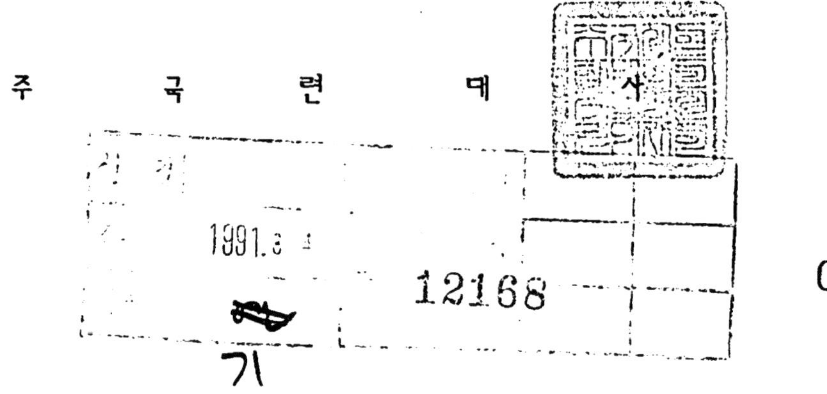

0154

UNITED
NATIONS

Security Council

Distr.
GENERAL

S/22269
25 February 1991

ORIGINAL: ENGLISH

NOTE BY THE PRESIDENT OF THE SECURITY COUNCIL

The attached letter, dated 25 February 1991, was addressed to the Secretary-General by the Permanent Observer of the Republic of Korea to the United Nations. In accordance with the request contained in the letter, the text is being circulated as a document of the Security Council.

91-06226 2169g (E) /...

0155

Annex

Letter dated 25 February 1991 from the Permanent Observer of the Republic of Korea to the United Nations addressed to the Secretary-General

Upon instructions from my Government, I have the honour to forward to you the text of the position of the Republic of Korea on the question of the safeguards agreement between the Democratic People's Republic of Korea and the International Atomic Energy Agency, under the provisions of the Treaty on the Non-Proliferation of Nuclear Weapons.

I would be grateful if you would have this letter and the enclosed text circulated as a document of the Security Council.

(Signed) Hong-choo HYUN
Ambassador
Permanent Observer

/...

0156

Enclosure

Position of the Government of the Republic of Korea on the question of the safeguards agreement between the Democratic People's Republic of Korea and the International Atomic Energy Agency

In connection with the statement of the Ministry of Foreign Affairs of the Democratic People's Republic of Korea, issued on 16 November 1990, and circulated as Security Council document S/21957 dated 21 November 1990, on the question of concluding a safeguards agreement between the Democratic People's Republic of Korea and the International Atomic Energy Agency, the Government of the Republic of Korea wishes to reiterate its position on the matter as follows.

The Democratic People's Republic of Korea acceded to the Treaty on the Non-Proliferation of Nuclear Weapons in December 1985, the stipulations of which impose duties on a non-nuclear-weapon State party to conclude a full-scope safeguards agreement with the International Atomic Energy Agency within 18 months of its accession. Safeguard measures under Article III of the Treaty on the Non-Proliferation of Nuclear Weapons are essential obligations to be fulfilled by all State parties under the Treaty on the Non-Proliferation of Nuclear Weapons regime and central to its effectiveness and strength.

The Government of the Republic of Korea cannot but express serious concern that the Democratic People's Republic of Korea, a State party to the Treaty on the Non-Proliferation of Nuclear Weapons with significant nuclear activities, has failed to conclude the safeguards agreement for more than five years. The delay by the Democratic People's Republic of Korea far beyond the legal deadline of the entry into force of its safeguards agreement with the International Atomic Energy Agency is a clear violation of the fundamental obligations required under the Treaty and poses a threat to the international non-proliferation regime.

There are no provisions in the Treaty on the Non-Proliferation of Nuclear Weapons which justify any linkage between the failure of the Democratic People's Republic of Korea to conclude the safeguards agreement under the Treaty and other political issues or extraneous factors as it invokes. This attitude of the Democratic People's Republic of Korea endangers the Treaty on the Non-Proliferation of Nuclear Weapons regime in general and the security of Northeast Asia in particular. The Government of the Republic of Korea is seriously concerned about the development of nuclear weapons by the Democratic People's Republic of Korea.

The Government of the Republic of Korea strongly urges the Democratic People's Republic of Korea to comply with its treaty obligations to conclude and implement the requisite safeguards agreement as soon as possible and thereby remove a stumbling block to the confidence-building and reconciliation process on the Korean peninsula.

0157

보 도 참 고 자 료

1991. 2.
국제기구과

제 목 : 북한의 핵안전조치협정 체결관련, 우방국 공동서명 문서 유엔안보리 제출

1. 배경

o 북한은 85.12월 핵무기 비확산조약(NPT)에 가입하였으며, 동조약 규정 (제3조)에 의거 국제원자력기구(IAEA)와의 안전조치협정 체결 고섭 개시 18개월 이내에 안전조치 협정을 체결해야 할 의무가 있음.

o 그러나 87.6월 시작된 북한-IAEA간 안전조치협정 체결 고섭은 북한측이 IAEA의 권능에 속하지 않는 정치적 문제(주한 미군 보유 핵무기 철수, 미국의 대북한 핵선제 불사용 보장)를 협정 체결의 전제조건으로 내세우고, 이에 대한 미국과의 직접 협상을 요구 함으로써 진전을 보지 못하고 있음.

o 북한이 NPT 당사국으로서 핵안전협정 체결을 지연한데 대하여 IAEA 이사회등에서 다수 국가가 이를 지적, 북한의 조기 협정 체결을 촉구하는 발언을 하였음.
  - 89년 9월 IAEA 이사회 및 총회시 미국등 14개 이사국이 북한의 협정체결 촉구 발언
  - 90년 2월 이사회시 발언이사국 16개국 : 미국, 쏘련, 폴란드, 이집트, 일본, 필리핀, 호주등

0158

- 90년 6월 이사회시 발언이사국 18개국 : 미국, 쏘련, 동독, 폴란드, 이집트, 말련, 스웨덴등
- 90년 9월 이사회시 발언이사국 15개국 : 미국, 쏘련, 동독, 체코, 폴란드, 프랑스, 영국등
- 90년 9월 IAEA 총회시 IAEA 사무총장이 연례보고서 낭독시 북한의 협정 체결문제를 지적하였으며 미국 및 남.북한의 종전 입장 확인 발언 전개
- 90.8.20-9.14간 NPT 제4차 평가회의시 북한 지칭 발언국 6개국 : 미국, 호주, 영국, 카나다, 뉴질랜드, 벨지움

2. 최근 북한측 동향

o 북한은 IAEA와의 핵안전조치협정 체결과 관련, 외교부 성명을 유엔 안보리문서(90.11.21자)와 IAEA 이사회 문서(90.12.11자)로 배포함.

o 북한은 동 배포문서에서 IAEA와의 핵안전조치협정 체결 지연 이유가 IAEA와 북한간의 문제 때문이 아니라 미-북한관계 때문임을 IAEA가 발표했다고 왜곡 주장하면서, 협정 체결의 전제조건으로서 미국의 핵선제 불사용 보장을 요구하고 동 문제 논의를 위한 대미 직접 협상의 개시를 촉구함.

o 또한 북한은 핵안전조치협정 체결 지연과 연계하여 91년 팀스피리트 훈련을 비난하는 문서를 유엔 안보리문서(91.1.29자)와 IAEA 이사회 문서(91.2.13자)로 배포함.

0159

3. 미국등 우방국의 대응조치

가. 경위

o 북한의 문서 배포에 대응, 정부는 아국의 반박문서를 즉시 유엔 안보리 문서로 배포할 것을 미국과 협의한바, 미국은 북한의 핵문제가 남북한간만의 문제가 아니라 국제사회에 대한 북한의 책임문제라는 점에서 아국의 단독대응을 보류해 줄것을 요청하면서 우방국 공동 명의의 안보리 문서 제출을 추진한다는 입장을 밝히고 그간 우방국들에 대해 공동 서명을 교섭해 왔음.

o 상기 공동서명 교섭결과 미국은 일본, 호주, 카나다, 폴란드와 공동 서명한 대북한 반박문서를 91.2.22 유엔 사무총장에게 제출하였는바 동 문서는 91.2.22자 유엔 안보리 문서(S/222 55)로 배포되었음.

나. 우방국 공동서명 문서내용

o 북한이 핵무기 비확산 조약(NPT)상 의무인 안전조치협정 체결의 불이행을 타국의 행동과 연계시키면서 정당화하려는 것은 용납할 수 없음.

o 북한은 IAEA가 안전조치협정 문제의 미해결은 미-북한관계 때문이라는 입장을 취한 것으로 왜곡하고 있으나, IAEA는 북한의 안전조치협정 체결이 미국의 핵선제 불사용 보장문제와 합법적으로 연계될 수 있다는 입장을 취한바 없음.

o 북한이 IAEA와의 안전조치 협정을 즉각 체결함으로써 NPT 당사국으로서의 의무를 이행할 것을 촉구함.

0160

4. 아국의 조치사항

o 아국은 미·일과 협의하에 상기 우방 5개국이 제출한것과 유사한 내용의 대북한 반박문서를 91.2.25 유엔 안보리 문서로 제출함.

o 아국은 이에 앞서 IAEA에서 대북한 반박문서를 미국에 이어 91.2.8 IAEA 이사회 문서로 기 배포한바 있음.

5. 참고 : 북한의 협정 체결문제에 대한 주요국 입장은 다음과 같음

o 미국 : 핵문제가 미·북한 관계개선의 교섭수단이 될수는 없다는 입장임. 단, 북한이 협정 체결시 미국의 대북한 정책을 단계적으로 변화시키는데 촉매제가 될수는 있음.

o 일본 : 북한과 수교하는 주요 전제조건의 하나로 제시

o 소련 : 북한의 협정 체결을 촉구하는 한편, 북한의 한반도 비핵지대화 구상에 동조.

첨부 : 1. 우방국 공동서명 문서
2. 북한의 안보리 배포문서
3. 북한의 팀스피리트 비난 문서. 끝

0161

보 도 자 료

외 무 부

제 91-59 호 문의전화 : 720-2408~10 보도일시 : 91 · 2 · 26 · 24 : 00 시

제 목 : 북한의 핵안전조치협정 체결에 관한 아국입장 설명 안보리문서 제출

국제기구과

가. 정부는 북한의 핵안전조치협정 체결과 관련하여, "국제원자력기구(IAEA)와 북한간 안전조치협정 문제에 관한 한국정부의 입장" 제하 아국입장 설명 문서를 91.2.25 유엔 사무총장에게 제출하고, 이를 유엔 안전보장 이사회 문서로 배포하여 줄것을 요청하였다.

나. 정부는 동 문서를 통하여 북한이 1985년 12월 핵무기 비확산조약(NPT)에 가입한후 동 조약규정(제3조)에 의거 18개월 이내에 IAEA와 핵안전조치 협정을 체결하여야 하는 의무를 가지나, 5년 이상이 경과한 현재까지 협정 체결 의무를 이행하지 않고 있음을 지적하였다. 또한 정부는 북한이 NPT 조약상 의무인 핵안전조치협정 체결의 불이행을 여타 정치적 문제와 연계 시키면서 정당화하려는 것은 국제 핵비확산 체제뿐만 아니라 특히 동북아의 안전을 위태롭게 함을 강조하고, 북한의 핵무기 개발에 대하여 심각한 우려를 표시하였다. 정부는 북한이 IAEA와의 핵안전조치 협정을 조속히 체결함으로써 NPT 조약상 의무를 이행하고 한반도의 신뢰구축과 화해 과정에서의 장애를 제거할 것을 촉구하였다.

/계 속/

0162

다. 한편, 이에앞서 미국을 비롯한 일본, 호주, 카나다, 폴란드등 우방 5개국도 우리나라가 제출한것과 비슷한 내용의 대북한 핵안전조치 협정 체결을 촉구하는 문서를 91.2.22 유엔 사무총장에게 제출하고 안보리 문서로 배포토록 요청한바 있다.

첨부 : 상기 아국 성명서. 끝

미주국장: [signature]

앙 고 재	국제기구과	91 년 월 일	담 당	과 장	국 장	차관보	차 관	장 관
			김희택	[signature]	[signature]	[signature]		

0163

POSITION OF THE GOVERNMENT OF THE REPUBLIC OF KOREA
ON THE QUESTION OF THE SAFEGUARDS AGREEMENT BETWEEN
THE DEMOCRATIC PEOPLE'S REPUBLIC OF KOREA
AND THE INTERNATIONAL ATOMIC ENERGY AGENCY

In connection with the statement of the Ministry of Foreign Affairs of the Democratic People's Republic of Korea, issued on 16 November 1990, and circulated as Security Council document S/21957 dated 21 November 1990, on the question of concluding a safeguards agreement between the Democratic People's Republic of Korea and the International Atomic Energy Agency, the Government of the Republic of Korea wishes to reiterate its position on the matter as follows.

The Democratic People's Republic of Korea acceded to the Treaty on the Non-Proliferation of Nuclear Weapons in December of 1985, the stipulations of which impose duties on a non-nuclear weapon state party to conclude a full-scope safeguards agreement with the International Atomic Energy Agency within 18 months of its accession. Safeguard measures under Article III of the Treaty on the Non-Proliferation of Nuclear Weapons are essential obligations to be fulfilled by all state parties under the Treaty on the Non-Proliferation of Nuclear Weapons regime and central to its effectiveness and strength.

The Government of the Republic of Korea cannot but express serious concern that the Democratic People's Republic of Korea, a state party to the Treaty on the Non-Proliferation of Nuclear Weapons with significant nuclear activities, has failed to conclude the safeguards agreement for more than five years. The delay by

2-1

0164

the Democratic People's Republic of Korea far beyond the legal deadline of the entry into force of its safeguards agreement with the International Atomic Energy Agency is a clear violation of the fundamental obligations required under the Treaty and poses a threat to the international non-proliferation regime.

There are no provisions in the Treaty on the Non-Proliferation of Nuclear Weapons which justify any linkage between the failure of the Democratic People's Republic of Korea to conclude the safeguards agreement under the Treaty and other political issues or extraneous factors as it invokes. This attitude of the Democratic People's Republic of Korea endangers the Treaty on the Non-Proliferation of Nuclear Weapons regime in general and the security of Northeast Asia in particular. The Government of the Republic of Korea is seriously concerned about the development of nuclear weapons by the Democratic People's Republic of Korea.

The Government of the Republic of Korea strongly urges the Democratic People's Republic of Korea to comply with its treaty obligations to conclude and implement the requisite safeguards agreement as soon as possible and thereby remove a stumbling block to the confidence-building and reconciliation process on the Korean peninsula.

2-2

0165

UNITED
NATIONS

Security Council

Distr.
GENERAL

S/22269
25 February 1991

ORIGINAL: ENGLISH

NOTE BY THE PRESIDENT OF THE SECURITY COUNCIL

The attached letter, dated 25 February 1991, was addressed to the Secretary-General by the Permanent Observer of the Republic of Korea to the United Nations. In accordance with the request contained in the letter, the text is being circulated as a document of the Security Council.

91-06226 2169g (E)

/...

0166

Annex

Letter dated 25 February 1991 from the Permanent Observer of the Republic of Korea to the United Nations addressed to the Secretary-General

Upon instructions from my Government, I have the honour to forward to you the text of the position of the Republic of Korea on the question of the safeguards agreement between the Democratic People's Republic of Korea and the International Atomic Energy Agency, under the provisions of the Treaty on the Non-Proliferation of Nuclear Weapons.

I would be grateful if you would have this letter and the enclosed text circulated as a document of the Security Council.

(Signed) Hong-choo HYUN
Ambassador
Permanent Observer

/...

Enclosure

Position of the Government of the Republic of Korea on the question of the safeguards agreement between the Democratic People's Republic of Korea and the International Atomic Energy Agency

In connection with the statement of the Ministry of Foreign Affairs of the Democratic People's Republic of Korea, issued on 16 November 1990, and circulated as Security Council document S/21957 dated 21 November 1990, on the question of concluding a safeguards agreement between the Democratic People's Republic of Korea and the International Atomic Energy Agency, the Government of the Republic of Korea wishes to reiterate its position on the matter as follows.

The Democratic People's Republic of Korea acceded to the Treaty on the Non-Proliferation of Nuclear Weapons in December 1985, the stipulations of which impose duties on a non-nuclear-weapon State party to conclude a full-scope safeguards agreement with the International Atomic Energy Agency within 18 months of its accession. Safeguard measures under Article III of the Treaty on the Non-Proliferation of Nuclear Weapons are essential obligations to be fulfilled by all State parties under the Treaty on the Non-Proliferation of Nuclear Weapons regime and central to its effectiveness and strength.

The Government of the Republic of Korea cannot but express serious concern that the Democratic People's Republic of Korea, a State party to the Treaty on the Non-Proliferation of Nuclear Weapons with significant nuclear activities, has failed to conclude the safeguards agreement for more than five years. The delay by the Democratic People's Republic of Korea far beyond the legal deadline of the entry into force of its safeguards agreement with the International Atomic Energy Agency is a clear violation of the fundamental obligations required under the Treaty and poses a threat to the international non-proliferation regime.

There are no provisions in the Treaty on the Non-Proliferation of Nuclear Weapons which justify any linkage between the failure of the Democratic People's Republic of Korea to conclude the safeguards agreement under the Treaty and other political issues or extraneous factors as it invokes. This attitude of the Democratic People's Republic of Korea endangers the Treaty on the Non-Proliferation of Nuclear Weapons regime in general and the security of Northeast Asia in particular. The Government of the Republic of Korea is seriously concerned about the development of nuclear weapons by the Democratic People's Republic of Korea.

The Government of the Republic of Korea strongly urges the Democratic People's Republic of Korea to comply with its treaty obligations to conclude and implement the requisite safeguards agreement as soon as possible and thereby remove a stumbling block to the confidence-building and reconciliation process on the Korean peninsula.

0168

北韓의 核安全措置協定 締結關聯 報告

1991. 2. 27.

外 務 部

北韓의 核安全措置協定締結과 關聯, 最近 유엔安保理 및 國際原子力機構(IAEA) 理事會에서 取扱된 事項을 아래 報告드립니다.

1. 最近 北韓側 動向

o 北韓은 IAEA와의 核安全措置協定 締結과 關聯, 外交部 聲明을 유엔安保理 文書와 IAEA 理事會文書로 90.11月 이래 各 2回 配布

o 北韓은 上記 文書에서 協定締結遲延의 責任을 美國側에 轉嫁하면서 協定締結의 前提條件으로서 美國의 核先制 不使用 保障을 계속 要求하고, 同 問題 論議를 위한 對美 直接 協商의 開始를 促求

2. 美國等 友邦國의 對應措置

(經 緯)

o 當部는 我國의 反駁立場을 즉시 安保理文書로 配布할 것을 美側과 協議한 바, 美側은 北韓의 核問題가 國際社會에 대한 北韓의 責任問題라는 점에서 我側의 單獨對應의 留保를 要請하고 友邦國 共同名義 安保理文書 提出을 推進

앙고재	국제기구과	91년 2월 일	담당	과장	국장	차관보	차관	장관
			김희택					

0169

(友邦國 共同署名文書 安保理 配布)

o 美國은 友邦國과의 交涉結果 日本, 濠州, 카나다, 폴란드와 共同署名한 對北韓反駁 및 早速한 協定 締結을 促求하는 內容의 文書를 91.2.22. 유엔 安保理 文書로 配布

3. 我國의 措置事項

(유엔安保理 및 IAEA 理事會 文書 配布)

o 當部는 下記 內容의 文書를 91.2.8. IAEA 理事會 文書, 91.2.25. 유엔安保理 文書로 各其 配布
  - 北韓이 核武器非擴散條約에 加入한 후 5年 以上 經過한 現在까지 核安全 協定未締結 指摘
  - 北韓이 條約上 義務인 核安全協定을 早速締結하여 韓半島 信賴構築과 和解의 障碍를 除去할 것을 促求

(IAEA 2月 理事會 對應)

o IAEA 2月 理事會(91.2.26-28, 비엔나) 對備, 當部는 美國, 蘇聯等 主要理事國과 協議 및 交涉 結果, 2.26. 開催된 同 理事會에서 蘇聯, 체코, 폴란드, 헝가리를 包含한 15個國代表가 北韓의 早期 協定 締結을 促求하는 發言을 행함.

o 我國代表(駐오지리大使)는 同 理事會에 옵서버로 參席, 北韓의 協定締結 遲延의 不當性과 政治的 利用을 指摘, 91.6月 理事會까지 同件 結末을 促求하는 發言을 행함. 끝.

0170

보 도 참 고 자 료

1991.2.27.
국제기구과

제 목 : 91.2월 IAEA 이사회에서의 북한 핵안전협정 문제 토의

1. IAEA(국제원자력기구) 2월 이사회 개요

   o 일시.장소 : 91.2.26-28, 오지리 비엔나

   o 참 가 국 : IAEA 이사국(35개국)및 옵서버국
     * 아국은 현재 이사국이 아니므로 옵서버국으로 참가

   o 토의의제 : 핵안전협정 문제등 IAEA 관련 중요업무

   o 개최배경 : IAEA는 매년 2월, 6월, 9월, 11월 4차례에 걸쳐 정기 이사회를 개최하며, 매년 9월 정기총회를 개최하는바, 금번 이사회는 2월 개최 정기이사회임.

2. 상기 이사회 토의경과 : 91.2.26 오후 의제중의 하나인 핵안전협정 체결 문제 토의시 북한 협정체결 문제를 다음과 같이 취급

   o 아국을 포함, 모두 아래 16개국의 대표가 북한을 거명하여 핵안전조치 협정의 조기체결을 촉구하는 발언을 행함.
     - 폴란드, 일본, 인니, 체코, 독일, 미국, 벨지움, 카나다, 이태리, 쏘련, 호주, 이집트, 영국, 오지리, 한국, 헝가리 (이상 발언순서)

앙 고 재	국제기구과	91 년 2월 27일	담 당	과 장	국 장	차관보	차 관	장 관
			김희택	(서명)	(서명)			

0171

o 미국대표는 종전의 입장에 따라 북한의 협정 체결을 촉구하면서 미국은 북한을 핵으로 위협하지 않고 있다고 발언. 이에 대하여 북한대표는 미국과의 협의를 통해서만 문제를 해결할수 있다고 응수함.

o IAEA 이사회 의장 Zelazny(폴란드인)는 IAEA 사무총장이 북한의 협정체결 지연 사실과 북한이 표준협정안대로 핵안전조치 협정을 조기 체결하도록 촉구되고 있는점에 대하여 북한당국에 주의를 환기하도록 요청

o 아국대표(이장춘 주오지리 대사)는 다음요지로 발언

- 89.2월 이사회 이래 북한의 협정체결 문제를 반복 토의하여 오면서 연 67개국 대표의 북한 협정체결 촉구 불구 진전 없음은 유감임.

- 북한은 핵무기 비확산조약(NPT) 가입이후 5년이상 경과에도 불구 협정 체결치 않고 NPT 의무 이행과는 관련이 없는 문제를 협정체결 조건으로 제시함.

- 북한의 진의는 협정체결 문제를 정치적으로 이용하려는 것인지 의심하지 않을수 없음. IAEA는 한반도 평화와 안전을 다루는 적절한 기관이 아니고 동 문제는 남.북한간 대화로 해결할 문제임.

- 오는 6월 이사회에서는 앞으로도 계속 과거 2년과 같이 동건 반복 토의만 할것인지 또는 북한문제에 대한 행동을 취할 것인지를 결정하여야 할것임. 아울러 6월 이사회까지도 북한의 협정체결 문제가 해결되지 않을경우 IAEA 사무총장은 그간 대북한 협상 전모를 밝혀야 할것임.

0172

3. 참고

ㅇ 북한의 협정체결 지연에 대하여 89.9월 이사회부터 여러 이사국이 북한의 협정 체결을 촉구하는 발언을 행함.

- 89.9월 : 미국, 호주등 14개국 발언
- 90.2월 : 미국, 소련, 폴란드, 이집트등 16개국 발언
- 90.6월 : 미국, 소련, 동독, 말레이시아등 18개국 발언
- 90.9월 : 미국, 소련, 체코, 프랑스, 영국등 15개국 발언

ㅇ 아국은 북한의 협정체결 지연 억지와 왜곡선전에 반박하는 아국 정부 입장을 IAEA 이사회 문서(91.2.8자 GOV/INF/594/Add 3)로 배포한바 있음

ㅇ 상기 아국입장 문서는 91.2.25 유엔 사무총장에게도 제출하여 유엔 안보리 문서로 배포될 예정임.

ㅇ 한편, 미국은 일본, 호주, 카나다, 폴란드와 함께 공동 서명한 대북한 반박문서를 유엔 안보리 문서(91.2.22자 S/222 55)로 배포 조치함. 끝

0173

보 도 참 고 자 료

1991.2.27.
국제기구과

제 목 : 91.2월 IAEA 이사회에서의 북한 핵안전협정 문제 토의

1. IAEA(국제원자력기구) 2월 이사회 개요

o 일시.장소 : 91.2.26-28, 오지리 비엔나

o 참 가 국 : IAEA 이사국(35개국)및 옵서버국

* 아국은 현재 이사국이 아니므로 옵서버국으로 참가

o 토의의제 : 핵안전협정 문제등 IAEA 관련 중요업무

o 개최배경 : IAEA는 매년 2월, 6월, 9월, 11월 4차례에 걸쳐 정기 이사회를 개최하며, 매년 9월 정기총회를 개최하는바, 금번 이사회는 2월 개최 정기이사회임.

2. 상기 이사회 토의경과 : 91.2.26 오후 의제중의 하나인 핵안전협정 체결 문제 토의시 북한 협정체결 문제를 다음과 같이 취급

o 아국을 포함, 모두 아래 16개국의 대표가 북한을 거명하여 핵안전조치 협정의 조기체결을 촉구하는 발언을 행함.

- 폴란드, 일본, 인니, 체코, 독일, 미국, 벨지움, 카나다, 이태리, 쏘련, 호주, 이집트, 영국, 오지리, 한국, 헝가리 (이상 발언순서)

0174

o 미국대표는 종전의 입장에 따라 북한의 협정 체결을 촉구하면서 미국은 북한을 핵으로 위협하지 않고 있다고 발언. 이에 대하여 북한대표는 미국과의 협의를 통해서만 문제를 해결할수 있다고 응수함.

o IAEA 이사회 의장 Zelazny(폴란드인)는 IAEA 사무총장이 북한의 협정체결 지연 사실과 북한이 표준협정안대로 핵안전조치 협정을 조기 체결하도록 촉구되고 있는점에 대하여 북한당국에 주의를 환기하도록 요청

o 아국대표(이장춘 주오지리 대사)는 다음요지로 발언

- 89.2월 이사회 이래 북한의 협정체결 문제를 반복 토의하여 오면서 연 67개국 대표의 북한 협정체결 촉구 불구 진전 없음은 유감임.

- 북한은 핵무기 비확산조약(NPT) 가입이후 5년이상 경과에도 불구 협정 체결치 않고 NPT 의무 이행과는 관련이 없는 문제를 협정체결 조건으로 제시함.

- 북한의 진의는 협정체결 문제를 정치적으로 이용하려는 것인지 의심하지 않을수 없음. IAEA는 한반도 평화와 안전을 다루는 적절한 기관이 아니고 동 문제는 남.북한간 대화로 해결할 문제임.

- 오는 6월 이사회에서는 앞으로도 계속 과거 2년과 같이 동건 반복 토의만 할것인지 또는 북한문제에 대한 행동을 취할 것인지를 결정하여야 할것임. 아울러 6월 이사회까지도 북한의 협정체결 문제가 해결되지 않을경우 IAEA 사무총장은 그간 대북한 협상 전모를 밝혀야 할것임.

0175

3. 참고

o 북한의 협정체결 지연에 대하여 89.9월 이사회부터 여러 이사국이 북한의 협정 체결을 촉구하는 발언을 행함.

- 89.9월 : 미국, 호주등 14개국 발언
- 90.2월 : 미국, 소련, 폴란드, 이집트등 16개국 발언
- 90.6월 : 미국, 소련, 동독, 말레이시아등 18개국 발언
- 90.9월 : 미국, 소련, 체코, 프랑스, 영국등 15개국 발언

o 아국은 북한의 협정체결 지연 억지와 왜곡선전에 반박하는 아국 정부 입장을 IAEA 이사회 문서(91.2.8자 GOV/INF/594/Add 3)로 배포한바 있음

o 상기 아국입장 문서는 91.2.25 유엔 사무총장에게도 제출하여 유엔 안보리 문서로 배포될 예정임.

o 한편, 미국은 일본, 호주, 카나다, 폴란드와 함께 공동 서명한 대북한 반박문서를 유엔 안보리 문서(91.2.22자 S/222 55)로 배포 조치함. 끝

0176

政府、原子力기구에 공식 요구

"北韓 核안전협정 체결 않을땐
國際기구서 制裁해야"

韓國은 北韓이 오는 6월까지 국제원자력기구(IAEA)의 핵안전협정을 체결하지 않을 경우 北韓에 대한 제재조치를 취할 것을 국제원자력기구 이사회에 공식 제기했다.

韓國은 지난 89년부터 美國 蘇聯 등과 함께 北韓의 핵안전협정체결을 촉구해 왔으나 對北제재조치를 제기하기는 이번이 처음이다.

李長春 駐오스트리아대사는 지난 26일 빈에서 개최된 국제원자력기구 정기이사회에 옵서버자격으로 참석,『韓國을 비롯한 67개국 대표들이 지난 89년부터 北韓의 핵안전협정체결을 촉구했음에도 불구, 아무런 진전이 없는 것은 유감』이라며『오는 6월 정기이사회에서는 北韓에 대한 행동을 취할 것인지의 여부를 결정해야 한다』고 말했다고 외무부가 27일 밝혔다.

李대사는 또 6월까지 北韓이 협정체결을 하지 않으면 국제원자력기구측은 그동안의 對北협상 전모를 공개할 것을 요구했으며 국제원자력기구이사회의 첼라니의장은 이에대해 조속히 협정에 체결하도록 北韓에 주의를 환기시키는 등 일단 경고조치를 취할 것을 한스 블릭스 사무총장에게 요청했다.

이날 회의에서는 韓國을 포함, 美國 蘇聯 日本 폴란드 헝가리등 16개국 대표가 北韓의 조속한 협정체결을 촉구했다.

북한 核안전협정체결
촉구문서 安保理제출
외무부 발표

정부는 25일 북한의 국제원자력기구(IAEA) 核안전협정의 체결을 촉구하는 문서를 유엔안보리에 제출, 유엔회원국에 회람시켜 줄것을 요청했다고 외무부가 26일 밝혔다.

정부는 이 문서를 통해『북한이 핵안전협정 체결의무의 불이행을 정치문제와 연계시킴으로써 정당화하려는 것은 동북아의 안전을 위태롭게 하는 행위』라고 우려를 표시하고『북한은 조속히 국제적 의무를 이행해 한반도 신뢰구축과 화해의 장애를 제거해야 할 것』이라고 촉구했다.

北韓 核안전협정체결 거부
정부、IAEA에 적극적 制裁 촉구

지난 26일부터 오스트리아 빈에서 열리고 있는 국제원자력기구(IAEA) 정기이사회에 옵서버로 참석중인 李長春駐오스트리아대사는 회의에서『오는 6월차기 이사회에서는 북한의 핵안전조치가입거부문제에 구체적 행동을 취할것인지, 토의만 반복할 것인지 결정해야할 것』이라고 말해 북한에 대한 IAEA의 적극적 제재를 촉구했다.

0177

원 본

관리 번호	91 -538

외 무 부

종 별 :

번 호 : UNW-0458 일 시 : 91 0226 1830

수 신 : 장관(국기,국연,미안,기정)사본:노창희대사(주오지리대사:중계필)

발 신 : 주 유엔 대사

제 목 : 북한의 핵안전협정문제

연:UNW-0440

연호, 아국입장 문서가 91.2.25 자 안보리문서(S/22269) 로 금 2.26 배포되었음.

첨부:상기 안보리문서 FAX3 매 :UNW(F)-084

끝

(대사 현홍주-국장)

예고:91.12.31 일반

검토필(1991.6.30.)

국기국	장관	차관	1차보	2차보	미주국	국기국	국기국	청와대
안기부								

PAGE 1

91.02.27 08:49

외신 2과 통제관 BW

0178

91.2.27.(조선). 2면

북한 核협정 체결촉구

정부, 유엔에 文書제출

정부는 25일 北韓이 국제원자력기구(IAEA)와의 核안전조치 협정을 조속히 체결, 核비확산조약(NPT)가입국으로서의 의무를 이행하고 한반도 신뢰구축과정에서 장애를 제거할것을 촉구하는 내용의 문서를 페레즈 데 케야르 유엔사무총장에게 제출, 이를 안보리 공식문서로 배포해줄것을 요청했다고 외무부가 26일 밝혔다.

정부는 이 문서에서 『北韓은 지난 85년12월 핵무기 비확산조약에 가입한후 18개월 이내에 국제원자력기구와 핵안전조치 협정을 체결해야 할 의무가 있음에도 불구, 5년 이상이 경과한 현재까지 협정체결의무를 이행하지 않고 있다』고 지적했다.

0179

관리번호 91-144

원 본

외 무 부

종 별 :

번 호 : NJW-0162　　　　일 시 : 91 0227 1030

수 신 : 장 관(국기,아프일)

발 신 : 주 나이지리아 대사

제 목 : IAEA 2월 이사회 대비

대:WNJ-0076

대호관련 ABUJA(신수도)소재 외무부 칙국장과 우선 전화접촉 시도하였으나 여의치 못하였으며, 2.28. 본직의 ABUJA 출장시(외무부 간부 부임예방)관계국장을 접촉, 비록 시기적으로 늦었다 하드라도 동건 주재국측에 협조요청 위계임.

(대사 조명행-국장)

예고:61.6.30.일반

문서로 재분류(1991 .6.30.)

국기국　차관　1차보　중아국

0180

PAGE 1　　　　91.02.28　00:32

외신 2과　통제관 CW

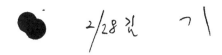

2/28 길 ㄱ\

관리번호	91-1116

외 무 부

종 별 :

번 호 : NRW-0160 일 시 : 91 0227 1625

수 신 : 장관(구이,국연,국기,중동,기정동문)

발 신 : 주 노르웨이 대사

제 목 : 정무국장 면담보고

1. 본직은 2.27(수) KOLBY 주재국 외무부 정무국장을 면담하였음. 이자리에서 본직은 한국문제를 설명하는 가운데 특히 유엔가입문제에 언급, 금년 유엔총회에서 아국이 유엔에 가입할수있도록 주재국의 지지를 요청하였음. 본직은 또한금년 10 월 제 26 차 유네스코총회에서 함태혁대사의 집행위원 입후보에 대한 지지도 아울러 요청하였음

2. 이에대해 동국장은 아국의 유엔가입문제에 대해서는 잘알고있으며 본직의 요청을 참고하겠다고 답변하였으며, 유네스코 집행위원문제에 대해서도 실무적 보고가 올라오면 유념해서 검토하겠다고 말하였음

3. 동국장은 양국관계에 언급, 한. 놀관계가 현재 매우 우호협조적인데 만족을 표시하고 특히 작년 최호중외무장관의 주재국 방문을 높히 평가하였음. 동국장은 가끔 북한대사가 방문하여 북한입장을 설명하는 경우가 있으나 별로 관심을 두지 않는다고 부연하였음

4. 동국장은 작년 11 월에 주재국 정부가 교체되었지만, 정부교체에도 불구하고 외교정책은 변경이 되지 않는다고 말하고, 주재국 외교의 중점은 주로 유럽문제에 두어졌으나 이제는 걸프전후처리문제에 최대관심을두고 있으며 주재국은 노딕칸트리 차원에서 걸프문제에 관심을 표명하고있다고 설명하였음. 끝

(대사 김병연-국장)

예고:91.12.31 일반

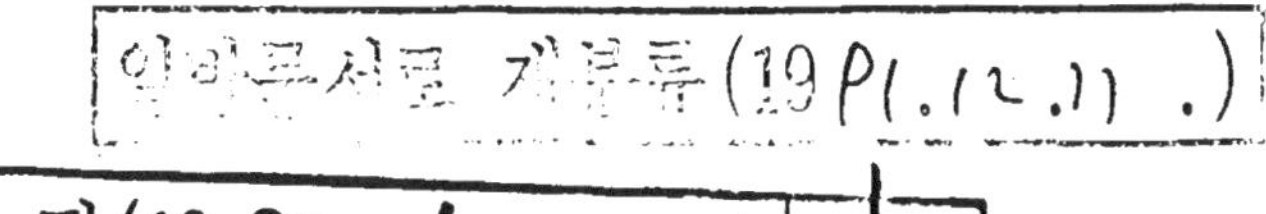

일반문서로 재분류(1991.12.31.)

검 토 필(1991. 6. 30.)

구주국 차관 1차보 중아국 국기국 국기국 청와대 안기부

PAGE 1

91.02.28 05:52

외신 2과 통제관 CW

0181

2/28 일 71

관리번호	91-141

원 본

외 무 부

종 별 :

번 호 : SVW-0702 일 시 : 91 0227 1730

수 신 : 장관(국기,동구일)

발 신 : 주 쏘 대사

제 목 : IAEA 2월 이사회

대호건 관련, 당관 이원영 공사 및 서현섭 참사관도 MAYORSKY 국제기구국장(2.26) 및 극인국 데니소프 한국부장(2.25)을 각각 면담, 지지 발언 교섭을 한바, 동 요지 아래보고함

1. 이공사는 북한측의 IAEA 와의 핵안전 협정 체결 문제에 관한 아측 입장을 설명하고, 쏘련이 금번 IAEA 이사회에서도 북한의 협정 체결을 촉구하는 내용의 발언을 해줄 것을 요청함. 이에 MAYORSKY 국장은 북한이 NPT 당사국으로서 IAEA 와 핵안전 협정을 체결해야 할 의무를 이행해야 한다는 쏘련의 입장은 불변이라고 말하고, EAEA 대표단에 이미 북한의 협정 체결을 촉구하는 발언을 하도록훈령을 전달하였다고 말함

2. 또한 서현섭 참사관은 2.25 외무성 극인국 데니소프 한국부장 면담시 표제 문제에 언급, 지역국으로서도 쏘련이 IAEA 이사회에서 북한의 핵안전 협정을 체결토록 촉구하는 발언을 권하도록 하는데 협조해 줄것을 요청한바 있음.

3. 한편 MAYORSY 국장은 상기 면담시 북한측이 주장(비핵지대, 주한 미군 핵무기, T/S 훈련동)을 언급하면서 북한측이 이러한 이유를 들어 핵안전 협정 체결을 지연시키고 있으며, 심지어는 과거 IAEA 탈퇴를 위협한 적도 있다고 말하고북한측을 어려운 상황으로 몰아넣기 보다는 그들이 보다 긍정적인 자세를 보일수 있도록 설득하는 것도 필요할 것이라고 말함, 이에대해 이 공사는 아국의 안보상황, 주한 미군 문제, T/S 훈련의 성격등을 상세 설명하고 북한이 NPT 당사국으로서의 기본적인 의무를 좇고 이행해야할 것이며 다른 정치적 문제를 동 의무 이행과 연계시켜서는 안될 것이라고 말하였던바, 동인도 핵안전 협정 체결 문제를 다른 정치적 문제와 연계시키는 것은 옳지 않다고 본다고 하였음. 끝

(대사-국장)

국기국 장관 차관 1차보 구주국 청와대 안기부

PAGE 1 91.02.28 06:27

외신 2과 통제관 CW

0182

예고:91.12.31 일반

검토필(1991. 6.30.)

일반문서로 재분류(1991.12.31.)

0183

관리 번호 91-150

원 본

외 무 부

종 별 : 지 급

번 호 : POW-0124 일 시 : 91 0227 12000

수 신 : 장관(국기,구이,사본-주오지리대사(중계필)

발 신 : 주 폴투갈 대사대리

제 목 : IAEA 2월 이사회대비

대:WPO-0068

1. 당관 주참사관은 외무성 CARLOS 국제기구국장을 2.27 오전중 면담, 주재국이 대호 2 항 북한의 핵안전 협정체결 촉구발언을 해 주도록 지급요청함(외무성측 업무 폭주 사정으로 면담 지연).(본건 관련 아국 및 주요국의 유엔사무총장앞 문서요청등 연합 통신보도 자료도 전달)

3. 동 국장은 북한이 조속히 IAEA 시찰을 수락해야 할것 이라하면서, 본건을 자국 주 오지리 대표부에 지급통화하여, 지지 발언토록 지시하겠다고 말함

3. 아측은 금번 IAEA 이사회 의사일정 관련, 본건 토의가 이미 진행된 경우에는 6 월 또는 가을 이사회등에서 이문제 관련, 계속된 지지활동을 요청한바, 주재국측은 협조를 약속했음

4. 본건 관련 계속 접촉 유지예정인바, 진행사항을 수시 통보해 주시기바람.끝

(대사대리 주철기-국장)

예고:91.12.31 일반

검 토 필(1991. 6. 30.)

일반문서로 재분류(1991.12.31)

국기국 장관 차관 1차보 2차보 구주국 청와대 안기부

PAGE 1 91.02.28 08:44

외신 2과 통제관 BW

0184

원 본

암호수신

외 무 부

종 별 :

번 호 : AVW-0242 일 시 : 91 0227 1930

수 신 : 장관(국기,미안,기정,과기처)

발 신 : 주 오스트리아 대사

제 목 : IAEA 이사회 경과(미,일,북한 연설문)

연:AVW-0234

작 2.26 이사회에서 행한 미국, 일본, 북한의 연설문을 별첨 (AVW(F)-006) 송부함.

(끝)

국기국 장관 차관 1차보 2차보 미주국 안기부 과기처

PAGE 1

91.02.28 07:45

외신 2과 통제관 BW

0185

AVW(F)-006 10227 1840

Fourth draft 장관(국지, 미안, 기정, 과기처)
(일본) 주 오스트리아 대사

February Board 1991
Agenda item 2(a)

The Conclusion of Safeguards Agreements

Thank you, Mr. Chairman.

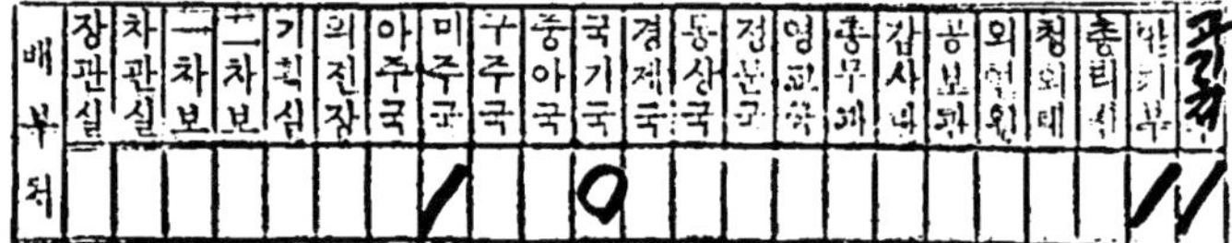

First of all, we welcome the fact that Solomon Islands is now ready to sign an agreement with the IAEA. And at the same time, we are greatly encouraged by the recent positive movement on the part of the Argentine and Brazilian governments toward concluding a full-scope safeguards agreement. I understand that both countries are to meet with the IAEA Secretariat next week, and we sincerely hope that fruitful results will be produced.

Furthermore, our delegation is also encouraged by the positive attitude taken by the South African government, whose delegation, we understand, met with the Director General yesterday. We also hope that South Africa will make its utmost efforts to conclude a full-scope safeguards agreement.

Mr. Chairman,

We deeply regret that the Democratic People's Republic of Korea has not yet concluded a safeguards agreement, although it has long been urged to do so by the members of the Board. We once again urge the Government of the DPRK to sign and ratify the full-scope safeguards agreement with the Agency at the earliest possible time, as this is a clear obligation of NPT member states. We call upon the Government of the

.../2

0186

C-1

DPRK to recall that, while Article III of the NPT requires a non-nuclear-weapon state party to accept full-scope safeguards on all source and special nuclear material in all its peaceful nuclear activities, a state party cannot make this undertaking conditional upon the actions of another state party to the treaty or separate negotiations with another state. We would like to point out once again that the conclusion of safeguards agreements is a technical issue in which political questions should not be a factor.

The DPRK should sign the agreement immediately, ratify immediately, and submit all its nuclear facilities, including those under construction, to IAEA safeguards. This is the way to fulfill its obligation to the international community (and to clear itself of nuclear suspicion as well).

Thank you, Mr. Chairman.

6 - 2

0187

(북한)

Mr. Chairman,

The position of the Democratic People's Republic of Korea on the issue of safeguards agreement has been clarified on several occasions and is well known.

However, since several Governors raised this issue once again my delegation is obliged to give more explanation.

The safeguards agreement issue with the DPRK is a dispute between Parties to the Treaty on the Non-proliferation of Nuclear Weapons, namely between a non-nuclear weapon state and a nuclear weapon state.

Therefore, this matter should be considered in the context of the NPT in general and in the view of providing security assurances for a non-nuclear weapon state Party to the Treaty in particular.

The Article VI of the NPT stipulates that each Party to the Treaty undertakes to pursue negotiation in good faith on effective measures relating to cessation of the nuclear arms race at an early date.

This Article relates especially to the nuclear weapon States Parties to the Treaty.

To date, when even more than 20 years passed since the entry into force of the NPT, the nuclear weapon states Parties to the Treaty, namely the Depositary Parties of the Treaty have failed to reach an agreement on the comprehensive nuclear test ban which is estimated as a first step towards cessation of the nuclear arms race.

It is well known what is the reason of such a failure.

The present nuclear arsenals of the nuclear weapon states are much more larger than in 1970.

Moreover, a nuclear weapon state Party to the NPT, the United States poses a direct nuclear threat against the DPRK.

There is no country in the world which is so directly exposed to the nuclear threat of the United States as the DPRK.

Even now, when the Board meeting is going on, the United States jointly with the South Korea are conducting the military exercise "Team Spirit 91" which is a trial nuclear war against the DPRK.

On February 24 this year more than 530 military aircraft have been mobilized in the "Team Spirit 91" military exercise for the simulated bombing of the DPRK.

6-3

0188

My delegation would question the distinguished Governor from the United States of America who has just mentioned the "Team Spirit 91" military exercise.

How the US can justify the biggest military exercise, conducted in the South Korea, now when the superpowers became partners?

What is its purpose, against what it is directed if not the DPRK?

It is well known that the DPRK advanced various peaceful proposals which are embodied in the UN Security Council documents. It involves banning all military exercises and creating a nuclear weapon free zone on the Korean peninsula.

But the conduct of the routine military exercise "Team Spirit 91" was the reply from the United States.

The South Korean authorities are acting in defiance of the desire of all Korean nation. The Koreans regardless whether they live in the Northern part or the Southern part of Korea oppose nuclear weapons and demand withdrawal of the nuclear weapons from Korea.

But the South Korea invited nuclear weapons from the United States to the Korean peninsula thereby endangering the lives of all Korean nation. Therefore the South Korean authorities have lost the right to raise the question of nuclear matters on the Korean peninsula.

As long as there exists a direct nuclear threat of the United States against the DPRK the safeguards agreement issue is directly related to defending our nation's right to existence.

Under such circumstances the Democratic People's Republic of Korea, as Party to the NPT, has a legitimate right to demand from the United States, the Party of the same Treaty, to withdraw the nuclear threat posed against it and to guarantee its security.

It is quite clear that this problem goes beyond the capacity of the International Atomic Energy Agency which undertakes obligation only from Article III of the NPT.

That is why the safeguards agreement issue with the DPRK should be considered and resolved in the framework of implementation of the obligations undertaken under the NPT by the parties involved.

6-4

0189

My delegation is of the view that it would be better for the distinguished Governors to recommend the parties involved to resolve this dispute themselves by negotiations, instead of raising the issue which goes beyond the capacity of the Agency.

Now, it is quite evident that only the DPRK and the United States have possibility to resolve this dispute.

As for my delegation we are ready to resolve this issue.

In conclusion my delegation once again reiterates that the DPRK would conclude an NPT safeguards agreement and implement it faithfully in conformity with the context and aims of the NPT and in observance of its right to defend its security.

Thank you.

6 - 5

0190

(미주)

ON AND OTHERS AS APPROPRIATE.

3. BEGIN TEXT.

THE U.S. NOTES WITH DEEP REGRET THE DIRECTOR GENERAL'S REPORT THAT IAEA AND THE DPRK HAVE NOT YET CONCLUDED AN NPT SAFEGUARDS AGREEMENT. ~~WE WELCOME HIS PLANS FOR FURTHER EFFORTS IN THIS AREA.~~ WE NOTE HIS STATEMENT IN NOVEMBER THAT THE AGENCY AND NORTH KOREA WERE "N FULL AGREEMENT CONCERNING THE AGREEMENT DOCUMENT AND HOW TO

CONDUCT INSPECTIONS." THUS WE BELIEVE THE AGREEMENT SHOULD BE CONCLUDED IMMEDIATELY.

ARTICLE III OF THE NPT REQUIRES A NONNUCLEAR-WEAPON STATE PARTY TO ACCEPT SAFEGUARDS, AS SET FORTH IN AN AGREEMENT TO BE NEGOTIATED AND CONCLUDED WITH THE IAEA, ON ALL SOURCE AND SPECIA NUCLEAR MATERIAL IN ALL ITS PEACEFUL NUCLEAR ACTIVITIES. EQUALLY CLEAR IS THE OBLIGATION IN ARTICLE III FOR THE NONNUCLEAR-WEAPON STATE PARTY TO HAVE THE AGREEMENT ENTER INTO FORCE NOT LATER THAN EIGHTEEN MONTHS AFTER THE INITIATION O NEGOTIATIONS. A STATE PARTY CANNOT CONDITION THIS UNDERTAKING ON THE ACTIONS OF

WE ARE CONCERNED BY THE DPRK'S ASSERTION AT THE NPT REVIEW CONFERENCE THAT ALL ITS NUCLEAR FACILITIES IN OPERATION ARE UNDER IAEA SAFEGUARDS AND ITS MOST RECENT CLAIMS THAT THE U.S. IS COMPLAINING ABOUT FICTITIOUS NUCLEAR DEVELOPMENT IN NORTH KOREA. AS WE MADE CLEAR IN SEPTEMBER AVAILABLE INFORMATION INDICATES THAT NORTH KOREA HAS BEEN OPERATING AN UNSAFEGUARDED REACTOR AT ITS YONGBYON NUCLEAR RESEARCH CENTER SINCE 1987. IT IS IMPORTANT THAT THIS REACTOR AND ITS SUPPORT FACILITIES --AS WELL AS ANY OTHER NUCLEAR ACTIVITIES IN THE DPRK-- BE BROUGHT UNDER THE COVERAGE OF IAEA SAFEGUARDS AT THE EARLIEST POSSIBLE DATE.

THERE IS NO BASIS FOR THE DPRK'S IMPLICATION IN LETTERS TO THE BOARD THAT THE UNITED STATES IS NOT FULFILLING ITS TREATY OBLIGATIONS BY VIRTUE OF ITS SECURITY ARRANGEMENTS WITH THE REPUBLIC OF KOREA. THERE IS ALSO NO BASIS FOR CONCLUDING THAT THE UNITED STATES HAS NOT DISCHARGED ITS OBLIGATIONS UNDER THE TREATY. AS TO NORTH KOREA'S RECENT CHARGES THAT THE ANNUAL TEAM SPIRIT MILITARY EXERCISE CONSTITUTES A NUCLEAR WAR EXERCISE AND A NUCLEAR THREAT TO NORTH KOREA, WE WOULD POINT OUT THAT IT IS A ROUTINE TRAINING EXERCISE CONDUCTED BY U.S. AND ROK FORCES TEAM SPIRIT DOES NOT THREATEN NORTH KOREA. IT IS CLEARLY A DEFENSIVE EXERCISE. NORTH KOREAN MILITARY REPRESENTATIVES HAVE BEEN INVITED TO VIEW THE EXERCISE AND SEE THIS FOR THEMSELVES. BUT SO FAR HAVE DECLINED THE INVITATION .

THE UNITED STATES CALLS ON THE DEMOCRATIC PEOPLE'S REPUBLIC OF KOREA TO CONCLUDE AND IMPLEMENT A FULL SCOPE SAFEGUARDS AGREEMENT WITH THE IAEA IMMEDIATELY AND THUS TO

FULFILL ITS NPT OBLIGATIONS . THIS WOULD MAKE A SUBSTANTIA CONTRIBUTION TO THE INTERNATIONAL NON-PROLIFERATION REGIME AND WOULD BE A SIGNIFICANT AND POSITIVE STEP IN REDUCING TENSIONS IN NORTHEAST ASIA.

END TEXT.

6-6

-- REBUTTAL TO ANY NORTH

0191

<u>BOARD STATEMENT ON NORTH KOREAN SAFEGUARDS</u>

THE U.S. NOTES WITH DEEP REGRET THE DIRECTOR GENERAL'S REPORT THAT IAEA AND THE DPRK HAVE NOT YET CONCLUDED AN NPT SAFEGUARDS AGREEMENT. WE WELCOME HIS PLANS FOR FURTHER EFFORTS IN THIS AREA. WE NOTE HIS STATEMENT IN NOVEMBER THAT THE AGENCY AND NORTH KOREA WERE "IN FULL AGREEMENT CONCERNING THE AGREEMENT DOCUMENT AND HOW TO CONDUCT INSPECTIONS." THUS WE BELIEVE THE AGREEMENT SHOULD BE CONCLUDED IMMEDIATELY.

ARTICLE III OF THE NPT REQUIRES A NONNUCLEAR-WEAPON STATE PARTY TO ACCEPT SAFEGUARDS, AS SET FORTH IN AN AGREEMENT TO BE NEGOTIATED AND CONCLUDED WITH THE IAEA, ON ALL SOURCE AND SPECIAL NUCLEAR MATERIAL IN ALL ITS PEACEFUL NUCLEAR ACTIVITIES. EQUALLY CLEAR IS THE OBLIGATION IN ARTICLE III FOR THE NONNUCLEAR-WEAPON STATE PARTY TO HAVE THE AGREEMENT ENTER INTO FORCE NOT LATER THAN EIGHTEEN MONTHS AFTER THE INITIATION OF NEGOTIATIONS. A STATE PARTY CANNOT CONDITION THIS UNDERTAKING ON THE ACTIONS OF ANOTHER STATE PARTY TO THE TREATY OR ON SEPARATE NEGOTIATIONS WITH ANOTHER STATE. THIS LACK OF CONDITIONALITY IS A PRINCIPLE ACCEPTED BY PARTIES TO THE NPT.

WE ARE CONCERNED BY THE DPRK'S ASSERTION AT THE NPT REVIEW CONFERENCE THAT ALL ITS NUCLEAR FACILITIES IN OPERATION ARE UNDER IAEA SAFEGUARDS AND ITS MOST RECENT CLAIMS THAT THE U.S. IS COMPLAINING ABOUT FICTITIOUS NUCLEAR DEVELOPMENT IN NORTH KOREA. AS WE MADE CLEAR IN SEPTEMBER AVAILABLE INFORMATION INDICATES THAT NORTH KOREA HAS BEEN OPERATING AN UNSAFEGUARDED REACTOR AT ITS YONGBYON NUCLEAR RESEARCH CENTER SINCE 1987. IT IS IMPORTANT THAT THIS REACTOR AND ITS SUPPORT FACILITIES --AS WELL AS ANY OTHER NUCLEAR ACTIVITIES IN THE DPRK-- BE BROUGHT UNDER THE COVERAGE OF IAEA SAFEGUARDS AT THE EARLIEST POSSIBLE DATE.

THERE IS NO BASIS FOR THE DPRK'S IMPLICATION IN LETTERS TO THE BOARD THAT THE UNITED STATES IS NOT FULFILLING ITS TREATY OBLIGATIONS BY VIRTUE OF ITS SECURITY ARRANGEMENTS WITH THE REPUBLIC OF KOREA. THERE IS ALSO NO BASIS FOR CONCLUDING THAT THE UNITED STATES HAS NOT DISCHARGED ITS OBLIGATIONS UNDER THE TREATY. AS TO NORTH KOREA'S RECENT CHARGES THAT THE ANNUAL TEAM SPIRIT MILITARY EXERCISE CONSTITUTES A NUCLEAR WAR EXERCISE AND A NUCLEAR THREAT TO NORTH KOREA, WE WOULD POINT OUT THAT IT IS A ROUTINE TRAINING EXERCISE CONDUCTED BY U.S. AND ROK FORCES TEAM SPIRIT DOES NOT THREATEN NORTH KOREA. IT IS CLEARLY A DEFENSIVE EXERCISE. NORTH KOREAN MILITARY REPRESENTATIVES HAVE BEEN INVITED TO VIEW THE EXERCISE AND SEE THIS FOR THEMSELVES. BUT SO FAR HAVE DECLINED THE INVITATION.

0192

(91. 2월 이사회 美대표 발언)   91. 2. 2[illegible] 접수 ([illegible] 에게)

THE UNITED STATES CALLS ON THE DEMOCRATIC PEOPLE'S REPUBLIC OF KOREA TO CONCLUDE AND IMPLEMENT A FULL SCOPE SAFEGUARDS AGREEMENT WITH THE IAEA IMMEDIATELY AND THUS TO FULFILL ITS NPT OBLIGATIONS. THIS WOULD MAKE A SUBSTANTIAL CONTRIBUTION TO THE INTERNATIONAL NON-PROLIFERATION REGIME AND WOULD BE A SIGNIFICANT AND POSITIVE STEP IN REDUCING TENSIONS IN NORTHEAST ASIA.

ADDITIONAL POINTS IN REPLY TO DPRK

-- THE U.S. IS NOT A THREAT TO THE SECURITY OF THE DPRK. THE U.S. STRONGLY SUPPORTS THE PEACEFUL UNIFICATION OF THE TWO KOREAS ON TERMS ACCEPTABLE TO ALL KOREANS NORTH AND SOUTH.

-- THE U.S. HAS ISSUED A GENERAL NEGATIVE SECURITY ASSURANCE. THIS STATEMENT WAS RECENTLY REITERATED IN AUGUST BY AMBASSADOR LEHMAN, THE HEAD OF THE U.S. DELEGATION TO THE NPT REVIEW CONFERENCE. HE CHARACTERIZED IT AS A FIRM AND RELIABLE STATEMENT OF U.S. POLICY, REITERATED BY THREE SUCCESSIVE ADMINISTRATIONS. WE HAVE MADE IT CLEAR MOST RECENTLY IN MY (AMBASSADOR NEWLIN'S) DECEMBER 20 LETTER TO DIRECTOR GENERAL BLIX THAT THIS ASSURANCE APPLIES TO ALL COUNTRIES, INCLUDING THE DPRK. THAT MEET THE SPECIFIED CRITERIA.

-- AVAILABLE INFORMATION INDICATES THAT THERE IS A MAJOR EXPANSION UNDER WAY AT THE YONGBYON NUCLEAR RESEARCH CENTER. THERE IS CLEAR EVIDENCE THAT SINCE 1987, MORE THAN A YEAR AFTER IT JOINED THE NPT THE DPRK HAS BEEN OPERATING AT THE CENTER AN INDIGENOUSLY BUILT NUCLEAR REACTOR ESTIMATED TO BE IN THE RANGE OF 10-30 MEGAWATTS THAT IS WELL SUITED TO THE PRODUCTION OF PLUTONIUM. THIS FACILITY IS NOT UNDER IAEA SAFEGUARDS. IT HAS NOT BEEN ACKNOWLEDGED BY THE DPRK. MOREOVER, PYONGYANG HAS NOT ACKNOWLEDGED THE REACTOR'S SUPPORT FACILITIES OR OTHER NUCLEAR ACTIVITIES UNDER CONSTRUCTION.

0193

91.2.28. <한국>. 2면

北韓 核안전협정체결 거부

적극적 制裁 촉구

정부, IAEA에

지난 26일부터 오스트리아 빈에서 열리고 있는 국제원자력기구(IAEA) 정기이사회에 옵서버로 참석중인 李長春駐오스트리아대사는 회의에서 「오는 6월차기 이사회에서는 북한의 핵안전조치가입거부문제에 구체적 행동을 취할것인지, 토의만 반복할 것인지 결정해야할 것」이라고 말해 북한에 대한 IAEA의 적극적 제재를 촉구했다.

"核사찰 수용안하면 日·北수교진전別無"

가네마루, 李大使에

【東京=文昌宰특파원】가네마루 (金丸信) 前 일본부총리는 26일하오 李源京駐日대사를 방문, 「북한이 핵사찰을 수용하지않으면 북한과의 국교정상화문제에 진전이 없을것」이라고 북한노동당국제부장 金容淳에게 전달했다.

0194

91. 2. 28. 〈조선〉. 2면

"北韓核협정거부 제재"

韓国、IAEA에 공식 제기

우리나라는 오는 6월까지 북한이 국제원자력기구(IAEA)의 核안전협정에 서명하지 않을 경우, 북한에 대해 제재조치를 취해줄 것을 IAEA이사회에 공식 제기했다.

우리나라는 그동안 美-日등과 함께 북한의 조속한 협정서명을 촉구해왔으나 對北제재조치를 공식제기한 것은 처음이다.

◇西海岸 고속도 기공

盧泰愚대통령이 27일 오전 仁川시 학익동에서 거행된 서해안 고속도로 기공식장에서 주민대표및 관계자들과 함께 발파단추를 누르고 있다.

0195

91.2.28.〈세계〉. 2면

북한 核협정 거부
국제제재 촉구

정 부

한국정부는 26일 북한의 국제원자력기구(IAEA) 핵안전협정체결의무불이행과 관련, IAEA차원의 對북한제재조치를 촉구했다.

李長春 駐오스트리아대사는 이날 오스트리아, 빈에서 열린 IAEA정기이사회에서 북한의 核안전협정 가입시한을 오는 6월 IAEA이사회 전까지로 설정할 것을 제의했다.

0196

91. 2. 28. <중앙> 2면

北韓 核사찰거부 비난

IAEA 정례이사회

【東京=聯合】 국제원자력기구(IAEA)의 정례 이사회가 26일 오후3시(현지시간) 美國·日本·蘇聯등 세계 35개국이 참석한 가운데 오스트리아의 빈에서 열려 참가국들은 北韓의 핵사찰 거부 행위를 비난했다고 아사히(朝日)신문이 27일 보도했다.

일본을 비롯, 10개국은 이날 토의에서 북한이 핵확산방지조약 체결이후 62개월이 지났는데도 IAEA의 핵사찰을 골자로 하고 있는 보장조치 협정을 체결하지 않고있는 사실을 문제삼아 비판했다.

91. 2. 28 <동아> 2면

北韓 核안전협정 거부 IAEA에 제재 촉구

李 오스트리아大使

국제원자력기구(IAEA) 정기이사회(오스트리아 빈)에 옵서버로 참석중인 李長春 駐오스트리아대사는 27일 기조발언을 통해 「오는 6월 이사회까지 北韓의 核안전협정체결문제가 해결되지 않을 경우 IAEA사무총장은 그동안의 對北韓협상의 전모를 밝히라」고 촉구했다.

李대사는 「北韓이 핵확산금지조약(NPT)가입후 5년이 넘도록 안전협정을 체결하지않고 있는데도 IAEA는 이 문제를 토의만 하고 있다」면서 「앞으로도 계속 토의만 할것인지 北韓에 대해 어떤 행동을 취할 것인지를 결정하라」고 말해 기술지원중단등 IAEA의 對北韓제재를 촉구했다.

0197

관리번호	91-149

	분류번호	보존기간

발 신 전 보

번 호 : WUS-0771 외 별지참조 종별 :

수 신 : 주 수신처 참조 대사. 총영사

발 신 : 장 관 (국기)

제 목 : IAEA 2월 이사회 결과

연 : 수신처 참조

2.26. 개최된 표제회의시 북한의 핵안전협정 체결문제 토의결과를 아래 통보함.

1. 아국을 포함, 모두 아래 16개국의 대표가 북한을 거명하여 핵안전조치협정의 조기 체결을 촉구하는 발언을 행함(이하 발언순서)
   - 폴란드, 일본, 인니, 체코, 독일, 미국, 벨지움, 카나다, 이태리, 쏘련, 호주, 이집트, 영국, 오지리, 한국(옵서버), 헝가리(옵서버)

2. 미국대표는 종전의 입장에 따라 북한의 협정 체결을 촉구하면서 미국은 북한을 핵으로 위협하지 않고 있다고 발언. 이에 대하여 북한대표는 미국과의 협의를 통해서만 문제를 해결할수 있다고 응수함.

3. 이사회 의장 Zelazny(폴란드인)는 북한의 협정체결 지연 사실과 북한이 표준협정안대로 핵안전조치 협정을 조기 체결하도록 촉구된 점에 대하여 IAEA 사무총장이 북한당국에 주의를 환기하도록 요청

/계 속/

보안통제	Ω

앙고재	91년 2월 28일	국기과	기안자 성명		과 장		국 장		차 관	장 관
			김희택		Ω		전결			h

외신과통제

0198

4. 아국대표(주오지리 대사)는 다음요지로 발언

~~가. 북한은 핵무기 비확산조약(NPT) 가입이후 5년이상 경과에도 불구, 협정 체결치 않고 NPT 의무 이행과는 관련이 없는 문제를 협정체결 조건으로 제시함.~~

가. 북한의 핵안전조치협정 불체결이 진의가 협정체결 문제를 정치적으로 이용하려는 것이 아닌지 의심하지 않을수 없음. ~~IAEA는 한반도 평화와 안전을 다루는 적절한 기관이 아니고 동 문제는 남.북한간 대화로 해결할 문제임.~~

나. 오는 6월 이사회에서는 앞으로도 계속 과거 2년과 같이 동건 반복 토의만 할것인지 또는 북한문제에 대한 조치를 취할 것인지를 결정해야 할것임. 아울러 6월 이사회까지도 북한의 협정체결 문제가 해결되지 않을경우 IAEA 사무총장은 그간의 대북한 협정 전체평가서를 이사회에 제출하여야 할 것임. 끝

(국제기구조약국장 문동석)

수신처 : 주미(WUS-0697), 일본(WJA-0802), 유엔(WUN-0374), 쏘련(WSV-0544), 영국(WUK-0341), 벨지움(WBB-0069), 체코(WCZ-0130), 독일(WGE-0301), 모로코(WMO-0054), 나이지리아(WNJ-0076), 튜니지아(WTN-0046), 폴투갈(WFO-0068), 베네주엘라(WVZ-0038), 이태리(WIT-0194), 호주, 인니, 폴란드, 카나다, ~~이집트~~ 헝가리대사, 카이로(총)영사.

일반문서로 재분류(19 91.12.31.)

예고: 91.12.31 일반

검토필(1991.6.30.)

0199

3/2 길 기

관리 번호	91-156

원 본

외 무 부

종 별 :

번 호 : AVW-0246 일 시 : 91 0228 1900

수 신 : 장 관(국기)

발 신 : 주 오스트리아 대사

제 목 : IAEA이사회(아국대표 연설문)

연:AVW-0234

연호 8 항에 언급되어 FAX 로 송부한 연설문 페이지 3 하단으로부터 6 째줄의 일부를'..86 OTHER STATES PARTIES..'로 기록상 정정바람.

(대사 이장춘-국장)

예 고:91.6.30 일반

검 토 필(19 . . .) ㊞

국기국 장관 차관 1차보 2차보 미주국 안기부 과기처

0200

PAGE 1

91.03.01 07:03

외신 2과 통제관 CA

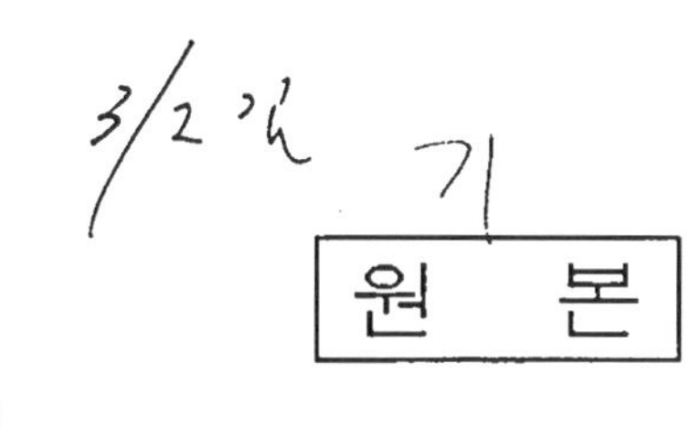

관리 번호	91-159

외 무 부

종 별 :

번 호 : AVW-0247 일 시 : 91 0228 1900

수 신 : 장 관(국기,미안,기정) 사본:주미,주일,주유엔대사(본부중계필)

발 신 : 주 오스트리아 대사

제 목 : IAEA사무총장 방북계획 취소

대:WAV-0177

연:AVW-0234

1.WILMSHURST 국장은 금 2.28 오전 9:45 본직에게 전화로 BLIX 사무총장은대호 1 항과 같이 북한을 방문할 의사가없음(NO INTENTI(971)N ALL TO VISITNORTH KOREA, THE VISIT IS OUT OF HIS MIND)을 알려주었음.

2. 본직은 작 2.27 당지의 유엔복도에서 WILMSHURST 국장과 커피를 나누면서 가진 환담에서 대호를 비공식으로 거론하였는데, 그에 의하면 최근까지 BLIX총장이 대호 방문을 염두에 둔것은 사실이며, 특히 김일성과의 면담이 주선된다면 방북할 생각이 없지않았으나, WILMSHURST 국장 자신으로서는 이를 소극적으로 건의하였다고 말하였음.

3. 본직은 다음과같은 의견을 그에게 피력하였음.

가. 핵안전협정 문제에 대한 북한의 태도로 보아 현시점에서 BLIX 총장이방북한다면 언론을 통한 북한의 정치선전에 이용당할 가능성밖에 다른것을 생각하기 어려움.

나. BLIX 총장이 작년 9 월 이사회에 대한 보고서에서는 북한의 핵안전 협정체결이 다른 정치문제들의 타결에 달려있는것같고 이는 IAEA 의 권능 밖이라고(OUTSIDE THE SCOPE OF THE AGWENCY'S MANDATE) 하였음에도 불구하고 그간 방북하겠다고 한다면 다른 적극적 요인이 있어야하는데 그렇치 않다면 그가 정치적으로 MANEUVER 하고 있다는 인상을 피하기 어려울것임.

다. 금번 방북계획과 관련하여, 금차 2 월 이사회에 대한 사무총장 보고서에서 THE AGENCY'S MANDATE 대신에 THE REQUISITE SAFEGUARDS AGREEMENT 라고 표현한것에 아국은 주목하고있음(연호 4 항 참조)

국기국 장관 차관 1차보 2차보 미주국 안기부 과기처

0201

91.03.01 09:19

외신 2과 통제관 DG

라.BLIX 가 내주초 아프리카여행을 떠나기전에 본직이 그를 면담하고 의견교환을 가지고자함.

4.WILMSHURST 국장은 상기 3 항을 사무총장에게 보고하겠으며, 면담이 주선되도록 하겠다고 말하면서 BLIX 가 사실상의 마지막 임기를 앞에 두고 정치적으로 다소 MANEUVER 하고 있음을 암시하였음.

5. 본건은 지난 2.5 ENDO 일본대사와 본직간의 오찬에서 거론된바 있었으며, 작 2.27 ENDO 대사는 BLIX 의 방북문제를 회의적으로 본다는 의견을 본직에게피력한바 있음.

6. 사무국은 금차 이사회에서 아국이 발언하는 문제에 관하여 신경을 세우면서 특히 BLIX 의 일본경제신문 인터뷰 기사이후 벌어진 아국의 반응(AVW-1628.90.11.28 자 유감표시 이후의 외교적 조치)과 우방국들의 BLIX 에 대한 비판으로 불편을 느껴오고있었음을 첨언함.

(대사 이장춘-국장)

예 고:91.6.30 일반

일반문서로 재분류(1991. 6. 30)

PAGE 2

0202

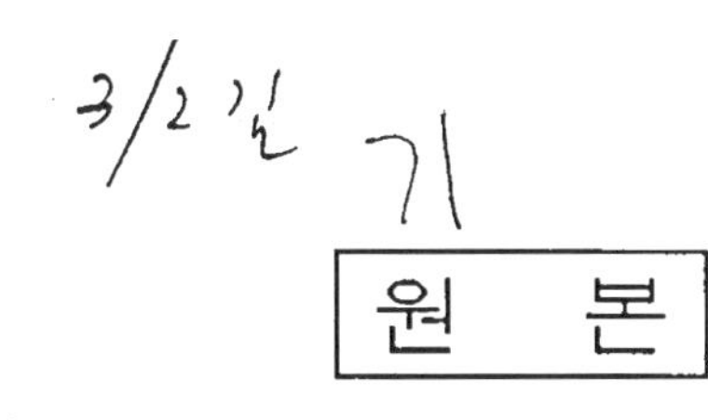

관리 번호	91-155

외 무 부

종 별 :

번 호 : UNW-0485 일 시 : 91 0228 1830

수 신 : 장관(국기,국연,미안,기정)사본:노창희대사 (주오지리대사:중계필)

발 신 : 주 유엔 대사

제 목 : 북한의 핵안전협정문제

연:UNW-0442

연호관련, 당지 일본대표부는 금 2.28 아래 내용을 당관에 알려왔음.

1. 일본은 연호 안보리 문서를 IAEA 문서로도 배포하자고 미측에 제의하였는바, 미측은 이에대해 처음에는 HANS BLIX IAEA 사무총장이 북한방문을 계획중에 있음을 들어 이어 난색을 표시하였으나 BLIX 사무총장의 방북 계획이 취소됨에 따라 상기 일본측 요청을 재검토중에 있음.

2. 일본으로서는 미측이 동의하는경우, 연호 문서에 공동서명한 호주, 카나다, 폴랜드 3 국도 연호 문서의 IAEA 배포에 이의가 없을것으로 봄.끝

(대사대리 신기복-국장)

예고:91.12.31. 일반

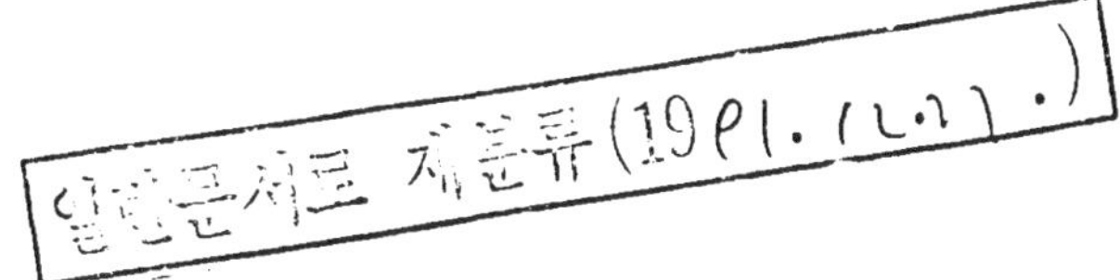

검 토 필(1991. 6. 30.)

국기국	장관	차관	1차보	2차보	미주국	국기국	대사실	청와대
안기부								

PAGE 1

91.03.01 12:20

외신 2과 통제관 DG

0203

정 리 보 존 문 서 목 록					
기록물종류	일반공문서철	등록번호	2020010078	등록일자	2020-01-14
분류번호	726.62	국가코드		보존기간	영구
명 칭	북한.IAEA(국제원자력기구) 간의 핵안전조치협정 체결, 1991-92. 전15권				
생 산 과	국제기구과/국제연합1과	생산년도	1991~1992	담당그룹	
권 차 명	V.2 1991.3-5월				
내용목차	* 1991.5.28 전인권 주비엔나 다자담당 북한대사, 북한. IAEA 간 핵안전협정안 교섭 재개 제의 서한 전달 (IAEA 사무총장 앞)				

0001

관리번호	91-231

원 본

외 무 부

종 별 : 지 급

번 호 : USW-1052 일 시 : 91 0305 1903

수 신 : 장관(아일,미북,정이,기정),사본:주일 대사-중계필

발 신 : 주 미 대사

제 목 : 일.북한 관계(가네마루 발언) 및 부쉬 방일

대:WUS-0814,0830

표제건, 당관 안호영 서기관이 금 3.5 국무부 일본과 MINTON 부과장으로부터 탐문한 내용을 하기 보고함(이하 동 부과장 발언 내용)

1. 일.북한 관계(가네마루 발언)

가. 일본 언론에서 가네마루가 미.북한 간 IAEA 문제 교섭 중재를 자청하고 나섰다는 보도를 보기는 하였으나, 가네마루의 방미는 전혀 계획된바 없음(이와 관련 별도로 접촉한 주미 일본 대사관 나까무라 참사관도 가네마루의 방미는 계획된바 없다고 확인함)

나.(IAEA 핵 안전 협정 문제와 관련 가네마루가 미.북한간의 중재를 한다는 발상 자체를 어떻게 평가하는지 문의한데 대해)

1)미국의 시각으로는 북한의 IAEA 핵 안전 협정 수락 문제는 미.북한간의 양자 문제가 아니고 북한이 NPT 가입국으로서 그 조약상의 의무를 다 한다는것이며, 2)북한이 이를 수락한다고 해서 미국이 이에 대한 반대 급부를 제공할수는 없는 것이고, 3)미.북한간에는 이미 북경에서 참사관급 접촉을 통해 미측의 의사를 북한에 분명히 전달한바 있음.

다.(가네마루가 부쉬 대통령이 자신의 방미를 초청하였다고 발언한 사실을 어떻게 보는지 문의한데 대하여)

가네마루가 자민당의 비중있는 정치인임에 비추어 동인을 비하 하고 싶지는 않으나, 가네마루는 시험용 발언(TRIAL BALLOON)을 해놓고 관련된 당사자의 반응을 살펴 이에 대응하는 경향이 있는 사람으로 판단됨. 부쉬 대통령 초청 소문은 TRIAL BALLOON 의 하나라고 생각됨. 그러나 미국은 이에 대해 반응할 가치가 없다고 봄.

2. BUSH 대통령 방일

아주국 장관 차관 1차보 미주국 정문국 청와대 안기부

0002

PAGE 1 91.03.07 00:02

외신 2과 통제관 CF

검 토 필 (1991. 6. 30.)

가. 부쉬 대통령이 해외 순방을 하게될 경우에는 일본이 최우선적으로 고려될것이 사실이나, 1)아직 걸프전이 완전히 종결된것이 아니고,2)걸프전과 관련 전후 중동 및 국제 질서 재편이라는 숙제가 남아 있으며,3)걸프전으로 미루어 왔던 다른 문제 처리가 산적해 있어 현 단계로서는 BUSH 의 방일 시기를 논의할 단계가 아님.

나. 더구나 4 월에는 고르바쵸프 소련 대통령의 방일이 계획되고 있어 부쉬의 방일은 4 월 이후에나 가능할것으로 봄.

다.(고르바쵸프 방일과 관련, 미.일간에 북방 도서 문제등과 관련한 의견 교환이 이루어지고 있는지 문의한데 대하여) 실무선에서 의견 교환이 이루어지고 있으나, 북방 도서 문제에 대해서는 일본으로서도 소련이 어떤 제안을 할것인지 구체적인 통보를 받지 못한것으로 보임.

언론에서는 소위 -56 년 공식-(2 개 도서를 우선 반환하는)이 자주 논의되고 있으나 이는 언론의 추측 보도로 생각됨. 고르바쵸프 방일을 계기로 소련이 북방 도서 문제에 대해 어떤 제안을 할것은 분명하나, 그 내용이 획기적인것은 아닐것이라고 생각함.

라.(러시아 공화국의 독립성이 강화될수록 북방 도서 문제 해결이 더욱 어려워 지리라는 일부 견해에 대한 미 국무부 평가를 문의한데 대하여)

충분히 그런 가능성이 있다고 보며, 또한 북방 도서 문제에 있어 보수적 입장을 취해온 소련 군부의 국내 정치적 입지가 점차 강하되고 있다는 것도 북방 도서 문제 해결에 또다른 장애 요인으로 작용할것임.

(대사 박동진-국장)

91.12.31 일반

3/6 길

71

관리 번호	91-164

원 본

외 무 부

종 별 :

번 호 : NJW-0169　　　　일 시 : 91 0305 1330

수 신 : 장관(국기,아프일)

발 신 : 주 나이지리아 대사

제 목 : IAEA 2월 이사회

대:WNJ-76,85, 연:NJW-162

본직은 91.2.28. 외무부(ABUJA) ADEYEMI 국제기구차관보를 방문, IAEA 2월이사회와 관련 이미 시기적으로 늦기는 하였지만 차기 이사회 개최시 주재국의대표가 북한의 핵안전협정체결을 촉구토록 발언해 줄것을 요청함. 이에 동차관보는 아측의 요청이유에 찬동하나 북한과의 기본관계도 있으므로 회의분위기를 보아가며 현지에서 아측대표에 협조토록 훈령하겠다함.

예고:91.12.3.1 일반

검 토 필(19 91.6.30.)

일반문서로 재분류(19 91.12.31.)

국기국 장관 차관 1차보 2차보 중아국

PAGE 1

91.03.06 08:07

외신 2과 통제관 BW

0004

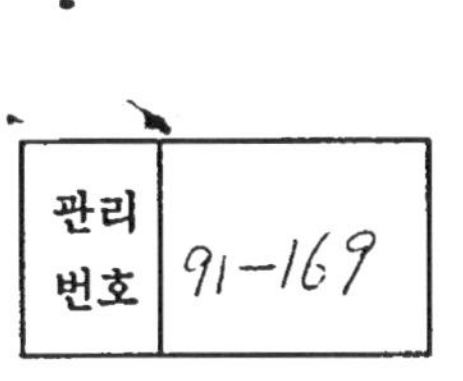

관리 번호 91-169

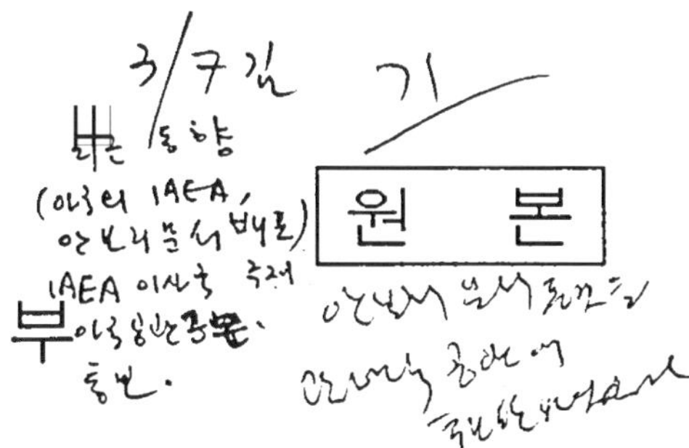

원 본

외 무 부

종 별 :

번 호 : CZW-0157 일 시 : 91 0305 1400

수 신 : 장관(국기.동구이.정이) 사본:오지리.UN--중계필

발 신 : 주 체코 대사

제 목 : 북한-핵안전조치협정(자응7호)

대:국기20332-128

연 CZW135

1. 최승호 참사관은 2.28. NIJEDLY 국기국장에게 IAEA 이사회에서의 주재국의 대북한 핵안전조치 협정체결 촉구 발언에 사의를 표함. 아울러 대호 미국 주도하의 안보리 의장앞 서한 공동서명 추진상황을 문의한바, 동국장은 체코도 서구제국과 공동보조를 취하여 주도록 주유엔 대표부에 지시한바 있다 하였음

2. 최참사관이 당지 미국대사관 SAVAGE 참사관 면담, 본건에관한 체코측 동향 타진한바, 동참사관은 다음 언급함.

가. 체코의 핵 비확산 지지입장 강함.

나.90.11LEVIN 특사 당지방문시, 인공위성 사진등 자료를 제시하고 북한의 핵개발 가능성에 우려를 전한바, 체코측도 이에 동조하였으며, 그후 평양주재 대사를 통해 체코측의 우려를 북한당국에 전한사실이 있음.

다. 북한은 90.5 주제네바 대사를 통해 안전조치 협정 체결 문제관련, 체코측입장타진및 이해를얻고저 면담 약속을한후 아무런 사전통고나 이유 설명없이 면담장소에 나타나지 않은적이 있으며, 90년 하반기에도 비슷한 사례가 재발되어체코측을 자극한바 있음 (북한이 왜 이러한 행동을 하였는지는 모르겠다고 언급)

라. 북한.체코간의 이음관계가 희박하여져 상호간의 LEVERAGE 도 약화되었고, 체코의 대북한 영향력도 그만큼 약해졌다고 보아야함.

3. 핵무기 비확산 문제에 대해 주재국의 관심은 상당한바, 이는 다음에 기인하는것으로 분석됨.

가. 대통령, 외사장관등 지도층의 국제 평화 노력.

국기국 장관 차관 1차보 구주국 정문국 청와대 안기부

PAGE 1 91.03.07 09:19

외신 2과 통제관 BN

나."구주복귀" 노력의 일환으로 서구제국과 공동보조.

다. 에너지자원 결핍으로 원자력에의 의존 불가피.

라. 원자력 평화적 이용에관한 입장표명을 통해 서방의 협력 유도.끝 (대사-국장.)

예고:91.12.31.일반.

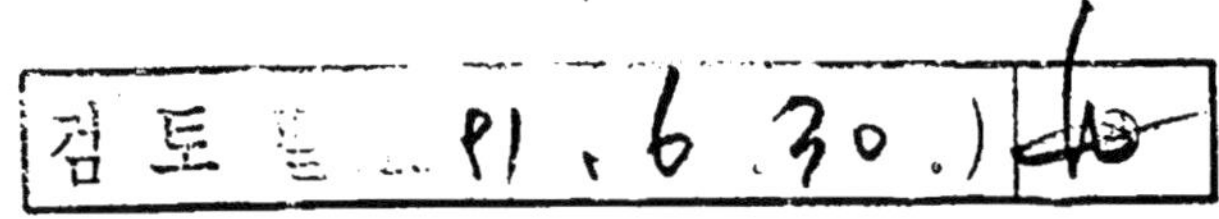

PAGE 2

0006

관리번호 91-1171

분류기호 문서번호	국기20332-266	기 안 용 지 (전화 : 720-4050)	시 행 상 특별취급	
보존기간	영구 . 준영구. 10. 5 . 3 . 1.	장 관		
수 신 처 보존기간				
시행일자	91. 3. 7.			
보조기관 국장	전 결	협조기관		문서통제 (1991. 3. 8 통제관)
과장				
기안책임자	김희택			발 송 인
경 유 수 신 참 조	수신처 참조	발신명의		
제 목	북한의 핵안전조치협정 체결문제			

표제관련, 최근의 동향을 요약, 별첨 송부하오니 업무에 참고하시기 바랍니다.

(1991. 12. 31.)

첨부 : 상기 자료 1부. 끝

예고 : 91.12.31. 일반 검토필(1991. 6. 30.)

/계 속/ 0007

수신처 : 주미국, 일본, 쏘련, 북경대표부, 영국, 독일, 카나다, 프랑스,

스웨덴, 호주, 인도, 아르헨티나, 칠레, 베네수엘라, 브라질,

우루과이, 벨기에, 이태리, 폴투갈, 폴란드, 체코, 헝가리,

나이지리아, 튀니지, 카메룬, 모로코, 사우디, 이란, ~~아라크,~~

인도네시아, 태국, 필리핀대사, 카이로 총영사 (31개 IAEA

이사국 주재공관. 헝가리는 별도)

0008

북한의 핵안전조치협정 체결관련 동향

1. 최근 북한측 동향

o 북한은 IAEA와의 핵안전조치협정 체결과 관련, 외교부 성명을 유엔 안보리 문서와 IAEA 이사회 문서로 90.11월 이래 각2회 배포

o 북한은 상기 문서에서 협정체결 지연의 책임을 미국측에 전가하면서 협정 체결의 전제조건으로서 미국의 핵선제 불사용 보장을 계속 요구하고, 동 문제 논의를 위한 대미 직접 협상의 개시를 촉구

2. 미국등 우방국의 대응조치

가. 경위

o 아측은 아국의 반박입장을 즉시 안보리 문서로 배포할것을 미측과 협의한바, 미측은 북한의 핵문제가 국제사회에 대한 북한의 책임문제라는 점에서 아측의 단독대응 유보를 요청하고 우방국 공동명의 안보리 문서 제출을 추진

나. 우방국 공동 서명문서 안보리 배포

o 미국은 우방국과의 교섭결과 일본, 호주, 카나다, 폴란드와 공동 서명한 대북한 반박 및 조속한 협정 체결을 촉구하는 내용의 문서를 91.2.22. 유엔 안보리 문서로 배포 (첨부 1)

0009

3. 아국의 조치사항

가. 유엔 안보리 및 IAEA 이사회 문서 배포

o 아국은 하기 내용의 문서를 91.2.8. IAEA 이사회 문서, 91.2.25. 유엔 안보리 문서로 각기 배포 (첨부 2)

- 북한이 핵무기 비확산조약에 가입한후 5년이상 경과한 현재까지 핵안전협정 미체결 지적
- 북한이 조약상 의무인 핵안전협정을 조속 체결하여 한반도 신뢰구축과 화해의 장애를 제거할 것을 촉구

나. IAEA 2월 이사회 대응

o IAEA 2월 이사회(91.2.26-28, 비엔나) 대비, 아국은 미국, 쏘련등 주요 이사국과 협의 및 교섭 전개결과, 2.26 개최된 동 이사회에서 아국을 포함, 아래 16개국 대표가 북한의 조기 협정 체결을 촉구하는 발언을 행함(이하 발언순서).

- 폴란드, 일본, 인니, 체코, 독일, 미국, 벨지움, 카나다, 이태리, 쏘련, 호주, 이집트, 영국, 오지리, 한국, 헝가리

o 아국대표(주오지리 대사)는 상기 이사회에 옵서버로 참석, 북한의 협정체결 지연의 부당성과 정치적 이용을 지적, 91.6월 이사회(91.6.10-14, 비엔나)까지 동건 결말을 촉구하는 발언을 행함.

첨부 : 1. 우방국 공동 서명문서
2. 아국입장 성명문. 끝

0010

UNITED NATIONS

Security Council

Distr.
GENERAL

S/22255
22 February 1991

ORIGINAL: ENGLISH

국기국

배부처	장관실	차관실	一차보	二차보	기획실	의전장	아주국	미주국	구주국	중아국	국기국	경제국	통상국	정문국	영교국	총무과	감사관	공보관	외연원	청와대	총리실	안기부	문공부
								/			③			/					/			/	

LETTER DATED 21 FEBRUARY 1991 FROM THE PERMANENT REPRESENTATIVES OF AUSTRALIA, CANADA, JAPAN, POLAND AND THE UNITED STATES OF AMERICA TO THE UNITED NATIONS ADDRESSED TO THE SECRETARY-GENERAL

As parties to the Treaty on the Non-Proliferation of Nuclear Weapons, the undersigned Governments wish to address themselves to the statement of the Foreign Ministry of the Democratic People's Republic of Korea, issued on 16 November 1990, and circulated as Security Council document S/21957 and International Atomic Energy Agency Board of Governors document GOV/INF/594.

The undersigned Governments call on the Government of the Democratic People's Republic of Korea to recall that Article III of the Treaty on the Non-Proliferation of Nuclear Weapons requires a non-nuclear-weapon State party to accept safeguards, as set forth in an agreement to be negotiated and concluded with the International Atomic Energy Agency, on all source and special nuclear material in all its peaceful nuclear activities. Equally clear is the obligation in Article III for the non-nuclear-weapon State party to have the agreement enter into force not later than eighteen months after the initiation of negotiations. A State party cannot condition this undertaking on the actions of another State party to the Treaty, on separate negotiations with another State, or on conclusion of another agreement such as one relating to a nuclear-weapons-free zone.

The undersigned Governments affirm that it is not acceptable that, in the above-mentioned statement, the Government of the Democratic People's Republic of Korea tries to justify its non-fulfilment of the Treaty on the Non-Proliferation of Nuclear Weapons obligations by conditioning it on the actions of another country. Moreover there is no basis for the Democratic People's Republic of Korea's implication that the United States is not fulfilling its treaty obligations by virtue of its security arrangement with the Republic of Korea. Nor is there any other basis for concluding that the United States has not discharged its obligations under the Treaty.

The Democratic People's Republic of Korea incorrectly implies that the International Atomic Energy Agency takes the position that the question of the safeguards agreement has not been solved because of relations between the Democratic People's Republic of Korea and the United States. The International

91-06055 2154f (E) /...

0011

2-1

Atomic Energy Agency Secretariat has taken note that the Democratic People's Republic of Korea is conditioning its signature of the safeguards agreement on receipt of assurances from the United States regarding use of nuclear weapons and that the question of such assurances must be left to the two countries to work out. The International Atomic Energy Agency has not taken the position that conclusion of the safeguards agreement can legitimately be linked to such assurances.

The undersigned Governments call on the Democratic People's Republic of Korea to conclude and implement a full scope safeguards agreement with the International Atomic Energy Agency immediately and thus to fulfil its obligations as a State party to the Treaty on the Non-Proliferation of Nuclear Weapons.

We would appreciate it if you could arrange for this letter to be circulated as a document of the Security Council.

(Signed) Peter WILENSKI
Ambassador
Permanent Representative of
Australia to the United Nations

(Signed) L. Yves FORTIER, Q.C., O.C.
Ambassador
Permanent Representative of
Canada to the United Nations

(Signed) Yoshio HATANO
Ambassador
Permanent Representative of
Japan to the United Nations

(Signed) Dr. Stanislaw PAWLAK
Ambassador
Permanent Representative of
Poland to the United Nations

(Signed) Thomas R. PICKERING
Ambassador
Permanent Representative of the
United States of America to the
United Nations

2-2

0012

'91-02-25 09:10

Enclosure

Position of the Government of the Republic of Korea on the question of the safeguards agreement between the Democratic People's Republic of Korea and the International Atomic Energy Agency

In connection with the statement of the Ministry of Foreign Affairs of the Democratic People's Republic of Korea, issued on 16 November 1990, and circulated as Security Council document S/21957 dated 21 November 1990, on the question of concluding a safeguards agreement between the Democratic People's Republic of Korea and the International Atomic Energy Agency, the Government of the Republic of Korea wishes to reiterate its position on the matter as follows.

The Democratic People's Republic of Korea acceded to the Treaty on the Non-Proliferation of Nuclear Weapons in December 1985, the stipulations of which impose duties on a non-nuclear-weapon State party to conclude a full-scope safeguards agreement with the International Atomic Energy Agency within 18 months of its accession. Safeguard measures under Article III of the Treaty on the Non-Proliferation of Nuclear Weapons are essential obligations to be fulfilled by all State parties under the Treaty on the Non-Proliferation of Nuclear Weapons regime and central to its effectiveness and strength.

The Government of the Republic of Korea cannot but express serious concern that the Democratic People's Republic of Korea, a State party to the Treaty on the Non-Proliferation of Nuclear Weapons with significant nuclear activities, has failed to conclude the safeguards agreement for more than five years. The delay by the Democratic People's Republic of Korea far beyond the legal deadline of the entry into force of its safeguards agreement with the International Atomic Energy Agency is a clear violation of the fundamental obligations required under the Treaty and poses a threat to the international non-proliferation regime.

There are no provisions in the Treaty on the Non-Proliferation of Nuclear Weapons which justify any linkage between the failure of the Democratic People's Republic of Korea to conclude the safeguards agreement under the Treaty and other political issues or extraneous factors as it invokes. This attitude of the Democratic People's Republic of Korea endangers the Treaty on the Non-Proliferation of Nuclear Weapons regime in general and the security of Northeast Asia in particular. The Government of the Republic of Korea is seriously concerned about the development of nuclear weapons by the Democratic People's Republic of Korea.

The Government of the Republic of Korea strongly urges the Democratic People's Republic of Korea to comply with its treaty obligations to conclude and implement the requisite safeguards agreement as soon as possible and thereby remove a stumbling block to the confidence-building and reconciliation process on the Korean peninsula.

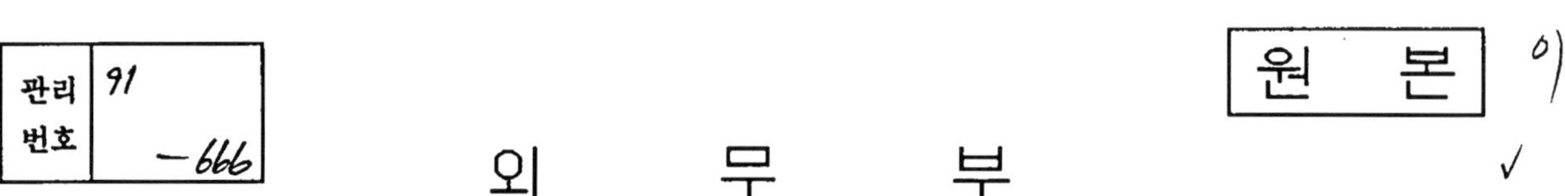

관리번호	91-666

원본

외 무 부

종 별 :

번 호 : UNW-0538　　　　일 시 : 91 0308 1830

수 신 : 장관(국기,국연,미안,기정)사본:노창희대사(주오지리대사:중계필)

발 신 : 주 유엔 대사

제 목 : 북한의 핵안전 협정 문제

연:UNW-0442 (1), 0485(2)

연호(2), 당지 일본대표부에 의하면 미측이 연호(1) 안보리문서를 IAEA 문서로 배포요청하는데 동의, 현재 비엔나에서 문서제출을 준비중인바, 내주중 IAEA 에 제출케 될것으로 예상된다고 함. 끝

(대사대리 신기복-국장)

19 의거 예고 : 91.12.31. 일반

검토필(1991.6.30.)

국기국	장관	차관	1차보	2차보	미주국	국기국	대사실	청와대
안기부								

PAGE 1　　　　91.03.09 09:03

외신 2과 통제관 BW

0014

핵안전협정체결문제 관련 일측입장

1. 가네마루 전부총리 발언요지

   o 대통령 예방시(10.8)

     - (대북한 핵안전장치 보장문제 협조요청에 대해) 당연함.

   o 김용순 방일시(91.2)

     - 이 문제가 해결되지 않으면 일.북한 교섭이 진전되지 않을 것임을 김용순에게 언급 ([illegible])

     - 핵사찰문제와 관련, 미.북한 고위교섭 중개용의 (2.22. 연설 및 2.24. 아마코스트 대사 접촉)

2. 일정부 표명요지

   o 제1차 수교 본회담시(1.30-31)

     - IAEA 핵안전협정 조기체결 촉구

       · 북한의 한반도 비핵지대화 구상은 일측으로서도 받아들일 상황이 아님.

     - 북한의 핵개발 개연성은 일본의 안보에 극히 중대한 문제이며, 동북아 평화와 안정에도 크게 관련되는 문제로서 깊이 우려

0015

o 제2차 수교본회담시(3.11-12)

- NPT상의 의무인 핵안전협정 조기체결 및 이행 촉구

- 북측의 일본에 대한 미.북한간 중재요청에 응할 생각 없음.

  · 이러한 조건을 제시하는 자체가 문제

o 일외무성 당국자(다께나까 아주국 심의관) 논평(3.12. 아국특파원 설명시)

- 핵사찰문제는 일본으로서도 매우 중요한 문제

  * 다께나까 심의관, 한국특파원의 핵사찰이 수교의 전제조건은 아니냐라는 질문에 답변치 않았으나, 동아일보의 3.12자 보도내용은 사실과 다를뿐 아니라 있을 수 없는 일이라고 언급 (3.13. 주일 유병우 참사관 면담시)

0016

관리 번호	P1-671

분류번호	보존기간

발 신 전 보

번 호 : WJA-1052 910309 1502 DY 종별 :

수 신 : 주 일 대사. 총영사

발 신 : 장 관 (아일)

제 목 : 일.북한관계

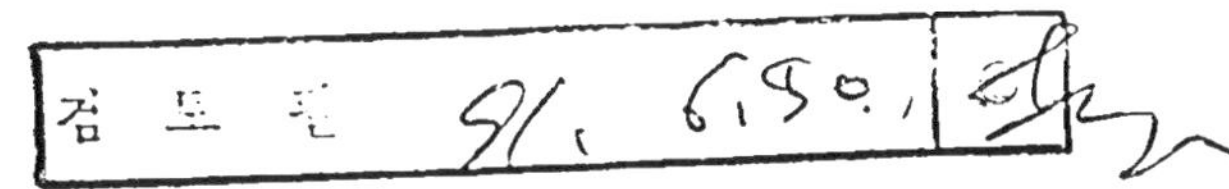

연 : USW-1052

연호 가네마루 전부총리의 IAEA 핵사찰문제와 관련한 미.북한 고위회담 중개용의 표명관련, 정부, 정계, 언론계 인사 접촉기회등을 적극 활용, 아래와 같이 우리입장을 홍보함으로써, 동건에 관한 일본측의 이해를 심화시키기 바람.

1. IAEA는 미.북한간 문제가 아니라, 북한의 조약상의 의무이행문제이므로 동건에 관한 미.북한 교섭사항이 아닌바, 미.북한 고위회담중개는 의미가 없음.

2. 따라서 가네마루 전부총리가 이 문제와 관련, 미.북한간의 교섭을 중개하려 하는 것은, 일본이 북한에 동건이 마치 미.북한간의 교섭에 의해 적당히 해결 될 수 있다는 오도된 인식을 부여함으로써, 북한에 대해 핵안전협정체결을 유도하려는 국제적인 노력에 역행할뿐아니라, 일.북한 수교교섭에서 일본정부의 북한측에 대한 핵사찰수락 촉구 입장을 약화시킬 우려도 있음.

3. 특히, 북한이 남북한 동시 핵사찰을 주장하고 있는 현상황을 감안할때, 이와 같은 가네마루 전부총리의 자세는 북한의 태도를 더욱 경화시킴으로써 한반도 안정에도 부정적 영향을 미칠 우려마저 있음. 끝.

1991.12.31. 에 고문에 의거 일반문서로 재분류됨

예고 : 1991.12.31. 일반 (아주국장 김정기)

보안통제	(서명)

앙 고 재	91년 3월 9일	동북아1과	기안자 성명		과 장		국 장		차 관	장 관
			이혁		(서명)		(서명)			

외신과통제

0017

3/15 길 기

관리 번호	91-1175

외 무 부

종 별 :

번 호 : AVW-0312 일 시 : 91 0314 1700

수 신 : 장 관(국연,국기,구이,경일,정홍)

발 신 : 주 오스트리아 대사

제 목 : 아국의 유엔가입 지지 다짐

대:EM-0007

연:AVW-0311

1. 한, 오 투자보장협정 서명(91.3.14)에 앞서 행한 상호 축사에서 본직은 ALOIS MOCK 오스트리아 외상이 1989 가을 유엔총회에서 행한 아국의 유엔가입 지지 연설을 상기하면서, 금년도에 있을 한국 가입문제 심의시에 계속 오스트리아가 한국의 가입을 지지해 줄것을 요망하였음.

2. 이에대해 MOCK 외상은 아국의 유엔가입에 대한 확고한 지지를 다짐하면서 안보리에서 한국문제가 어떻게 처리될것인지에 관하여 관심을 표시하였음.

3. 본직은 소련과 중공의 거부권때문에 4,300 만명의 인구를 가진 세계굴지의 무역구가인 한국의 유엔가입이 실현되지 못하였으나, 한, 소관계의 정상화로 소련은 한국의 가입을 확실히 지지할것이며, 중공은 한국의 가입에 대한 압도적인 국제여론의 지지에 비추어 반대하지 못할것으로 보이며, 특히 오스트리아와 같은 비상임이사국들이 한국의 가입을 지지하고 있는것이 분명해질수록 중공의 거부권 행사는 불가능할것이라고 말하였음.

4.MOCK 외상은 한국의 유엔가입을 위해 상호 협조하기로 확약하였음.

5. 본직은 또한 지난 2.26 IAEA 이사회에서 오스트리아가 북한의 핵안전협정 조기체결을 촉구한것에 사의를 표하고 이문제는 한반도의 평화와 안보를 위하여 대단히 중요한 문제임을 지적하면서 계속 북한에 대하여 압력을 행사해 주기를 요망하였음.

일반문서로 재분류(1991.12.31.)

(대사 이장춘)

예 고:91.12.31 일반.

검 토 필(1991.6.30.)

국기국	차관	1차보	구주국	국기국	경제국	정문국	청와대	안기부

PAGE 1

91.03.15 05:08

외신 2과 통제관 CF

0018

대북한 핵안전협정 촉구 관련 IAEA 이사국 교섭

91.3.18.
국제기구과

1. 1990.2월이사회

o 북한을 거명하여 발언토록 요청한 국가(7개국)

- 일본, 독일, 호주, 카나다, 화란, 벨기에, 영국

o 실제로 발언한 국가(16개국)

- 호주, 미국, 영국, 화란, 카나다, 소련, 필리핀, 멕시코, 서독, 이태리, 말레이시아, 에집트, 페루, 일본, 폴란드, 튜니시아

2. 1990.6월이사회

o 북한을 거명하여 발언토록 요청한 국가(19개국)

- 독일, 영국, 화란, 벨기에, 카나다, 호주, 일본, 필리핀, 말련, 폴란드, 스웨덴, 덴마크, 이집트, 페루, 멕시코, 베네수엘라, 가나, 코트디브와르, 나이제리아

o 실제로 발언한 국가

- 북한을 거명한 국가(18개국)

  서독, 폴란드, 미국, 소련, 에집트, 영국, 페루, 베네수엘라, 필리핀, 호주, 화란, 동독, 일본, 스웨덴, 덴마크, 벨지움, 말레이시아, 카나다

- 북한 거명없이 발언한 국가(2개국)

  프랑스, 이태리

0019

3. 1990.9월이사회

o 1990.9월이사회 대비, 대우방국 교섭은 기존 입장을 확인하는 정도의 수준으로 하였음.

o 15개국이 북한을 거명하여 발언

- 미국, 화란, 호주, 카나다, 서독, 일본, 프랑스, 쏘련, 영국, 동독, 폴란드, 체코, 스웨덴, 이집트, 이태리

4. 1991.2월이사회(2.26-28)

o 대북한 협정체결 촉구 발언교섭 국가(14개국)

- 쏘련, 영국, 벨지움, 체코, 독일, 모로코, 나이제리아, 튜니시아, 폴투갈, 베네수엘라, 이태리, 인도네시아, 태국, 호주

o 실제 대북한 협정촉구 발언국가(16개국)

- 폴란드, 일본, 인니, 체코, 독일, 미국, 벨지움, 카나다, 이태리, 쏘련, 호주, 이집트, 영국, 오지리, 한국, 헝가리

0020

공　　　란

공 란

공 란

공 란

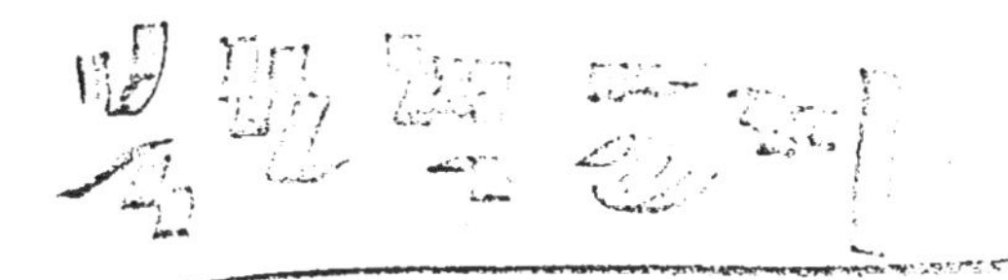

to review

報告畢

長 官 報 告 事 項

1991.3.27.
亞 洲 局
東北亞1課(15)

題 目 : 美.日의 對北韓 關係改善과 核安全協定 締結問題

日.北韓 修交交涉 및 美.北韓 接觸에 있어서 最大의 爭點인 北韓 核安全協定 締結問題에 관하여 아래 報告드립니다.

1. 核安全協定 締結關聯, 美・日・北韓 立場

(美・日 立場)

o 北韓의 無條件的 IAEA 核安全協定 締結

- 日.美 兩國, 91.2. 유엔事務總長에게 北韓의 核安全協定締結 促求 文書 提出

o 核問題와 關聯한 美.北韓 交涉 拒否

(北韓 立場)

o IAEA 核安全協定 締結을 위해서는, 美國의 對北韓 核 先制攻擊 不使用 保障 및 駐韓美軍의 核兵器 同時査察 必要

- 韓半島 非核地帶化 主張

o 上記 問題에 관한 美.北韓 交涉 提議

0025

2. 評 價

o 日.美 兩側, 北韓의 核安全協定 締結은 日.北韓 修交의 前提條件으로 認識

- 日側, 美國의 強硬立場 및 北韓의 核武器 製造가 日本의 安保에도 威脅이 된다는 側面 考慮

  · 同件을 부각시킴으로써, 日.北韓 修交交涉에 있어서 餘他 問題(南北對話 進展, 北韓의 開放化 問題等)는 決定的 要因이 아니라는 認識 부여 의도 잠재

- 美側, 日.北韓 修交로 인해 韓半島 安保에 있어서 자신의 主導權이 影響을 받지 않도록 이 問題에 관한 日側의 분명한 對應 確保

  · 美.北韓 關係進展과 日.北韓修交의 步調 維持效果도 겨냥

o 北韓의 核安全協定 締結 受諾時, 日.北韓 修交交涉 및 美.北韓 關係改善 加速化 展望

- 核問題에 관한 日.美 兩側의 確固한 立場에 비추어, 早期 對日 修交 推進을 위해 北韓이 그간의 態度를 突變하여 協定締結 受諾 可能性 不排除

- 餘他 日.北韓, 美.北韓間 問題는 雙方間 交涉에 의한 解決 可能

* 日.北韓 修交交涉에 있어서 우리側의 對日 要求 5個項

① 政府間 충분한 事前協議 維持
  - 經協規模등 細部事項 포함
② 南北韓間 對話 및 交流의 意味있는 進展 고려
③ 北韓의 IAEA 核安全協定 締結促求
④ 修交以前 對北韓 補償 및 經協不可
  - 北韓의 軍事力 增強에 不連繫 保障
⑤ 北韓의 開放化 및 國際社會 協力誘導

0026

* 美.北韓 接觸에 있어서 美側提示 6個項

① 建設的인 南北對話 推進

② 테러 拋棄

③ 遺骸 送還

④ 對美 誹謗 中止

⑤ 非武裝地帶에서의 信賴構築 方案(CBM)에의 呼應

⑥ IAEA와의 核安全措置協定 締結

3. 우리의 對策

o 核問題에 관한 美.日 兩國의 旣存立場 堅持 確保

o 日.北韓 修交交涉에 있어서 核問題外의 事項에 있어서도 日側의 愼重對應 確保

- 南北對話와 交流의 意味있는 進展 및 北韓의 開放化와 連繫

- 韓.日 基本條約과의 關係, 補償問題등에 관한 日側의 旣存立場 貫徹

o 日.北韓 早期修交 可能性에 적극 對備

- 旣存의 韓.日 友好協力關係 強化

· 政界, 財界, 親善團體 人脈 積極 活用

· 各分野에 있어서의 兩國間 協議體制 및 交流 強化

- 民團組織 強化

- 南北對話와 交流의 實質的인 成果 擧揚 努力

· 특히, 日.北韓 經濟交流 促進 可能性에 對備, 南北韓 經濟交流 活性化 方案 摸索

- 韓.中 早期修交 基盤造成 努力 傾注. 끝.

0027

1/28 길
대호?
기

원 본

외 무 부

암호수신

종 별 :

번 호 : AVW-0358 일 시 : 91 0327 1920

수 신 : 장 관(국기,미안)

발 신 : 주 오스트리아 대사

제 목 : 북한의 핵안전 협정문제

대:WAV-0172

표제관련, 대호 5 개국(호주, 카나다, 일본, 폴랜드및 미국) 공동명의의 문서가 대호와같이 91.3.22 자 IAEA 이사회문서(GOV/INF/606)로 배포되었음.

(대사 이장춘)

국기국 차관 1차보 2차보 미주국 정문국 청와대 안기부

0028

PAGE 1

91.03.28 07:24

외신 2과 통제관 BW

	분류번호	보존기간

발 신 전 보

번 호 : WJA-1445 910329 1804 FO 종별 :

WAV-0279

수 신 : 주 일 대사. 총영사/// (사본 : 주오지리대사)

발 신 : 장 관 (국기)

제 목 : IAEA 핵사찰 관련 보도

1. 3.29자 국내 일간지(석간)는 동일자 아사히 신문 보도를 인용, 일본 정부는 핵무기 개발여부를 엄격히 점검할 수 있는 IAEA의 특별 사찰 제도를 활용하여 당사국의 동의가 없어도 핵 사찰을 할 수 있도록 하고, 의혹이 있으면 유엔 안보리에 보고하여 안보리 결의로서 그 해결을 당사국에 권고할 수 있도록 하는 방안을 오는 6월 IAEA 이사회에서 제안키로 했다고 보도함.

2. 상기 보도내용 및 관련 사항을 상세 파악, 보고 바람. 끝

(국제기구조약국장 문동석)

아주국장:

보 안 통 제	

앙 고 재	91년 3월 29일	국기과	기안자 성명		과 장		국 장		차 관	장 관
			김희택				전결			

외신과통제

0029

관리 번호 91-210

원 본

외 무 부

종 별 :

번 호 : JAW-1882 일 시 : 91 0330 1851

수 신 : 장관(국기,아일,정이)

발 신 : 주 일 대사(일정)

제 목 : IAEA 핵사찰 관련

대 : WJA-1445

연 : JAW-1230

1. 금 3.30. 당관 박승무 정무과장은 사다오까 외무성 원자력 과장을 접촉,대호 IAEA 핵사찰등 관련 보도내용에 대해 문의하였는바, 동 과장은 다음과 같이 설명하였음.

가. 일정부의 핵사찰에 대한 입장

0 작년 8-9 월간 제네바에서 개최된 'NPT 재검토회의'시 IAEA 의 핵안전 보장조치 강화방안이 강구되어야 한다는 IAEA 사무국의 의견제시가 있었는바, 이에따라 일정부도 핵사찰 강화에 적극적으로 공헌하기 위한 방안을 검토, 오는 6 월개최되는 IAEA 이사회에 일측안을 제출할 예정임.

0 현 IAEA 규정상 핵병기 개발의 의심이 있는 경우, 특별사찰을 실시하게 되어 있으나, 당사국이 협의에 응하지 않으면 특별사찰을 실시할수 없으며, 당사국이 특별사찰에 동의하더라도 당사국이 신고한 시설만 사찰하게 되어있어 신고안한 여타 핵시설 사찰의 강제방법이 없음.

0 일정부가 검토중인 핵사찰 강화방안을 당사국이 동의하지 않을경우 일차적으로 IAEA 의 이사회에서 이 문제를 협의하고, 이사회에서도 결론이 나지 않을때는 UN 안보리에 제기한다는 것임. 그러나 동 방안은 아직까지 내부에서 검토중인 방안으로 신문에서 보도된 바와 같이 공식적인 일정부 입장을 결정한것은 아님.

0 3.18 워싱톤에서 개최된 일.미원자력 협의시 일측이 미측에 대해 핵사찰 강화에 대한 일측의 기본적인 입장을 설명한바 있으나, 이에 대한 미측의 반응은특별한 것이 없었음.

0 일정부로서는 이라크가 IAEA 핵안전 협정의 대상국으로 핵병기개발의 의심이

국기국 장관 차관 1차보 2차보 아주국 미주국 정문국 청와대 안기부

PAGE 1

91.03.30 22:34

외신 2과 통제관 CH

0030

있었으나, 실제로 핵사찰을 실시할수 없었다는 점에도 유의, 핵사찰 강화방안의 필요성을 더욱 느끼고 있는것은 사실임.

0 언론은 북한이 NPT 에 가입한 사실만 가지고 기본적으로 IAEA 의 통상사찰을 받아들이고 있다고 보도한것 같으나 이는 실제와 다름

0 NPT 조약상 핵관련시설 공급국은 수입국에 대한 핵관련 시설 공급시 개별적인 '개별보장 조치협정'을 체결할수 있는바, 1970 년초 북한 영변에 건설된 원자로는 쏘련이 공급한 것으로 동시설 공급시 쏘.북한간에 개별보장 조치협정의 체결되었으나, 동 사실로 북한이 핵사찰을 받아들였다고 볼수없는 것은 말할것도없음.

나. 일.중 원자력 협의내용

0 중국은 NPT 는 물론, '런던.가이드라인'에도 참가하지 않고 있으나, 원자력 관련시설 공급국이므로 오는 4.1-2 간 동경에서 2 회째 개최되는 일.중 원자력 협의시 중국측에 대해 핵확산 방지를 위해 핵병기 개발에 전용될 우려가 있는기자재의 수출을 규제해 줄것을 강력히 요청할 계획이며, 중국도 '런던 가이드라인' 에 가입토록 권고할 방침임.

0 중국은 개최된 'NPT 재검토회의'시 옵서버를 파견하는등 핵확산 방지에 대해 일단 전향적인 움직임을 보이고 있음.

2. 상기와 관련, 최근 일.북한간에 진행되고 있는 수교교섭에서 양측의 최대 교섭장애물의 하나인 북한의 핵사찰 문제를 타개해 나가기 위해 북한이 일단 IAEA 핵안전 협정에 가입한후, 실질적으로 이라크와 유사하게 핵관련 시설의 신고를 태만히 할 우려도 있다는 점에 유의할 필요가 있는 것으로 봄.

3. 표제관련 당지 언론보도는 연호 FAX 로 송부함. 끝

(대사 오재희-국장)

예고:원본접수처:91.12.31. 일반

사본접수처:91.6.30. 파기

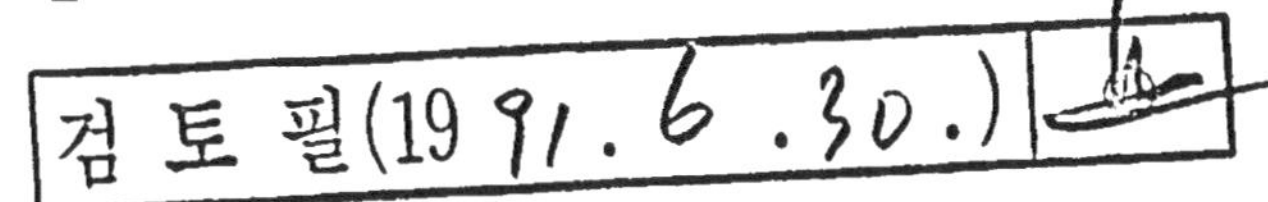

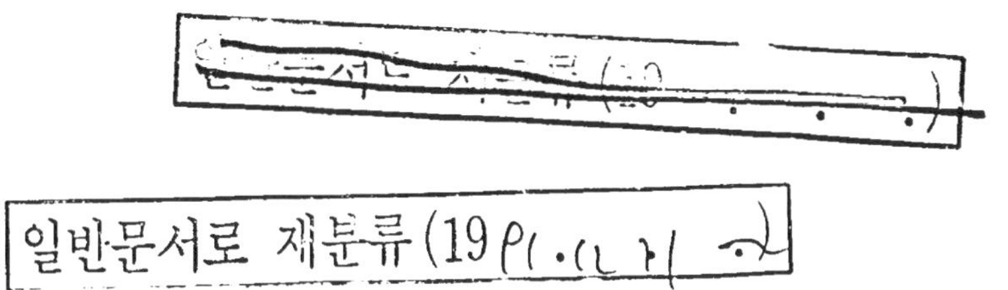

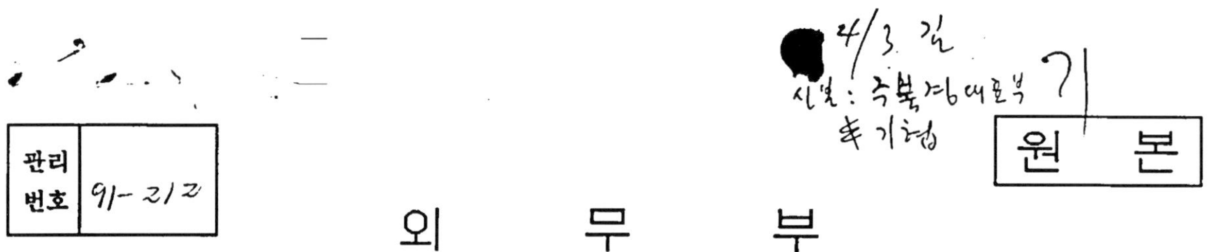

관리 번호	91-212

원 본

외 무 부

종 별 : 지 급

번 호 : JAW-1932 일 시 : 91 0402 2117

수 신 : 장관(국기,아일,정이,아이)

발 신 : 주 일 대사(일정)

제 목 : 일.중 원자력 협의결과

연 : JAW-1882, FAX(F)-1252

1. 연호, 제 2 차 일.중 원자력 협의가 작 4.1 외무성에서 개최되었는바, 금 4.2. 당관 박승무 정무과장이 사다오까 원자력과장으로부터 동 협의결과에 대해 파악한 내용은 다음과 같음.

0 일측 '오와다' 외무심의관, 중국측 '유설홍' 핵공업총공사 외사부국장이 대표로 참석

0 중국측 상해 인접지 '진산' 에 건설중인 원자력 발전소가 금년중에 본격가동될 예정으로 있는것과 관련, 동 원자력발전소의 안전성 확보를 위해 일본측과의 교류를 강화하고 싶다는 제안을 해와 일측도 이에 동의하고 구체대책을 협의해 나가기로 하였음.

0 일측은 중국이 '런던 가이드라인'에 가입할 것을 요구하였는바, 이에 대해 중국측은 '런던 가이드라인'이 선진국 중심으로 77 년에 결성된 이래 지금까지 내용면에서 큰 변화가 없었으며, 중국도 이미 '런던 가이드라인'의 정신을 따르고 있으므로 현단계에서 굳이 가입할 필요성을 느끼지 않고 있다는 인식을 보였음. (중국은 가까운 장래에 파키스탄에 원자로 시설 프로젝트를 공여하려는 계획을 갖고 있는것으로 알고 있음.)

0 그러나, 일측이 중국에 대해 NPT 에 가입토록 요구한데 대하여 중국측은 동 조약의 목표는 지지하며 일측 요구를 유의하겠다고 발언하여 종전과는 달리 관심을 보이고 일본이 중국의 NPT 가입문제에 대해 대화를 계속할것을 요청한데 대해 중국측도 반론을 제기하지 않았음.

0 특히 일측이 불란서가 NPT 가입에 적극적인 관심을 보이고 있다는 것을 설명하면서 중국도 불란서의 여사한 움직임을 감안하여 조속히 NPT 에 가입할것을

국기국 차관 1차보 2차보 아주국 아주국 정문국 청와대 안기부

0032

PAGE 1 91.04.02 22:21

외신 2과 통제관 CE

촉구하였는바, 중국측은 불란서의 동향에 대해 관심을 표시하면서 불란서의 동향을 중국측도 참고하겠다고 말함.

0 일측이 입수한 정보에 의하면, 불란서는 1995 년에 개최될 예정인 NPT 재검토 회의시는 NPT 에 가입할 가능성이 있다는 설도 있는바, 중국이 NPT 에 가입하게 되는것은 그 이후인 90 년대 후반정도가 되지 않을까 예측됨. 어쨋던 중국측이 NPT 가입에 대해 긍정적인 태도를 취했다는 것은 큰 변화를 보인것으로 평가할수 있음.

2. 또한, 일측은 나까야마 외상의 4.5-7 간 방중시 중국측에 대해 북한으로하여금 IAEA 의 핵안전 협정에 가입하도록 촉구해 줄것을 요청할 예정이라는바, 이에 대한 중국측 반응 추보하겠음. 끝

(대사 오재희-국장)

예고:원본접수처:91.6.30. 일반

사본접수처:91.6.30. 파기

일반문서로 재분류(19 91. 6. 30.)

공　란

공 란

공 란

관리 번호	91-248

원 본

외 무 부

종 별 :

번 호 : AVW-0386 일 시 : 91 0403 2000

수 신 : 장 관(국기,아일,미안,기정) 사본:주유엔대사,주일대사,주미대사

발 신 : 주 오스트리아 대사

제 목 : 북한의핵문제(일본-북한관계 정상화교섭)

1. 북한의 핵안전협정 체결문제에 관련하여 차기 6 월 이사회대책의 일환으로, 금 4.3(수) ENDO 일본대사 주최하에 본직, NEWLIN 미국대사, WILSON 호주대사, EDWARD LEE 카나다대사가 참석한 만찬겸 대책 논의가 있었음.

2. 일본대사는 일본과 북한간의 관계 정상화 교섭과정(1 차및 2 차회담)을 설명하는 가운데, 북한의 핵안전 협정체결이 양국간의 관계 정상화의 전제조건(PRE-CONDITION)임을 북한측에 대하여 분명히 하였다고 말하였음.

3. 본직은 표제건에 대한 외교적 제대책 가운데 북한에 대하여 지례수단(LEVERAGE)을 갖고있는 일본정부의 입장이 가장 중요하다고 전제하고, 상기 2 항에언급된 '전제조건' 여부를 위요하고 언론 보도상 최근 논난이 있었음을 상기 시키면서, 이부분에 대하여 일본정부의 정확한 입장을 다시 말해 줄것을 요청하였던바, 아래와같이 일본정부의 입장을 부언하였음.(이하 일본측이 북한에 대하여말하였다고하는 ENDO 일본대사의 언급 내용): 양국간의 국교교섭 자체에는 선행조건이 없지만, 북한이 IAEA 핵안전협정을 체결하지 않는다면 일본은 북한과 국교를 수립할수없다. 이에 북한은 핵안전협정 체결이 선행조건이냐고 질문을 제기하였으며, 일본은 선행조건 이라고 답하였다.

4. 차기 6 월 이사회 대책에 관련하여 금일 오찬에서는 미국이 걸프전쟁을 마무리 짓기위해 4.1 일자로 제출한 유엔 안보리 문서(S/22430) 제 11-13 항에 관한 의견 교환이 있었음.

5. 차기 6 월 이사회에서 종전대로 북한에 대하여 핵안전협정의 체결을 단순히 촉구하는 발언으로 그칠것인가 또는 본직의 2.26 이사회 발언에 언급된 조치(ACTION)를 포함하여 대북한 압력을 어떻게 강화 할것인가에 관하여 금일 오찬참석자들은 추후 협의를 계속 갖기로하였음.

국기국	장관	차관	1차보	2차보	아주국	미주국	청와대	안기부

0037

PAGE 1 91.04.04 08:19

외신 2과 통제관 FE

6. 표제건에 관련하여 IAEA 이사회가 결의안을 채택하는 문제를 포함하여, 단계적으로 유엔 안보리가 조치를 강구하는 방안에 이르기까지(특히 상기 4 항 참조) 포괄적인 대책과 대우방 협의를 검토해 볼것을 건의함. 끝.

예 고:91.12.31 일반.

검 토 필(1991. 6. 30.)

일반문서로 재분류 (1991. 12. 31.)

관리 번호	91-226

원 본

외 무 부

종 별 :

번 호 : UNW-0789 일 시 : 91 0404 1400

수 신 : 장관 (국기,국연,미안,기정)

발 신 : 주 유엔 대사

제 목 : 북한의 핵안전협정 문제

연: UNW-0538

연호 표제건 안보리문서가 91.3.22. 자 IAEA 이사회문서 (GOV/INF/606) 로 배포되었음. 끝

(대사 노창희-국장)

예고:91.12.31. 일반

일반문서로 재분류(1991.12.31.)

검토필(1991.6.30.)

국기국 미주국 국기국 안기부

PAGE 1

91.04.05 05:45

외신 2과 통제관 CF

0039

관리 번호	91-220

외 무 부

종 별 : 지 급

번 호 : UKW-0812 일 시 : 91 0405 1740

수 신 : 장관(국연,아이,구일,국기,미안)

발 신 : 주 영 대사

제 목 : 허드 외상 방중

연: UKW-0762

당관 조참사관은 4.5.(금) HUGH DAVIES 극동과장을 면담한 바, 4.4(목) 북경에서 있었던 HURD 외상과 QIAN QICHEN 중국 외상간의 회담에서 거론된 아국관련 사항에 관하여 동 과장은 아래와 같이 말함.(허드 외상은 4.5. 이붕, 강택민,만리 3 인을 면담하고, 4.6-7 간 산동지방을 여행한후 광동지방을 거쳐 4.8 홍콩도착 예정임)

1. 허드외상은 먼저 북한이 아직 남북한의 유인가입에 응하지 않는 상황이며, 한국으로서는 단독가입 신청 방안을 신중히 검토하고 있는 것으로 보인다고 지적하고, 영국으로서는 남. 북한의 동시가입을 지지하고 있으며, 한국이 단독으로 가입을 신청한 경우에도 이를 지지할 것임을 밝히는 동시에 북한이 한국이 가입한후 별도로 가입을 신청할 경우에도 이를 지지 할 것이라고 말했음

2. 이상에 대해 QIAN 외상은 중국으로서는 남북한이 상호 협의로 동건을 해결하고 유엔에서 다른 나라에게 문제를 유발하거나 트럼프 카드를 내보이는 일이없기를(AVOID CREATING PROBLEMS FOR SOME COUNTRIES AT THE UN AND SHOWING OF TRUMP CARDS) 기대한다고 말하면서, 북한의 단일 의석안을 실재적인 방안으로보지 않는다는 입장을 밝힘

3.QIAN 외상은 이어 중국이 공식적으로 상기 입장을 북한측에 전했으며, 북한으로 하여금 한국과의 대화를 계속해 나가도록 촉구했다고 밝히는 한편, 한국이 단독으로 가입을 신청할 경우에 어떻게 대응할 것인지에 관해서는 아직 북한측과 의논한 일이 없다고 말함

4. 허드 외상은 이와는 별도로 군비확산 문제에 관한 일반적 협의에서, 북한의 핵 안전조치 협정체결 문제에 언급하고, 중국이 북한에 대해 신중하게 영향력을 행사하여 조속 안전조치 협정을 체결토록 촉구 할 것을 요청했음

국기국 장관 차관 1차보 2차보 아주국 미주국 구주국 국기국
청와대 안기부

PAGE 1 91.04.06 04:39

외신 2과 통제관 CA

0040

5. 이에대해 QIAN 외상은 중국측의 영향력은 제한적이라고 강조하면서, 자신이 직접 북한측에 이 문제를 제기하고 미국과 소련의 관련 정보를 원용하면서 모든 나라가 북한의 핵무기 제조 가능성에 관해 의심하고 있다고 말한 바, 북한측은 핵무기 제조를 부인했다고 말함

6.QIAN 외상은 이어 중국으로서는 이에관한 현황을 정확히 알고있지 않다고말하면서, 다만 소련으로 부터 북한이 소련의 원조하에 1 기의 원자로(REAC OR)를 개발한 것으로 듣고 있으나, 소련은 또 다른 1 기의 원자로를 최근 북한내에서 발견했다고 말하고 있으므로 상황이 확실치 않다고 강조

7.QIAN 외상은 또한 자신이 북한으로 하여금 핵 안전조치를 준수토록 촉구하면 북한은 한국내에 핵무기가 존재하지 않는다는 미국의 공약이 선결 조건이라고 반응하였고, 자신은 이것이 안전조치 문제와 별개 사항임을 지적했다고 밝힘

8.QIAN 외상은 끝으로 중국이 아직도 북한을 설득시키기 위해 노력중이라고말함. 끝

(대사 이홍구-장관)

예고: 91.12.31. 일반

일반문서로 재분류(19 91. 12. 31)

검토필(1991. 6. 30.)

PAGE 2

0041

일본정부, IAEA 에 핵사찰 강제 실시안을 제출예정

91.4.5. 니케이 (日經)

1. 제안배경

o 4.5. 일본 외무성 전문가로 구성된 「IAEA 사찰제도 강화에 관한 연구회」(팀장 : 이마이 다카요시 전 제네바 군축담당대사) 1차회의 개최, IAEA 핵사찰 강화를 위한 일본의 독자안을 작성, 91.6월 이사회 개최 전까지 H. Blix 사무국장에게 제출할 것을 결정

(독자안 요지)

- 각국이 자발적으로 신고한 시설이외까지 사찰 범위를 확대, 핵개발 유무를 엄격히 조사할수 있도록 「특별사찰」의 탄력적 실시
- 이를 위해 1) 당사국의 동의가 없더라도 사찰을 가능케하며, 2) IAEA 이사회나 UN 안보리가 사찰 권고를 결의함

o 동 제안은 걸프전쟁이후 핵무기등 대량파괴 무기의 위협이 새롭게 인식되자, 일본정부가 걸프전이후 국제 공헌책으로 「IAEA의 핵안전 보장조치제도 강화노력」의 방침을 표명하게됨.

- 일본이 동 작업에 선수를 침으로써 일본의 국제공헌 자세를 appeal 할수 있음

2. 구체내용

o 핵 확산방지조약(NPT) 가입국은 별도로 IAEA와 핵 안전보장조치 협정을 체결후, 신고한 핵관련시설 사찰을 수락하게 되어 있으며, 통상적 사찰이 불충분하다고 인정되는 경우에는 협정상 신고한 시설이외의 것도 조사할수 있는 「특별 사찰」 제도가 규정되어 있음

- 그러나 「특별 사찰 」을 위해서는 당사국과의 협의가 필요하며, 특별사찰이 아직까지 한번도 실시 된적이 없음.

공람	국제기구과	담당	과장	국장	차관보	차관	장관
		신중원					

0042

FAX

o 이라크에 대해서 모든 핵관련 시설이 신고 되었는지의 의혹이 계속되고 있는것 아울러, 북한에 대해서도 소련으로부터 공급된 연구로에 한정되어 사찰을 수락하게 되어있어, 다른 원자로나 재처리 시설등의 사찰을 거부하고 있음.

o 이를 위해 일본 정부는 「특별사찰」의 탄력적 실시가 당면 최대의 효과적인 조치하고 판단, IAEA와 협의하에 당사국이 거부하는 경우에도 「특별 사찰」이 가능한지 여부를 국제법적 측면에서 검토하여, IAEA 이사회나 UN 안보리에서 실시권고를 결의하면 「특별사찰」을 착수할수 있는제도 확립등을 염두에 둔 독자안의 작성을 서두루고 있음.

o 또한 통상적인 사찰에 있어서도 「불시사찰」실시등으로 사찰 강화책을 검토할 방침임. 끝

0043

	분류번호	보존기간

발 신 전 보

WAV-0303 910406 1253 FN

번 호 :

종별 :

WUS -1377 WUN -0775

수 신 : 주 오지리 대사. 총영사 (유엔, 주미 대사)

발 신 : 장 관 (국기)

사본:

제 목 : 한반도 핵무기 관련 언론보도

91.4.8자 뉴스위크지는 별항 Fax 내용과 같이 남한의 핵무기를 철수하는 것이 바람직하다는 내용의 인터뷰를 하였는 바 참고바람.

별항 : Fax 1매. 끝

(국제기구조약국장 문동석)

FAX NO. WAV(FI)-4
WUS (FI)-150
WUN (FI)-28

보 안 통 제	

앙 고 재	91년 4월 6일	국기과	기안자 성 명		과 장		국 장		차 관	장 관

0044

외신과통제

관리 번호 91-322

외 무 부

종 별 :

번 호 : AVW-0404 일 시 : 91 0409 1700

수 신 : 장 관(국기,미안,구이.

발 신 : 주 오스트리아 대사

제 목 : 핵무기 문제

대:WAV-0303 및 0311

김경원 전 주미대사의 91.4.8 자 NEWSWEEK 인터뷰기사에 관련하여, 업무상 참고하고자 하니 동 기사에 대한 정부의 견해, 논평 또는 대외용 설명 지침(GUIDELINES)을 검토 회시바람. 끝.

예 고: 91.12.31 일반. 19 에 예고문에 의거 일반문서로 재분류됨

국기국 미주국 구주국

PAGE 1

91.04.10 05:37

외신 2과 통제관 CF

0045

Establishment of Nuclear Free Zone on the Korean Peninsula

For sometime, North Korea has argued that the Korean peninsula should be made a nuclear-free zone. And recently, a high-ranking official of the Soviet Union advanced a similar view in a speech he delivered in Seoul.

In theory and in terms of idealistic aspects alone, no one would object to the establishment of a nuclear-free zone on the Korean peninsula. In terms of the actual reality of world politics, however, one should never overlook the stern fact that nuclear weapons, by virtue of their awesome destructive power, do contribute to maintaining peace and stability by deterring the outbreak of armed conflict.

For this reason, many countries around the world including the Republic of Korea are under the protection of the U.S. nuclear umbrella. However, the fact that a certain country is under the protection of the U.S. nuclear umbrella does not necessarily mean that nuclear weapons are actually depolyed in that country. And Korea is no exception in this regard.

0046
90. 12. 초선대

If you look at the Korean peninsula, you will realize that some of the neighboring countries also maintain and deploy large stockpiles of nuclear weapons. Under the circumstances, to argue that a nuclear-free zone should be established exclusively on such a limited area as the Korean peninsula without considering the overall security situation in Northeast Asia and without securing an appropriate agreement and guarantee among the neigboring countries concerned would be highly unrealistic.

In addition, with the rapid development of nuclear delivery systems in the air, on the sea and on the ground, the question of whether or not to use nuclear weapons increasingly depends on the country's political will rather than on the existence of nuclear weapons deployed in that country.

In this regard, it should be noted that North Korea's attempt to link its obligation under international law to conclude a safeguards agreement with the IAEA to the removal of nuclear weapons allegedly deployed by the U.S. forces in Korea is nothing but a tactical move aimed at diverting international attention and criticism against Pyongyang's failure to carry out its obligation under international law.

0047

We strongly hope that North Korea will conclude the IAEA full scope safeguards agreement at an early date and thus remove a most serious obstacle to peace and stability in Northeast Asia.

0048

관리번호	91-302

분류번호	보존기간

발 신 전 보

번 호 : WUS-1425 910409 1114 FN 종별 :

WUN -0807 WAV -0310
WGV -0427

수 신 : 주 수신처 참조 대사. 총영사

발 신 : 장 관 (국기)

제 목 : 일.쏘 외상의 북한 핵문제 토의

지난 3.29-30 동경에서 개최된 일.쏘 외무장관 회담에서 북한의 핵사찰 수락문제에 관련하여 논의된 사항을 하기 통보함.

1. 일측은 북한의 핵안전협정 체결을 위한 소련의 영향력 행사를 요청하였음.
2. 상기 요청에 대하여 쏘련측은 북한이 핵사찰을 조속 수락하도록 계속 설득할 방침임을 표명하면서 단, 북한의 우려를 불식하기 위하여 미국이 상응한 조치를 취할 필요성이 있다고 언급하였음. 끝

(국제기구조약국장 문동석)

수신처 : 주미, 유엔, 오지리, 제네바 대사

~~일반문서로 재분류(1991.12.31.)~~

일반문서로 재분류(1991.6.30)

보안통제	

앙고재	91년 4월 9일	국기과	기안자 성명		과 장		국 장		차 관	장 관

외신과통제

0049

관리 번호	91-233

분류번호	보존기간

발 신 전 보

번 호 : WAV-0309 910409 1111 FN 종별 :

수 신 : 주 오지리 대사. 총영사

발 신 : 장 관 (국기)

제 목 : 북한의 핵안전협정 체결

대 : AVW-0386

대호 관련 IAEA 이사회 또는 총회에서 NPT 당사국의 핵안전협정 체결을 촉구하는 결의문을 채택한 사례를 파악 보고바람. 끝

(국제기구조약국장 문동석)

예고 : 1991. 6. 30. 일반

일반문서로 재분류(1991. 6. 30)

보안 통제	Sa

앙 고 재	91년 4월 8일	국기과	기안자 성명		과 장		국 장		차 관	장 관
			(서명)		(서명)		(서명)			

외신과통제

0050

원 본

관리번호	91-237

외 무 부

종 별 :

번 호 : AVW-0404 일 시 : 91 0409 1700

수 신 : 장 관(국기,미안,구이.

발 신 : 주 오스트리아 대사

제 목 : 핵무기 문제

대:WAV-0303 및 0311

김경원 전 주미대사의 91.4.8 자 NEWSWEEK 인터뷰기사에 관련하여, 업무상 참고하고자 하니 동 기사에 대한 정부의 견해, 논평 또는 대외용 설명 지침(GUIDELINES)을 검토 회시바람. 끝.

예 고:91.12.31 일반.

일반문서로 재분류(19 91.12.31.)

검 토 필(19 91. 6. 30.)

국기국 미주국 구주국

PAGE 1

91.04.10 05:37

외신 2과 통제관 CF

0051

INTERVIEW

A Nuclear-Free Korea?

Kim Kyung Won, president of the Institute of Social Sciences in Seoul, is a former South Korean ambassador to the United States. He recently served as cochairman of the Committee on U.S.-Republic of Korea Relations, a group of prominent Americans and Koreans brought together in 1989 by the East-West Center in Honolulu and the Seoul Forum for International Affairs. In a surprising vote released last February, the committee endorsed the withdrawal of U.S. nuclear weapons from South Korea. Kim recently spoke with NEWSWEEK'S *Bradley Martin about the recommendation. Excerpts:*

MARTIN: Why did your committee favor the withdrawal of nuclear weapons?

KIM: We came to the conclusion that aggression can be effectively resisted and deterred without them. We also concluded that it would be desirable if the [South] Korean government were in a position to deny that nuclear weapons are here.

How would that help South Korea?

It would take away one of the arguments [the North Koreans] use in refusing to accept International Atomic Energy Agency inspection [of suspected nuclear-weapons facilities].

But wouldn't the United States continue its policy of refusal to confirm or deny the presence of nuclear weapons?

The United States would stick to that formula. We are suggesting that one way of getting around that policy is for the South Korean government to get into the act [and deny their presence].

Would that move the North Koreans?

I can only speculate. My impression is the North Koreans are very anxious to upgrade their relations with the Americans. They've been asking for ambassadorial-level talks. My impression is they would like to get a full range of relations with the United States to counter and balance our relations with the Soviet Union. I would not be too surprised if [the withdrawal of U.S. nuclear weapons] allowed them to do something about removing the nuclear inspection issue as an obstacle to relations with the United States, without losing face.

Kim Kyung Won

A veteran diplomat says his country would be better off if Washington withdrew its nuclear weapons

Nuclear weapons can be delivered from anywhere, even from halfway around the world. Would the withdrawal of such weapons from South Korea reduce what North Korea considers a nuclear threat?

I don't think the North Koreans are deterred so much by what they see on the ground at any particular time as by the fact the United States has vast resources that can be mobilized in the event it becomes necessary.

If, as you say, the presence of U.S. nuclear weapons isn't necessary as a deterrent to the North, why do you imagine they were put here in the first place?

They were probably brought in at a time when the technology did not allow for another equally effective deterrent.

The North Koreans are believed to have started their nuclear-weapons program around 1985. What was their thinking?

I can only speculate. One condition may be that they decided by then they could no longer completely depend on the Soviet Union for their strategic and security needs. A second possibility is that they saw this as a bargaining chip with the United States. They have always tried to go for direct bargaining with the United States instead of talking to us seriously. A third possible motivation is, if they assume—not altogether implausibly—that the United States is bound to withdraw its forces from Korea farther down the road, then you begin to see that in the Korean peninsula the side that has the bomb would have a tremendous psychological advantage.

In South Korea have there been voices raised in favor of developing nuclear weapons in response to North Korea's program?

You don't want to ask that question.

Yes I do.

Not that I know of. I was out of Korea in 1985, serving as a diplomat abroad. But objectively speaking, by 1985 we had come out of the Carter-period shock [over the U.S. proposal, later retracted, to withdraw its military from South Korea] and the United States looked to be a very reliable partner.

Is there a confidence here that South Korea could quickly develop nuclear weapons if needed?

I don't think people are asking that question. [Rather,] my personal view is that the United States and Japan would not allow North Korea to get its hands on the bomb. It's taken very seriously by both Washington and Tokyo.

Why is the IAEA inspection issue such a big sticking point? If the North Koreans were to get nuclear weapons, can't we assume it would be a limited capability, and the United States would have far more devastating weapons with which to respond to any nuclear attack?

It's not a question of crude versus advanced weapons. It's the idea that a nonnuclear country should acquire nuclear weapons and get away with it, because that threatens proliferation. If the North Koreans acquired nuclear weapons, that would confront South Korea with the question of what we should do. Globally, the number of nonnuclear countries has remained remarkably stable. In the '60s and '70s people conjured up all sorts of nightmare scenarios about a lot of middle powers joining the nuclear club, but that hasn't materialized and I think it is very, very important for safety's sake that we keep it that way.

0052

관리 번호	91-327

분류번호	보존기간

발 신 전 보

번 호 : WAV-0321 910410 1636 CO 종별 :

수 신 : 주 오스트리아 대사. 총영사 (사본 : 주미, 유엔대사 -WUS-1457 WUN -0845 WGV-0440)

발 신 : 장 관 (비안)

제 목 : 핵무기 문제

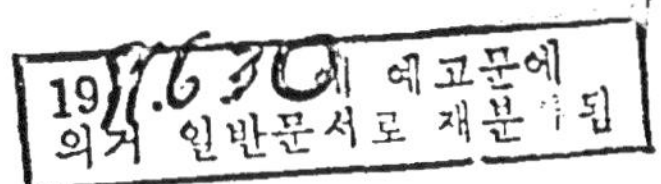

대 : AVW-0404

1. 대호 김경원 전대사의 4.8자 뉴스위크지 기자회견 관련, 본부가 김 전대사로부터 파악한 경위는 다음과 같음.

   - 김 전대사로서는 한.미관계 위원회 보고서의 핵관련 건의 부분 (3항참고) 맥락속에서 설명할 것 뿐인데, Martin 기자가 이를 확대, 인용하여 Misquote된 ~~기사회견~~ 부분이 많다함.

   - 일예로 핵철수(Withdraw)란 용어를 전혀 언급한 바 없으나, 회견 기사중 동 용어를 사용함으로써 의미가 오도 되었다함(이런 가능성을 염려, Martin 기자에게 Withdraw라는 단어를 사용하거나 그러한 뜻으로 기사를 쓰는 것은 본인의 뜻과는 다른 것이라는 점을 여러차례 사전에 강조한 바 있다함)

   - 김 전대사로서는 동 기사의 내용을 부인 또는 반박하는 기고문을 쓰거나 오보 정정을 요청하는 문제를 검토해 보겠다고 하였음.

3. 상기에 비추어, 김 전대사는 한미관계 보고서 건의사항 범위내에서 ~~가 학자적 입장에서~~ 한국 정부가 핵존재를 부인 할 수 있다면 한국정부의 입장에 정치적으로 가치있는 것이 될 것이라는 취지에서 언급 하였으나, Martin 기자의 확대 해석으로 인해 핵관련 문제가 과장되어 보도된 것으로 보임.

보안 통제	

국제기구조약국장 ;

앙고재	91년 4월 10일	안보과	기안자 성명		과 장	심의관	국 장		차 관	장 관
							전결			

외신과통제

0053

3. 「한.미관계 위원회」(한.미 양국의 학계, 재계 인사, 전직관리등으로 구성)는 91.2.11. 한반도 핵과 관련 다음과 같은 정책건의가 담긴 보고서를 공개 하였음 (2.12 국내 언론은 동 내용을 인용 보도한 바 있음)

For sound military reasons, the US maintains a policy of neither confirming nor denying that it has nuclar weapons on the peninsula. This policy should not be changed. Since deterrence of attack and defending the ROK does not depend on having nuclear weapons stored in South Korea, there would seem to be valuable political reasons for the ROK government being able to say that there were no nuclear weapons stored on its soil.

4. 한반도 핵문제 관련, 정부의 기존입장에는 전혀 변화가 없으며, 최근 국내외의 일부 진보적 견해를 가진 인사들이 주한미군 핵철수, 한반도 비핵지대화등을 간혹 거론 하는 경향이 있는바, 여사한 기사도 그러한 경향의 한 조류로서 보도된 것으로 봄.

5. 대외 논평 요청등이 있을경우, 상기 감안 적의 대처 바람. 끝.

6. 김 전대사의 기고문 기사 (및 한미관계위원회 정책건의 부분) 별첨 FAX (WAV(F)-07) 송부함.

예 고 : 1991.6.30. 일반 예고문에 의거 일반문서로 재분류됨

(미주국장 반기문)

0054

「한·미관계 위원회」 정책 건의 보고서

Findings and Recommendations

* The Mutual Defense Treaty between the two governments serves a vital role in the defense of the Republic of Korea and, for this reason, in the maintenance of peace in the broader Northeast Asian region. Moreover, the security relationship can play a stabilizing role in Northeast Asia and should be continued even if there is a substantial diminution or disappearance of the North Korean threat. Since Korea has a small population, resource, and land base relative to its neighbors and historically has been a target of aggression or the locus of political and military rivalries among more powerful nations, a continuing U.S.-ROK treaty relationship could play an important protective role until such time as a world or Northeast Asian security system is developed that would truly effectively protect the security of smaller states.

* In future planning, it is important to realize that without the Cold War, it would have been unlikely that there would have been a U.S.-ROK security relationship of the present magnitude. The adjustments in the relationship is thus not merely a matter of the U.S. budget stringencies, but must also be viewed in the context of a changing overall U.S. global strategy. In light of the new international situation, the basis of the U.S. security commitment to the Republic of Korea in terms of a threat, direct or indirect, from another large power is far less persuasive. As expressed above, a convincing justification for the relationship lies in guarding against potential instability in Northeast Asia, a major world center of industry and trade of obvious strategic interest to the United States.

* In general, we believe that the substance and direction of changes being made in the alliance relationship by the two governments is correct. In line with its growing economic power, the Republic of Korea is expected to take over more of the burden of its own security from the United States. Reductions in the U.S. security presence should be done in such a way as to ensure that the overall combined military effectiveness of the alliance is not impaired.

* There should be close coordination between the two governments as the Republic of Korea takes on increased defense responsibilities. The U.S. withdrawals planned for the 1990s should be clearly attributable to adjustments in the U.S.-ROK relationship, and not to pressures exerted by the North or weaknesses evidenced by the South. Deficiencies in the consultation process, obvious at the time of Secretary of Defense Cheney's visit to Korea in February 1990, need to be corrected. Consultation problems arise in part because of priorities attached to domestic political pressures. For this reason, consultations should include periodic full and frank discussions of the domestic political dynamics of both countries that affect the security relationship.

* We welcome the important steps that are already underway such as the relocation of facilities from central Seoul, steps to increase the prominence of Korean officers in the

0055

U.S.-led Combined Forces Command, and adjustments to redress inequities in the treatment of Americans and Koreans.

* As the Republic of Korea assumes greater responsibilities for its own security, a number of other sensitive issues need careful attention. These include the role the republic is to play in regional and multilateral security and the future of the armistice arrangements. In this respect, the United States and the Republic of Korea should conduct informal discussions relating to the modalities of multilateral cooperation or armistice agreements before posturing becomes fixed.

* We support the efforts of the Republic of Korea to engage the North Korean authorities in a genuine discussion of military issues and in reciprocal and verifiable efforts to reduce tensions and the heavy military burden on the Korean people. Such discussions should focus on a broad range of issues, but especially on matters that are most destabilizing in terms of the security of the two Korean governments. In our judgment the offensive deployment of North Korean troops should be a high priority.

* The failure of the North Korean government to permit International Atomic Energy Agency (IAEA) inspection of its nuclear facilities is a matter of the gravest security concern. The United States has appropriately made IAEA inspection one of several conditions that North Korea must meet before normalization of relations can be considered between Washington and Pyongyang. Both Korean governments have signed the Nuclear Non-Proliferation Treaty, and as required by that agreement, the Republic of Korea permits IAEA inspection of its nuclear facilities. The Democratic People's Republic of Korea should do the same.

* For sound military reasons, the United States maintains a policy of neither confirming nor denying that it has nuclear weapons on the peninsula. This policy should not be changed. Since deterrence of attack and defending the ROK does not depend on having nuclear weapons stored in South Korea, there would seem to be valuable political reasons for the ROK government being able to say that there were no nuclear weapons stored on its soil.

0056

관리 번호	91-240

	분류번호	보존기간

발 신 전 보

WUS-1450 910410 1040 FO

번 호 : 종별 :

WAV -0318

수 신 : 주 미 대사. 총영사 (사본: 주오지리 대사)

발 신 : 장 관 (국기)

제 목 : 북한의 핵안전협정 체결

관련 AVW-0386

1. 북한의 핵안전조치협정 체결문제를 심의한 IAEA 2월 이사회에서 주오지리 대사는 오는 6월 이사회에서 북한 문제에 대하여 계속 반복 토의만 할것인지 또는 조치(action)를 취할것인지 여부를 결정하여야 할것이라는 발언을 한바 있음.

2. 본부는 현 상황하에서 북한이 그들의 기존입장을 변경하여 핵안전협정을 조기에 체결할 가능성이 희박하다고 보는바, 이와관련 IAEA 6월이사회에 대비하여 주재국 정부와 다음사항을 협의하고 그 결과 보고바람.

가. 현 시점에서 북한의 협정체결 전망에 대한 주재국의 평가

나. 금번 6월 이사회까지 북한의 협정 체결이 이루어지지 않을경우 6월 이사회에서 북한을 겨냥하여 협정 체결을 실질적으로 촉구할 수 있는 조치(결의문 채택등)에 대한 주재국의 구상. 끝

일반문서로 재분류(1991. 6. 30.)

예고 : 1991.6.30. 일반

~~일반문서로 재분류 (1991 .12.~~

미주국장 7월

보안 통제	인

앙 고 재	91년 4월 9일	국기과	기안자 성명	과 장	국 장	차관보	차 관	장 관
			오영주	인	인	인	인	4/10 전결

외신과통제

0057

관리번호	91-243

	분류번호	보존기간

발 신 전 보

번 호 : WUS-1461 910410 1750 FL 종별 : 지급

수 신 : 주 미 대사. 총영사

발 신 : 장 관 (국기)

제 목 : 북한의 핵안전협정 체결

연 : WUS-1450

연호 ~~관련 주재국 정부와의~~ 미측과의 접촉은 추후 별전으로 통보할 예정인 참고 자료를 접수한후 시행바람. 끝

(국제기구조약국장 문동석)

예고 : 1991.6.30. 일반

일반문서로 재분류(1991. 6.30)

보 안 통 제	

앙 고 재	91년 4월 10일	기과	기안자 성 명		과 장		국 장	·	차 관	장 관
			오행							

외신과통제

0058

	분류번호	보존기간

발 신 전 보

번 호 : WUN-0900 910412 1436 FL 종별 :

수 신 : 주 수신처참조 대사. ~~총영사~~

발 신 : 장 관 (국기)

제 목 : 북한의 핵안전 협정체결 지연

WUS -1492 WUK -0693
WJA -1692 WFR -0754
WAU -0236 WCN -0332
WGV -0462 WAV -0334

1. 최근 관심사가 되고 있는 북한의 핵안전조치 협정체결 지연 문제와 관련한 아측 입장 설명 자료를 별항 FAX 송신하니 업무에 참고바람.

2. 동 자료는 본부 발간 홍보물인 "외교문제 해설"로 제작하여 국내 주요기관에도 배포할 예정임.

별항 : FAX 5매. 끝

수신처 : 주유엔, 미국, 영국, 일본, 불란서, 호주, 카나다, 제네바, 오지리대사.

WUN(F)-35

(장 관)

보안통제	

앙고재	91년 4월 12일	국제기구과	기안자 성명		과장		국장		차관	장관
			신동익							

외신과통제

0059

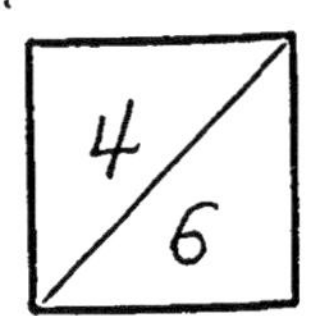

報告畢

長官報告事項

예고문에 의거 재분류(1991.6.30.)
직위 성명

1991. 4. 16.
國際機構條約局
國際機構課(26)

題目 : 미국 및 호주, IPU 평양 총회시 NPT 관계 결의안 제출 예정

미국 및 호주는 4.29-5.4간 평양에서 개최되는 제85차 IPU 평양총회 기간중 북한의 핵 비확산조약(NPT) 의무 이행 촉구를 겨냥하는 결의안 제출을 추진할 예정이라 함을 보고드립니다.

1. 미국 추진 동향

o 3.18 주한 미대사관, 자국 IPU 대표단의 하기 요지 결의안 추진 도모 사실을 알리는 미국무부의 non-paper를 당부에 전달

- 1995년 이후에도 핵 비확산 조약의 효력이 조건없이 연장 되어야함.
- NPT 가입국은 조약상 의무를 신속하고 정당하게 이행하여야함.

o 미측, 상기 non-paper에서 아국등 우방국도 상기 결의안 추진에 협조할 것을 희망

2. 호주 추진 동향

o 4.12. 제네바 IPU 사무국 및 우방국 주재 호주대사관에 결의안 통보

- 아국, 주호주 아국 대사관 및 주한 호주대사관을 통하여 동 결의안 접수

o 결의안 요지

- NPT 가입국의 조약상 규정의 무조건적인 이행 촉구
- 화학무기 금지 협약의 조기 가입 및 기타 대량파괴 무기확산 방지를 위한 다자간 협약 가입촉구

0060

o 미국, 호주, 카나다는 상기 내용의 결의안을 제출키로 캔버라에서 합의하고 평양총회시 자국 IPU 대표들이 결의안 초안작성 위원회 위원이 되어 실무작업에 참여토록 할 계획이라 함(4.16. Mullin 주한 호주대사관 참사관 전언)

3. 관찰

o 상기 결의안이 북한의 핵 안전조치 협정체결을 직접적으로 거론하지 않더라도 NPT 가입국 의무의 무조건적인 이행을 촉구하는 내용인만큼, 결의안 채택 여부를 놓고 주최국인 북한의 반발에 따른 논란이 예상됨. 끝

0061

4/17 7L
4층 7층
7|0

관리 번호	91-272

외 무 부

종 별 : 지 급

번 호 : USW-1806 일 시 : 91 0416 1829

수 신 : 장관(미안,미북,동구일,국기,정이,해신)

발 신 : 주 미 대사

제 목 : 북한 핵문제

대:AM-0083

연:USW-1775

1. 대호 국방부 장관 발언 관련, 그간 당관과 미측과의 접촉시 , 미측은 아측이 신속한 조치를 통해 불필요한 보도를 효과적으로 방지한 것으로 평가한다는반응을 보인바 있음.

2.4.13-15. 간 당지 언론들은 동장관 발언 을 보도치 않고 있었으나, 소련측의 동건 관련 입장 표명에 따라, 4.16. 동문제에 대해 대부분 주요일간지가 이를 보도하게된것으로 보임.(금일 기송부 아국관계 기사 USW(F)-1349 참조)

3. 금일 오전 미 국무부측은 여사한 보도가 나옴에 따라 미측 입장을 분명히 밝히기 위해 별전 보도 지침을 준비하였음. 동보도지침은 정오 브리핑에 사용되지는 않았으나, 추후 기자들 질문에 대한 답변시 사용되었음.(동 보도지침은 USW(F)-1356 로 송부)

4. 한편, 당관 김영목 서기관과 한국과 NORMAN HASTINGS 북한 담당관의 금일 오전 본건 관련 협의시, 동 담당관은 WASHINGTON TIMES 지가 소련측이 북한이IAEA 의 안전 사찰을 받아들이지 않을 경우, 북한과의 관계를 단절할수도 있다는 발언을 한것으로 보도한 것과 관련 , 특별한 관심을 표시하고, 소련측 발언의정확한 표현을 아측이 알고 있는지 문의하였는바, 소련측의 관련 발언전문을 당관에 참고로 알려 주기 바람.(보도지침의 2 번 항은 여사한 보도에 대한 답변형식으로 작성됨.)

(대사 현홍주-국장)

예고:91.12.31 일반

일반문서로 재분류(1991.12.31.)

검 토 필(1991. 6. 30.)

미주국 장관 차관 1차보 2차보 미주국 구주국 국기국 정문국
청와대 안기부 공보처

PAGE 1

91.04.17 08:13

외신 2과 통제관 BW

0062

USW(F)- 수신 : 장관 (미안, 아북, 중구일, 감이, 기정, 해신)
1356 발신 : 주미대사 제목 : 북한의 핵 위협

사본 : 주 소련대사 (대리

총 4매

EAP PRESS GUIDANCE
April 16, 1991

NORTH KOREA: NUCLEAR THREAT

Q: 1) What is the USG's reaction to the South Korean assertion that it might have to mount a commando raid against a nuclear installation near Pyongyang?

A: -- REPRESENTATIVES OF THE KOREAN GOVERNMENT HAVE ANNOUNCED PUBLICLY, AND HAVE ASSURED THE USG, THAT ROKG MINISTER OF DEFENSE LEE WAS MISQUOTED, AND THAT HE DID NOT THREATEN A SOUTH KOREAN ATTACK ON NORTH KOREAN NUCLEAR FACILITIES. WE FULLY ACCEPT THAT EXPLANATION.

NONETHELESS, THE CONTROVERSY CREATED BY THE MISQUOTATION OF MINISTER LEE'S REMARKS DEMONSTRATES THAT NORTH KOREA'S UNSAFEGUARDED NUCLEAR PROGRAM HAS ALREADY RAISED WIDESPREAD CONCERN, AND HIGHLIGHTS THE NEED FOR NORTH KOREA TO ACCEPT IAEA FULL SCOPE SAFEGUARDS IN ORDER TO ELIMINATE A SOURCE OF TENSION AND MISTRUST IN THE REGION.

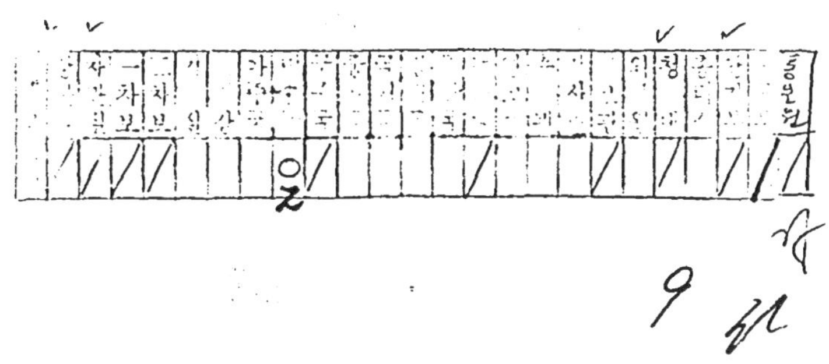

1356-1

0063

2) Q: What is your comment on the Soviet warnings to the North Koreans which threaten to cut off nuclear supplies and cooperation and even break relations unless Pyongyang agrees to the implementation of IAEA safeguards?

A: -- THE SOVIET UNION, TOGETHER WITH THE U.S. AND GREAT BRITAIN, IS A DEPOSITARY STATE OF THE NUCLEAR NONPROLIFERATION TREATY (NPT), AND IT HAS WORKED WITH US TO COUNTER THE THREAT OF NUCLEAR PROLIFERATION. IN THE PAST, WE HAVE ASKED THE SOVIETS TO USE THEIR INFLUENCE TO HELP PERSUADE NORTH KOREA TO ACCEPT IAEA SAFEGUARDS ON ALL ITS NUCLEAR ACTIVITIES, AS REQUIRED BY THE NPT. THE SOVIETS HAVE DONE SO ON SEVERAL OCCASIONS, BY MEANS OF DIPLOMATIC REQUEST AS WELL AS BY REDUCING PRACTICAL COOPERATION WITH NORTH KOREA. WE HAVE NOT SEEN THE SOVIET ANNOUNCEMENT BUT WELCOME THEIR CONTINUED STRONG AND CONSISTENT SUPPORT OF THE NONPROLIFERATION GOALS OF THE NPT.

3) Q: Has the USG given similar warnings to the DPRK?

A: -- WE HAVE TOLD THE NORTH KOREANS BOTH IN PUBLIC AND IN DIPLOMATIC CHANNELS THAT THEY SHOULD FULFILL THEIR OBLIGATIONS UNDER THE NPT. THE NORTH KOREANS ARE WELL AWARE OF OUR VIEWS.

1356-2

04/16/91 16:54 ☎202 797 0595 EMBASSY OF KOREA --- WOI 002/004

0064

4) Q: What is our position about the North Korean nuclear threat?

A: -- ALTHOUGH THE DEMOCRATIC PEOPLE'S REPUBLIC OF KOREA (DPRK) BECAME A PARTY TO THE NUCLEAR NON-PROLIFERATION TREATY (NPT) IN 1986, IT HAS NOT YET CONCLUDED WITH THE INTERNATIONAL ATOMIC ENERGY AGENCY (IAEA) THE REQUISITE SAFEGUARDS AGREEMENT WHICH WOULD PROVIDE FOR THE APPLICATION OF SAFEGUARDS TO ALL NUCLEAR ACTIVITIES. THE TERMS OF THE NPT REQUIRE SIGNATORIES TO CONCLUDE A SAFEGUARDS AGREEMENT WITHIN 18 MONTHS OF ACCESSION.

AVAILABLE INFORMATION INDICATES THAT NORTH KOREA HAS BEEN OPERATING AN UNSAFEGUARDED REACTOR AT ITS YONGBYON NUCLEAR RESEARCH CENTER SINCE 1987 AND THAT SUBSTANTIAL NEW CONSTRUCTION IS UNDERWAY AT THE YONGBYON CENTER. IT IS IMPORTANT THAT THIS REACTOR AND ITS SUPPORT FACILITIES -- AS WELL AS ANY OTHER NUCLEAR ACTIVITIES IN THE DPRK -- BE BROUGHT UNDER THE COVERAGE OF IAEA SAFEGUARDS AT THE EARLIEST POSSIBLE DATE. WE REGARD NORTH KOREA'S UNSAFEGUARDED NUCLEAR ACTIVITIES AS A POTENTIAL PROLIFERATION PROBLEM AND AS ONE OF THE MOST IMPORTANT SECURITY ISSUES IN EAST ASIA.

1356-3

5) Q: Does the USG agree with the assessment that North Korea's plutonium output could be enough by the mid-1990's to produce nuclear devices?

A: -- THE USG IS OBVIOUSLY CONCERNED ABOUT THE POTENTIAL FOR THE UNSAFEGUARDED PRODUCTION AND SEPARATION OF PLUTONIUM IN THE DPRK. BEYOND THIS, I AM NOT IN A POSITION TO COMMENT ON SPECIFICS OF ASSESSMENTS WHICH ARE, BY NATURE, CLASSIFIED.

— End —

0066

1356-4

번 호 : USW(F)- 1349

수 신 : 장(미북, 정의, 미안, 동구일, 아시)

제 목 : 한국 모랄로 기사 (북한 핵 문제) 전달, 해외

THE NEW YORK TIMES,

TUESDAY, APRIL 16, 1991

Furor in Seoul Over North's Atom Plant

By DAVID E. SANGER

Special to The New York Times

TOKYO, April 15 — South Korea's Defense Minister said last week that his country might be forced to mount a commando raid against a nuclear installation near Pyongyang that experts believe could produce crude atomic weapons within five years. In response, North Korea accused the South today of issuing "virtually a declaration of war."

The South Korean Defense Minister, Lee Jong Koo, made his comments about the installation on Friday at a meeting with Korean editors, but retracted them that evening after they were reported by the South Korean press. It was the first time that any South Korean official had publicly suggested that a pre-emptive strike might be the best way to prevent North Korea from making nuclear weapons.

North Korea's leader, Kim Il Sung, who turned 78 years old today, has repeatedly denied that the nuclear installation is designed to produce weapons. But he has said he will not let inspectors from the International Atomic Energy Agency visit the plant until the United States removes all nuclear weapons from the South. The United States maintains more than 43,000 troops in South Korea, and they are widely believed to be equipped with nuclear weapons.

Concern in Asia

The nuclear plant at Yongbyon, 60 miles from the North Korean capital and about 100 miles from the demilitarized zone, has become the focus of increasing concern throughout Asia, particularly in Seoul and Tokyo. Japan has said that it will not provide badly needed economic aid to the North until it accedes to international inspection of its nuclear sites. Satellite photographs of Yongbyon show two nuclear reactors on the site, including one still under construction, and a nearby plant that appears designed to separate plutonium from spent uranium fuel.

Japanese and American experts say the plutonium output of the plant should be big enough by the mid-1990's to to produce a half-dozen simple nuclear devices a year. North Korea already has advanced Scud missiles in its arsenal, and officials in Seoul fear they could be fitted with nuclear warheads.

Roh Tae Woo, South Korea's President, is expected to raise the issue of the North's weapons potential on Friday, when he meets with President Mikhail S. Gorbachev for the first visit of a Soviet leader to South Korea. Mr. Gorbachev is scheduled to stop on Cheju, a resort island off the southern tip of South Korea, after a three-day visit to Japan that begins Tuesday.

In Tokyo today, Vladlen A. Martynov, a senior official of the Soviet Academy of Sciences, told reporters that the "Soviet Union has warned North Korea that if it does not let in the international inspectors, the Soviet Union will stop all kinds of supplies regarding this facility." It is unclear how much that would hurt the North Koreans, since they already have the basic technology for the plant, and the North mines its own natural uranium.

Until Friday, South Korea officials have publicly discussed only diplomatic efforts to halt weapons development in the North, and have always described their own military forces in defensive terms. As a result, the Government has spent the past few days been backing away from Mr. Lee's comments.

During the meeting with the Korea Newspaper Editors Association, Mr. Lee said that by the end of 1995 the North would be making nuclear weapons. It was then, some participants said, that he discussed the possibility of an "Entebbe-style" raid. This was a reference to the July, 1976, Israeli raid in Uganda to free passengers on a hijacked airliner.

Immediately after Mr. Lee made the comments to a meeting of the Korea Newspaper Editors Association, the Government ordered Yonhap, the news agency that it partially controls, to withdraw its dispatch reporting the comments. The agency complied, but the Government never denied the accuracy of the reports.

Today, a Government spokesman in Seoul said that Mr. Lee had "cancelled his comments" because they "might be misunderstood and did not faithfully reflect his intentions."

0067

관리 번호	91 -273

외 무 부

종 별 :

번 호 : USW-1810 일 시 : 91 0416 1954

수 신 : 장관(미안,미북,동구일, 아일,정이,국기,기정)

발 신 : 주 미 대사

제 목 : 소-북한 핵 협력

4/17 일 가 / 동 자료를 다시 수집 후 (서명)

연:USW-1806

1. 작일 마르티노프 IMEMO 소장 및 이그나텐코 소련 대통령 대변인의 대북한 핵협력 중단 경고 발언 보도와 관련 금 4.16. 당관 임 성남 2 등서기관이 국무부 KENNEDY 핵 비확산 담당 대사실의 GARY SAMORE 보좌관을 접촉, 핵 비확산 문제를 전문적으로 담당하는 미측 실무선의 평가를 탐문한바, 동인 언급 요지 하기 보고함.

가. 그간 수차에 걸쳐 미측이 소련측으로 부터 확인한바에 따르면, 소련측이 핵연료를 공급해오고 있는 북한측 원자로는 영변에 소재한 5-10 메가와트 규모의 실험용 원자로 1 기에 불과한바, 동 실험용 원자로는 이미 IAEA 의 정기적 사찰을 받고 있고 핵무기 생산에 필요한 양의 플로토늄을 생산할만한 규모가 아니므로 설사 소련측이 북한에 대해 핵 연료 공급을 중단한다 할지라도 기술적인 관점에서 볼때 실질적으로는 별 의미가 없읍것으로 봄.

나. 다만, 정치적인 관점에서 볼때, 소련측이 지극히 노골적으로 (EXTREMELY BLATANTLY) 북한을 공개 비난한 셈인바, 북한으로서도 상당한 압력을 느낄 것으로 보임.

다. 전기 소련측 발언 전문 및 발언 배경이 파악되어야, 소련측의 진의가 파악가능할것으로 생각되기는 하나, 소련측의 여사한 대북한 압력이 진지한 것이라면, 다음단계로서 중국측도 유사한 조치를 취할 경우 도움이 될것임.

2. 이와 관련, 소-북한간 핵 협력 현황에 대한 SAMORE 보좌관의 설명 요지는 다음과 갈음.

가. 전기 "가" 항의 실험용 원자로는 60 년대 전후 소련이 건설한 것으로서, 미측으로서는 동 원자로가 소련의 핵 연료공급을 받고 있는 유일한 원자로라는 소련측의 주장을 전적으로 신뢰함.

미주국	장관	차관	1차보	2차보	아주국	미주국	구주국	국기국
정문국	청와대	안기부						

PAGE 1 91.04.17 10:11

외신 2과 통제관 BW

0068

나. 또한 1985 년경 소련측의 발전용 원자로(POWER REACTOR) 건설을 북한측에 제의한바 있으며, 당시 소련측이 NPT 서명을 조건으로 내세움에 따라 북한측이 85 년 NPT 체제에 가입한것으로 미측은 추측하고 있음.

(그러나 추후 소련측이 IAEA 안전협정 서명도 추가 조건으로 내세움에 따라결국 동 발전용 원자로 건설 프로젝트는 무산됨)

다. 참고로, 원자로의 규모가 30-50 메가와트는 되어야 핵 폭탄 제조에 충분한 플로토늄을 생산할수 있는바, 현재 문제가 되고있는 87 년도 건설 원자로는규모가 30 메가와트 인것으로 추정되고 있으며, 또한 현재 건설중인 원자로는 규모가 더 큰것으로 알려지고 있음.

3. 또한 , 금번 소련측 발언관련, SAMORE 보좌관은 주소 미국대사관에 대해소련측의 진의를 파악토록 훈령 예정이라 하면서, 아측도 한소간의 외교 채널을 통해 소련측의 의도를 파악한후 , 한미 양국간의 견해를 비교해(COMPARE THE NOTES)볼것을 제의하였는바, 임 서기관은 추후 재 접촉하자고 답변해 두었음.

4. 한편, 금일 면담 말미, SAMORE 보좌관은 사견임을 전제하고, 추후 소련,중국이 동의하기만 한다면, 북한의 핵 문제를 유엔 안보리 논의에 회부하는것도 다음단계 조치로서 검토할수 있을것이라는 견해를 표하였는바, 여사한 생각은북한의 IAEA 안전협정 서명 유도를 위해서는 금번 걸프사태시와 같이 각종 경제 제재 조치를 취할수 있는 법적 권능도 보유하고 있는 안보리의 개입을 통해 보다 더 심각한 압력을 북한에 가하는것도 바람직하다는 것을 암시한것으로 보임.

(대사 현형주- 국장)

91.12.31. 일반

일반문서로 재분류(1991.12.31.)

검 토 필(1991.6.30.)

PAGE 2

0069

분류번호	보존기간

발 신 전 보

번 호 : WUS-1594 910418 1907 FO 종별 :

수 신 : 주 수신처참조 대사. 총영사

발 신 : 장 관 (국기)

제 목 : 일정부의 IAEA 핵사찰 강화 방안

WUN -0990 WGV -0508
WAV -0351 WSV -1185
WCP -0402 WCN -0351
WAU -0257 WUK -0730

일본 아사히 신문(91.4.18자)이 보도한 표제관련 내용을 아래 통보하니 참고바람.

1. 일본 과학기술청은 4.17. 원자력 전문가로 구성된 보장장치(핵사찰) 문제 검토회를 개최하고 IAEA 의 핵사찰 강화안을 마련함. 동안은 이라크와 같이 핵 무기 개발 의혹이 있는 국가에는 유엔 안보리의 압력을 배경으로 당사국의 동의를 얻어 '특별사찰'을 실시한다는 것으로서 외무성에서 검토중인 안과 종합, 오는 6월 IAEA 이사회에 일본정부안으로 제출할 방침임.

2. 걸프전에서 다국적군은 이라크가 IAEA에 신고치 않은 원자력 시설을 폭파 했다고 발표했으나, 이라크가 IAEA에의 보고를 거부하고 있으므로 진상은 명확하지 않음. IAEA의 일반 사찰 대상은 가맹국이 신고한 시설에 한하며, 일반 사찰로서는 의혹이 풀리지 않는 경우에 실시하는 특별사찰도 '당사국과의 협의후' 가능한 것임. 이라크나 북한 등지에 미신고한 핵 시설이 있어도 사찰 동의가 거부될 경우에는 사찰이 불가능한 것이 현실임.

/계 속/

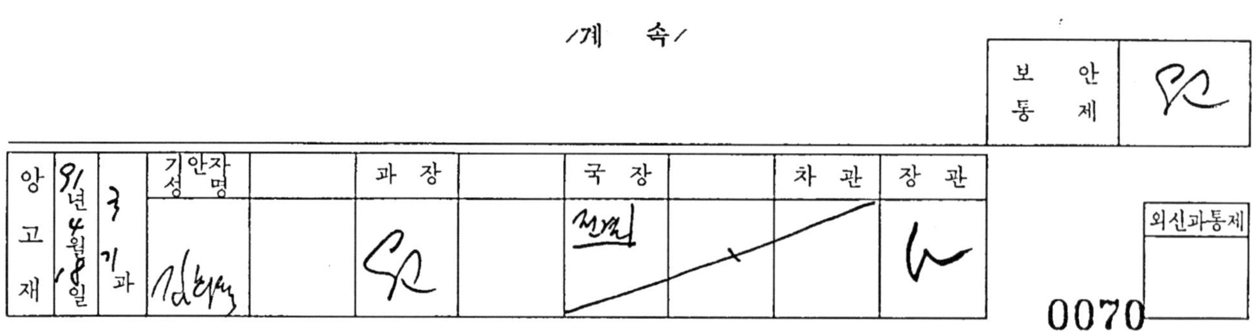

보안통제	

앙고재	91년 4월 18일	기과	기안자 성명	과 장	국 장	차 관	장 관

외신과통제

0070

3. 과기청은 미신고 시설에서 의혹이 발견될 경우의 현실적 대응을 검토한바, 안보리가 특별사찰이 필요하다고 판단, 결의하게 될 경우 안보리 결의의 압력을 배경으로 IAEA는 당사국의 합의를 얻어 핵사찰을 실시하며, 그래도 합의를 얻을수 없을 경우에는 다시 국제적 정치압력, 경제제재등을 동원하여 사찰을 수락케하는 노력을 한다는 것임.

4. 미신고 시설의 유무 확인은 핵 병기 개발의 의도, 관련 기술, 부품의 입수 상황등 고도의 정보 수집 능력을 필요로할 뿐 아니라 특정국가에 혐의를 두고 하는 것이므로 안보리의 압력이 없으면 불가능하다는 판단임.

5. 당사국의 동의가 없어도 핵 사찰을 가능토록하는 초안이 일본 정부내에서 나온바 있으나, 과기청은 동 초안이 국가 주권의 침해일 뿐아니라 비 현실적이라고 봄.

6. 일본은 IAEA 6월 이사회에 대비하여 일본 원자력 위원회가 중심이 되어 과기청의 안을 기본으로 한 일본 정부의 단일안을 마련할 예정임. 끝

(국제기구조약국장 문동석)

수신처: 주미, 유엔, 제네바, 오지리, 대사
소련, 북경, 카나다, 호주, 영국

0071

4/19 길
263 확인
(판문시 국내 타전)

관리 번호	91-293

외 무 부

종 별 : 지 급

번 호 : USW-1868 일 시 : 91 0418 1951

수 신 : 장관(미안,미북,동구일,정이,기정) 사본: 주 대사 대사

발 신 : 주 미 대사

제 목 : 북한 핵문제

연:USW-1806,1810

1. 연호관련, 미 국무부측은 소련측이 W.P 지의 보도와같이 발언한 사실이 있는지 여부에 관심을 갖고 실무선에서 소측에 확인을 요청하였던바, 금일 소련 외무부측은 북한의 안전협정 서명 및 북한과의 핵 기술협력에 관한 외무부 공식 입장을 발표했다고 함.(금일 CANDY GREEN 소련과 담당관이 당관 김영목 서기관에알려왔음)

2. 동 담당관에 따르면, 소련 외무부는 북한이 모든 핵 관련 활동을 조속히IAEA 감시하에 두도록 안전협정에 서명하여야하며, 소련으로서는 동문제를 핵 에너지의 평화적 이용을 위한 소.북한간 협력과 연계시킨다는 입장을 발표했다고함.(기 가동중인 실험용 원자로는 이미 IAEA 의 사찰을 받고 있으므로 이에 대한 원료 공급등 협조는 동 연계대상에서 제외하며, 소련은 PLUTONIUM 을 북한을 포함 어느국가에도 공급치 않고 있다고 확인함.) 확인

3. 이와관련 GREEN 담당관은 소련이 북한의 핵사찰 거부 문제를 여타 협력 또는 전반적인 관계와 연계시킬 것인지 여부를 주미소련 대사관측에 확인 요청하였던바, 소련 대사관측은 핵 에너지의 평화적 이용 분야(핵물질 및 기술 공급)와의 직접 연계외에 여타 분야의 관계와 연계하는것은 아니라고 설명했다고함.

4. 본건관련 본부가 파악하고 있는 사항 있으면, 당관에 참고로 통보 바람.(대사 현홍주-국장)

예고:91.12.31 일반

(91.12.31.)

검 토 필(1991. 6. 30.)

미주국	장관	차관	1차보	2차보	미주국	구주국	국기국	정문국
청와대	안기부							

PAGE 1

91.04.19 10:01

외신 2과 통제관 BW

0072

공 란

공 란

공 란

외 무 부

종 별 :

번 호 : UNW-0972 　　일 시 : 91 0418 2130

수 신 : 장관(미안,국연,해신,기정)

발 신 : 주 유엔 대사

제 목 : 북한 핵관련 발언

대:AM-83

1. 당지 북한대표부는 표제건관련, 아측을 비난하는 아래요지의 4.17 자 북한외교부 대변인 성명을 별첨과같이 프레스릴리스로 배포하였음.

가. 북한은 북한이 핵사찰을 수락하지 않는경우 특공대를 투입하여 북한의 원자로 시설을 파괴하겠다는 국방장관의 발언을 그냥 지나칠수 없음.

나. 국방장관의 발언은 핵사찰을 내세워 사전에 준비된 계획에따라 북한을 무력으로 공격하겠다는 의도를 공개적으로 선언한것임.

다. 핵사찰은 안전협정 서명후의 문제로서 북한은 북한에 대한 미국의 핵위협때문에 이를 서명하지 않고있으며 이는 북한과 미국간의 문제임.

2. 본건 , 당지에서는 북한의 핵 안전협정 체결문제에 대한 최근 소련의 공식입장 표명과 함께 국방장관의 발언이 NYT 지 등에 보도된바 있으나 유엔에서는지금까지 몇몇 서방국대사가 본직과의 면담시 본건이 혹 아국의 유엔가입 추진노력에 지장을 초래할 가능성을 염려하는 뜻에서 관심을 나타낸 이외에는 특별한반응이 없었음.

3. 상기 북한측의 PRESS RELEASE 에 대한 아측의 대응에 있어서는 북한측이본건을 계속 문제화 하고자 기도할 가능성이 있으므로 아측으로서도 당관의 PRESS RELEASE 배포등을 통해 이에대해 직접 대응하는 방안도 고려할수 있겠으나 이렇게 되는경우 북한측의 또 다른 대응을 불러 일으킴으로써 유엔에서의 남. 북한 대결인상을 주게됨으로서 아국의 유엔가입 추진에 좋지 않은 영향을 초래하게된다는 점도 있음으로 금번 북한측 PRESS RELEASE 에 대해 현단계에서는 일단 직접적으로 대응하지 않는것이 좋을것으로 사료되는바, 본부의 별도 방침있으면 회시바람.

첨부:북한 PRESS RELEASE 1 매:UNW(F)-175.

끝

일반문서로 재분류(1991. 12. 31.)

미주국	장관	차관	1차보	2차보	국기국	청와대	안기부	국방부
공보처								

PAGE 1 　　91.04.19 10:55

외신 2과 통제관 CE

0076

(대사 노창희-차관)

예고:91.12.31.일반

검토필(1991. 6. 30.)

PAGE 2

0077

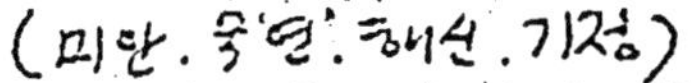
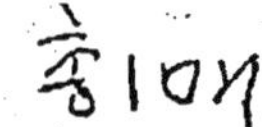

Democratic People's Republic of Korea

PERMANENT OBSERVER MISSION

TO THE UNITED NATIONS

225 E. 86th St., 14th Floor, New York, N. Y. 10028 – Tel. (212) 722-3536

Press Release

No.13
April 18, 1991

STATEMENT OF THE DPRK FOREIGN MINISTRY SPOKESMAN

A spokesman for the Foreign Ministry of the Democratic People's Republic of Korea in a statement issued on April 17 said that we can never be indifferent to utterances of the south Korean "Defence Minister" Li Jong Gu on April 12 that "if the north do not accept an international nuclear inspection, its nuclear facilities would be surprised," threatening to "throw commando units to destroy the atomic reactor facilities of the north."

The statement went on: It is not accidental that the "Defence Minister" of south Korea openly declared the intention to make an adventurous military attack against us under the pretext of nuclear inspection.

As to nuclear inspection, it is raised only after Nuclear Nonproliferation Treaty nations sign the Nuclear Safeguards Accord.

We have not yet signed the Nuclear Safeguards Accord just because the United States is threatening our sovereignty and security with nuclear weapons and has obstructed the signing of the accord together with the south Korean authorities.

Therefore, what remains to be done is to create actual environment and condition for the signing of the Nuclear Safeguards Accord and this is a task to be carried out only between us and the United States. We still hope that a negotiation with the United States will be arranged for a fair solution to the Nuclear Safeguards Accord problem.

The south Korean authorities are now trying to find an excuse for what the "Defence Minister" said, claiming that he made a slip of the tongue. However, this is nothing but the old game they have played to mislead public opinion at home and abroad. It clearly shows that they are, in actuality, getting nearer to the provocation of another war in Korea step by step, while carrying their plans already worked out into practice one by one.

If the south Korean authorities unleash a war with the backing of the United States, they will leave in the history of the nation a crime indelible down through generations, which will endanger even the existence of the nation.

1-1

0078

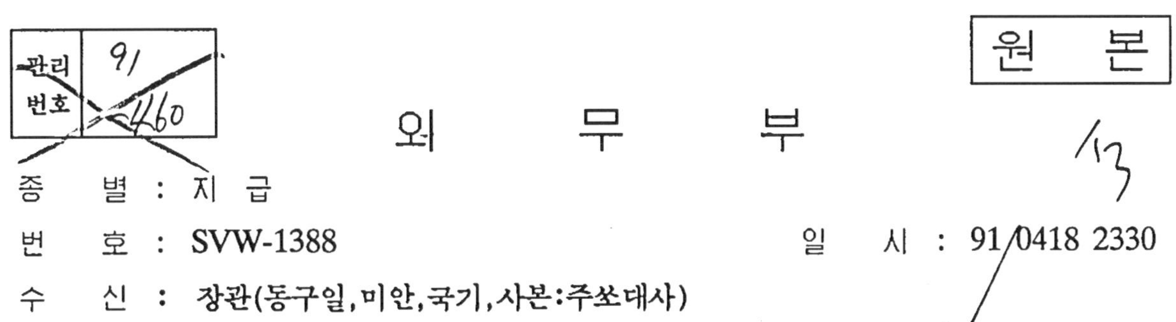

외 무 부

종 별 : 지 급

번 호 : SVW-1388 일 시 : 91 0418 2330

수 신 : 장관(동구일,미안,국기,사본:주쏘대사)

발 신 : 주 쏘 대사대리

제 목 : 북한의 핵발전소에 대한 사찰

1.4.18(목) 주재국 외무성 부대변인 YURIGREMITSKIKH 는 외무성 정례브리핑에서 북한의 모든 핵과 관련된 활동을 IAEA 의 통제하에 두기위해, 쏘련은 북한이 조속한 기일내에 IAEA 와의 협정에 서명하기를 원한다고 언급하고, 향후 쏘. 북한간의 협력은 동협정 서명여부에 의해 결정될것이라고 첨언하였음

2. 동 부대변인은 금번 한. 소 정상회담에서 한국측에 의해 이문제가 제기될 것이라는 일부보도와 관련해서 이문제를 언급하였는바, 그는 1964 년 쏘련의 도움으로 건설된 원자로에 대한 쏘련의 핵원료 공급은 핵비확산 조약과 IAEA 헌장을 철저히 준수하면서 이루어진 것임에 유의하고 쏘련이 북한에 대해 플류토늄을 공급하였다는 보도에 대해 쏘련은 어느국가에도 플루토늄을 공급한적이 없다고 이를 부인하였음. 끝

(대사대리-국장)예고 : 91.12.31 까지

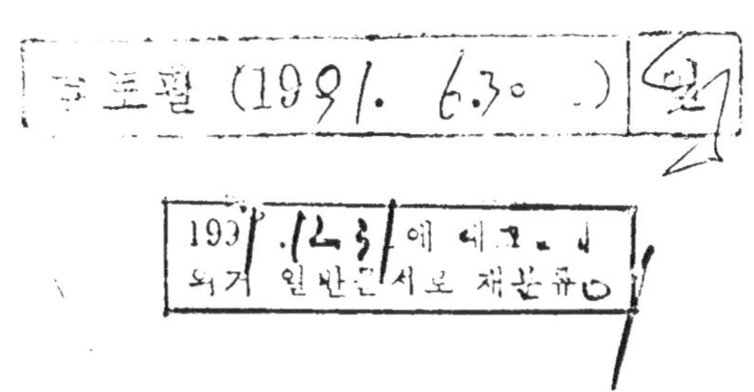

구주국	장관	차관	1차보	2차보	미주국	국기국	정문국	외연원
청와대	안기부							

PAGE 1

91.04.19 06:13

외신 2과 통제관 BS

0079

외신회견 91-4-19

이정빈차관보 외신 회견 요록

1. 일 시 : 1991. 4. 19(목) 16:00-16:40

2. 장 소 : 제 1차관보실

3. 회견언론 : Newsweek 동경특파원 Bradley Martin (동인이 김경원대사와 인터뷰한 내용이 지난 4.8자 Newsweek 지에 「A Nuclear-Free Korea?」 제하에 게재된 바 있음)

   ※ 기 록 : 조병제 사무관

4. 회견요지

(북한 핵문제)

Martin : - 최근 핵무기를 위요한 북한과의 논쟁이 관심을 끌고 있음.
- 한국에 미국의 핵무기가 배치되어 있다고 볼 경우, 만약에 한국이 「핵무기가 없다」고 말할 수 있도록 된다면, 이는 북한의 체면을 살려주어 IAEA 안전조치 협정을 서명토록 할 것이며, 일.북한 관계 정상화에도 크게 기여하게 될 것임.
- 이것이 북한의 핵개발 문제를 해결할 수 있는 참신한 방안 (neat way)이 아닌지?

0080

차관보 : - 핵문제에 대한 북한의 입장은 이상한 방향으로 발전하여 왔음.

- 북한은 1985년 NPT 조약에 서명하고 나서도 조약상의 의무인 핵안전 조치 협정 체결을 거부하고 있음.
- 북한은 두가지 방법으로 안전 조치 협정체결 거부를 정당화 시킬려고 하는바,
  . 처음에는 협정 체결을 미측의 핵 선제 불사용 보장에 연계시켜 미측이 북한에 대해 핵선재 불사용 보장을 않는 한 안전 조치 협정에 서명할 수 없다고 하였으며,
  . 나중에는 북한 핵시설에 대한 IAEA 사찰을 남북한내의 핵무기에 대한 국제사찰 문제에 연계시켰음.
- 북한의 핵안전조치 협정 체결은 NPT 당사국으로서 이행해야 할 조약상의 의무로서 다른 조건과 연계시킬 수 없음을 분명히 지적하고저 함
- 북한의 이러한 연계는 아주 위험스러운 선전 술책임

Martin : - 한국 정부의 논리와 입장을 잘 이해하고 있음

- 그러나 문제는, 북한으로 하여금 핵안전 조치 협정을 체결토록 설득할 수 있는 수단이 있느냐하는 것임

차관보 : - 북한이 IAEA와 안전조치 협정을 체결하도록 그간 한국정부는 여타 우방국들과 협의, 가능한 외교적 노력을 경주하여 왔으며, 국제 여론에의 호소를 통한 대북한 압력을 계속하고 있음

- 우리의 대북한 설득은 이러한 외교적 노력에 기초하고 있으며, 북한이 결국에는 국제적 여론에 굴복하지 않을 수 없을 것으로 확신하고 있음.

0081

Martin : - 문제의 본질은 북한 핵개발의 잠재적 위험성에 있는바, 전문가들에 의하면 북한이 빠르면 1994년 이전에 핵무기를 생산.보유할 것이라함
- 한국이 외교적 노력을 통한 국제적 압력에만 계속 의존할 수 있을지 의문임

차관보 : - 외교적 노력을 포기할 수는 없음
- 북한은 핵무기 개발에 필요한 원료와 기술을 외부로부터 지원 받아야 하는바, 이를 수출국들이 단합된 노력을 계속한다면 성공한 것으로 봄

Martin : - 북한은 우라늄등 핵원료를 자체 조달할 수 있고 핵무기 제조에 필요한 충분한 기술도 보유하고 있는 것으로 알려지고 있음
- 단순한 금수조치는 도움이 되지 않을 것임
- 북한의 선전공세가 성공을 거두어 국제여론이 이미 분열상을 보이고 있다고 봄
- 한국은 전면적인 금수 조치(general trade embargo)를 선택 가능한 방안으로 검토하고 있는지?

차관보 : - 한국으로서는 국제사회의 단합된 노력이 성공을 거둘 것으로 보고 있음
- 전후 세계 질서에서 국제적인 압력이 중요하다는 것은 걸프 전쟁에서도 입증되었음. 북한도 예외는 아닐 것으로 봄

Martin : - 전쟁도 하나의 해결책이라는 말씀이신지?

차관보 : - 국제여론의 중요성을 강조한 것일 뿐임
- 여론의 힘은 무력보다 오히려 강할 수 있음

0082

- 국제사회가 북한의 선전공세의 함정에 빠져서는 안될 것임
- 한국은 이 문제를 제주도 한.쏘 정상회담에서도 쏘측에 제기할 예정임. 동경에서의 소식에 의하면 쏘련도 NPT 기탁국의 하나로서 일본과 이 문제를 협의하였다 함

Martin : - 주일 쏘련대사는 최근 인터뷰에서 북한의 핵안전협정 체결 문제를 언급하면서, 한반도의 비핵지대화도 함께 제기하였음
- 이 문제에 대한 한.쏘 양국의 시각이 반드시 일치하지는 않는 듯함

차관보 : - 미국의 NCND 정책은 지금까지 이 지역의 평화와 안정 유지 기능을 효과적으로 수행하여 왔다는 사실을 재확인코자 하며 우리 정부로서는 이러한 미국의 정책을 적극 지지하고 있음
- 한반도 주변의 핵강대국들이 한반도를 포함한 동북아 전체의 비핵지대화에 대한 기본적인 합의를 하지 않는한, 지역적으로 협소한 한반도만의 비핵지대화는 의의가 없으며 비현실적인 구상으로 봄

Martin : - NCND 정책과 관련하여, 오늘날의 발달된 운반기술을 감안할 때, 핵무기는 공중, 해상 어느 곳에서건 발사 가능한 것이며, 반드시 지상 배치가 필요한 것은 아니라고 봄

차관보 : - 일부 학자들이 그러한 주장을 하고 있는 것으로 알고 있음
- 그러나, 정부 관리로서 안보문제에 대한 견해를 학구적인 차원에서 제기하고 있는 입장과 같이할 수 없으며, 어디까지나 효과가 입증된 전통적 개념에 충실코자 함

0083

(유엔가입 문제)

Martin : - 한국의 유엔 가입 문제와 관련하여, 중국의 입장이 변화하리라는 전망이 있는지?

차관보 : - 우리의 유엔가입을 위하여 중국의 지지가 필요하다는데는 이의가 없음

- 어떠한 외교문제에 관해 타국정부가 취하게될 입장에 대하여 그나라의 책임있는 당국자가 아닌한 어떠한 예단을 하거나 추측을 하는 것은 적절하지 않고 바람직스러운 일이 아니라고 생각함

- 그러나, 한국의 유엔가입 문제와 관련 중국정부가 고려해야 할 몇가지 요인이 있을 것으로 봄

  . 한반도에는 현실적으로 남북한이라는 두개의 실체가 40년이상 존재하여 왔고 한국의 위치를 무시하고는 아세아 태평양 지역 문제 해결을 기대할 수 없다는 사실

  . 냉전체제의 유일한 산물인 「한국의 유엔 가입문제」를 조기 해결함이 화해와 협력 추구라는 현 시대조류에 부합하는 것인지 역행하는 것인지 여부

  . 한반도의 평화와 안정 유지가 중국의 이해관계에 유리할 것인지 불리할 것인지 그리고 남북한의 유엔가입이 한반도의 평화와 안정 유지에 도움이 된 것인지 여부

  . 한국의 유엔 가입에 대한 대다수 유엔 회원국의 입장이 무엇인지

  . 유엔 안보리 상임이사국이며 지도적인 세계 강대국의 일원으로서 한반도의 평화와 안정을 위하여 중국이 이행할 소임

0084

(남.북한관계 및 통일 문제)

Martin : - 북한체제가 갑작스럽게 붕괴될 가능성이 있다고 보는지, 또한 한국은 이러한 가능성에 대비하여 대북 원조를 제공할 비상계획을 수립한 바가 있는지?

차관보 : - 최근 언론에 보도된 바도 있듯이, 몇건의 남.북한간 물자 교역이 이루어진 것을 좋은 현상으로 평가함

- 이러한 남.북한간 교역은 교류협력을 통한 궁극적인 통일 환경 조성에 기여할 것임

Martin : - 언젠가 노태우 대통령께서 5년내에 통일이 가능할 것이라고 예측하였는바, 어떻게 보시는지?

차관보 : - 노대통령의 말씀은 전 한국민의 통일에 대한 열렬한 희망을 표명하신 것으로 봄. 1995년은 한반도가 분단된지 50년이 되는 해이며 분단 50년을 넘지 않고 통일이 이루어지기를 바라는 강한 소망의 표현일 것임

- 사실 2년전만하여도 독일의 통일을 예견한 사람은 없을 것임. 독일의 통일은 상황을 틀리지만 우리에게는 큰 희망을 주었음. 독일 통일이후 북한 지도자들이 독일의 경우 처럼 남한에 의한 북한의 흡수 통일에 대한 불안감을 수시 표명해 오고 있음에 비추어 북한은 적지 않은 불안감을 갖고 있는 것으로 보임

Martin : - 독일 통일 이전까지만 해도 한국은 북한의 붕괴를 수반한 통일을 구상하고 있었던 것으로 알고 있음

- 그러나, 독일 통일이후 오히려 이러한 통일 방식에 대하여 재고를 하는 것은 아닌지?

0085

- 만약에, 북한이 IAEA 핵안전조치 협정에 서명하여 일.북한 관계가 정상화되고, 일본이 북한에 대하여 대규모의 경제 원조를 제공하게 될 경우, 한국의 입장은 어떻게 될지?

차관보 : - 북한의 IAEA 핵안전조치 협정체결이 일.북한관계 정상화의 주요한 선결요건은 되겠지만 그것만이 전부는 아님. 일.북한 관계 개선을 위해서는 핵안전조치 협정체결이외에도 남.북 대화에 대한 북한의 성의 있는 자세 표명등 선행조건이 충족되어야 한다는 것이 한국의 입장이며, 일.북한간에도 보상 문제등 해결되어야 할 과제들이 있음

- 북한에 대한 외부의 경제 원조가 북한의 군사력 증대에 사용되지 않고 국민생활 수준 향상에 쓰일 수 있다면 우리는 이를 환영할 것임
- 북한이 경제적으로 부강하고 국제사회의 책임있는 일원이 될 경우 이는 남북한 화해 증진과 교류 증대, 나아가서는 남북한 관계 개선에 유리한 요인으로 작용할 것임
- 한국의 7.7 선언은 장기적 고립에 따른 북한의 위기감이 오히려 한국의 안보와 지역내 평화 및 안정에 대한 위협 요소가 된다는 판단에 기초한 것임

- 끝 -

0086

	분류번호	보존기간

발 신 전 보

번 호 : WUS-1612 910419 1613 ED 종별 :

수 신 : 주 수신처참조 대사. 총영사

발 신 : 장 관 (국기)

제 목 : 북한 핵관련 일.쏘 정상 공동성명

WSV -1191 WGV -0514
WAV -0359 WUK -0734
WAU -0259 WCN -0354
WUN -1007

동경에서의 일.쏘 정상회담후 발표된 4.18자 공동성명은 북한의 조속한 핵 안전 협정 체결을 희망하고 동 협정에 따라 북한이 핵시설에 대한 국제사찰을 수락할것을 촉구하였는 바, ~~관련 외신~~ 관련내도내용을 별항 FAX 송신하니 참고바람.

별항 : FAX 1매. 끝
WUS(F)-230

수신처 : 주미국, 쏘련, 유엔, 제네바, 오지리, 영국, 호주, 카나다대사.

(국제기구조약국장 문동석)

보안 통제	

앙 고 재	91년 4월 19일	국기과	기안자 성명		과 장		국 장		차 관	장 관
			김							

외신과통제

0087

동북아1과 번역

일·소 공동성명

1. 고르바쵸프 소련대통령은 일본정부의 초청에 따라 1991년 4월 16일부터 19일까지 일본을 공식 방문하였다. 베스메르트니흐 소련외상 및 기타 정부관계자가 고르바쵸프 소련대통령을 동행하였다.

2. 고르바쵸프 소련대통령 내외는 4월 16일 황궁에서 천황내외와 회견하였다.

3. 고르바쵸프 소련대통령은 카이후 도시끼 일본내각총리대신과 평화조약체결 교섭을 포함한 일.소간의 제문제 및 상호 관심을 갖고 있는 주요한 국제문제에 관하여 솔직하고 건설적인 대화를 가졌다. 고르바쵸프 소련대통령은 카이후 도시끼 일본내각총리대신에 대하여 소련을 공식 방문하도록 초청하였는 바, 카이후 도시끼 총리대신은 이를 감사히 수락하였다. 구체적인 방문시기는 외교경로를 통하여 합의될 것이다.

4. 카이후 도시끼 일본내각총리대신과 고르바쵸프 소련대통령은 하보마이群島, 시코탄島, 쿠나시리島 및 에또로후島의 귀속에 관하여 쌍방의 입장을 고려하면서, 영토획정의 문제를 포함한 일본과 소련간의 평화조약의 작성과 체결에 관한 제문제의 전체에 관하여 상세하고 철저한 대화를 가졌다.

   지금까지 행하여진 공동작업, 특히 최고레벨의 교섭에 따라, 일련의 개념적인 생각, 즉, 평화조약이 영토문제의 해결을 포함한 최종적인 전후처리의 문서이어야 하고, 우호적인 기반위에서 일.소관계의 장기적인 전망을 열어야 하며, 상대측의 안전보장을 해하지 않아야 한다는 것을 확인하기에 이르렀다.

0088

소련측은 일본의 주민과 상기 도서 주민간의 교류확대, 일본국민의 이들 도서 방문을 간소화하기 위한 무사증체제의 설정, 이 지역에 있어서 공동의 호혜적 경제활동의 개시 및 이들 도서에 배치된 소련군사력의 삭감에 관한 조치를 가까운 장래에 취한다는 뜻의 제안을 행하였다. 일본측은 이들 문제에 관하여 금후 좀 더 협의해 나가기로 하자는 뜻을 표명하였다.

총리대신 및 대통령은 회담에 있어서 평화조약의 준비를 완료하기 위한 작업을 가속시키는 것이 가장 중요함을 강조하고, 동시에 이를 위해 일본 및 소련이 전쟁상태의 종료 및 외교관계의 회복을 공동으로 선언한 1956년이래 장기간에 걸쳐 양국간 교섭을 통하여 축적된 모든 긍정적 요소를 활용하면서, 건설적이고 정력적으로 작업한다는 확고한 의사를 표명하였다.

동시에 일본과 일본에 인접한 러시아공화국을 포함한 소련연방간의 상호관계에 있어서 선린, 호혜 및 신뢰의 분위기 속에서 이루어질 무역경제, 과학기술 및 정치분야 그리고 사회활동, 문화, 교육, 관광, 스포츠, 양국국민간의 광범위하고 자유로운 왕래를 통한 건설적인 협력의 전개가 합목적적이라는 것을 인정하였다.

5. 쌍방은 정치대화의 확대가 일.소관계의 증진에 있어 유익하고 효과적인 방도임을 확신하고, 최고 정상레벨에서의 정기적인 상호방문에 의한 정치 대화를 계속하여, 심화 발전시키기 위해 노력한다는 결의를 표명하였다.

6. 쌍방은 1966년에 합의된 양국 외무대신간 협의의 정기적인 실시의 중요성을 지적하고, 적어도 년 1회, 필요한 경우에는 보다 빈번하게 협의를 가질 것을 확인하였다.

0089

7. 쌍방은 양국이 상호 관계에 있어서 유엔헌장 제2조에 명기된 원칙, 그중에서도 특히 다음 원칙을 지침으로 할 것을 확인하였다.

(1) 국제분쟁을 평화적 수단에 의하여 국제평화와 안전과 정의를 위태롭게 하지 않도록 해결할 것.

(2) 그 국제관계에 있어서 무력에 의한 위협 또는 무력행사는 여하한 국가의 영토보전이나 또는 정치적 독립에 대하여서도, 또 유엔의 목적과 양립할 수 없는 다른 여하한 방법에 의한 것이라도 이를 삼가야 한다.

8. 쌍방은 금회의 정상회담이 양국에 있어 극히 유익하였다는데 의견의 일치를 보았다. 쌍방은 실무분야에 있어서의 협력을 확대하고 또한 활성화하는 것의 중요성을 지적하고, 이와 관련하여 다음의 문서를 작성하였다.

- 일.소정부간 협의에 관한 각서
- 소련에 있어서의 시장경제로의 이행을 위한 개혁에 대한 기술적 지원과 관련한 협력에 관한 일본국정부와 소련정부간의 협정
- 일본국과 소련간의 1991년부터 1995년까지의 기간에 있어서의 무역 및 지불에 관한 협정
- 소련 극동지방과의 소비물자등의 무역에 관한 교환공문
- 전람회 및 견본시 상호개최의 장려에 관한 일.소 공동성명
- 어업분야에 있어서의 협력의 발전에 관한 일.소 공동성명
- 항공업무에 관한 일본국정부와 소련정부간 협정의 부속서 I 의 개정에 관한 교환공문
- 시베리아 경유노선에 의한 항공업무의 확대에 관한 일본국정부와 소련정부간의 교환공문
- 환경보호분야에 있어서의 협력에 관한 일본국정부와 소련정부간의 협정

0090

5

- 원자력의 평화적 이용분야에 있어서의 협력에 관한 일본국정부와 소련 정부간의 협정
- 체르노빌 원자력발전소 사고의 주민의 건강에 대한 영향을 완화하기 위한 일본국과 소련간의 협력에 관한 각서
- 1991.4.1부터 1993.3.31까지의 사이에 있어서의 문화교류에 관한 일본국 정부와 소련정부간의 협정의 실시에 관한 계획의 승인에 관한 교환공문
- 문화재 보호분야에 있어서의 일본국과 소련간의 교류 및 협력에 관한 각서
- 현대 일본연구센터 활동의 협력에 관한 일.소 공동성명
- 포로수용소에 수용되어 있던 자에 관한 일본국정부와 소련정부간의 협정

9. 쌍방은 일.소 양국국민의 생활수준의 향상 및 국제사회의 일층의 진보에 공헌하는 것을 목적으로하여 우호 및 호혜의 기초위에 정치, 경제, 무역, 산업, 어업, 과학기술, 운수, 환경, 문화 및 인도를 포함한 각종분야에 있어서 균형있는 형태로 또한 가능한 범위에서 양국간의 실무관계를 더욱 심화시키고 발전시킬 필요성에 대해 의견의 일치를 보았다.

10. 쌍방은 일.소정부간 무역경제협의 및 일소.소일 경제위원회의 활동을 높이 평가함과 함께 호혜의 기초에 입각한 양국간 무역경제관계의 일층 확대를 촉진할 용의가 있음을 표명했다. 쌍방은 소련에 있어서의 페레스트로이카가 금후로도 추진되는 것이 소련뿐만아니라, 세계전체에 있어서 의의를 갖는다는데 인식의 일치를 보았다.

0091

11. 쌍방은 어업분야에 있어서의 현행의 정부간 제협정에 입각한 양국간의 협력을 높이 평가함과 함께, 이와 같은 협력을 장기적이고 호혜적인 기반위에 일층 발전시키기 위해 건설적인 의견교환의 계속이 바람직스럽다는데 의견의 일치를 보았다. 이와 관련하여 쌍방은 시장경제의 기초위에서, 일본국 및 소련 극동지방의 기업 및 단체간에 있어서의 광범한 관계의 발전에 찬의를 표명했다. 쌍방은 세계의 해양에 있어서의 생물자원의 보존, 관리, 재생산 및 최적이용에 관해 양국정부가 함께 참가하고 있는 국제기관의 활동을 포함한 국제적 협의의 장을 통하여 밀접한 협력을 유지하고 발전시켜 갈 필요성을 인정했다.

12.. 쌍방은 과학기술협력위원회의 활동 및 호혜의 기초위에서 양국간에 실시되고 있는 과학기술분야 협력의 착실한 진전에 만족의 뜻을 표명하고, 이와 같은 협력의 일층의 진전을 도모함과 함께 쌍방에 의해 필요하다고 인정되는 기타 분야에 있어서의 협력을 확대한다는데 의견의 일치를 보았다.

13. 쌍방은 최근 양국간의 문화교류가 활발해지고 양국국민간의 상호 이해가 심화되어 가고 있는데 대해 만족의 뜻을 표명했다. 쌍방은 기존의 협정에 입각한 양국간의 문화교류가 착실히 진전되고 있음을 평가하고, 양국의 전통적 및 현대의 문화 및 사회에 대한 상호 이해를 일층 촉진하기 위한 교류가 중요하다는데 의견의 일치를 보았다.

14. 쌍방은 인도적 분야에 있어서의 양국간의 협력이 양국국민의 상호 신뢰의 심화에 크게 기여한다는 것을 인정하고, 성묘, 포로수용소에 수용되고 있던 자 및 소련에 상주하는 일본인 문제에 관련되는 협력이 활발해 지고 있는데 대해 만족의 뜻을 표명하였다.

0092

15. 쌍방은 세계적, 지역적 규모에서의 국제정세의 개선과정이 불가역적인 성질을 가지며, 또한 발전되어야 한다는데 동의했다. 쌍방은 국제평화와 안전의 유지를 위하여 노력을 계속할 필요성 및 균형있는 형태로 가능한 한 낮은 군사력 및 군비수준을 달성하는 과제의 중요성을 강조했다. 이와 관련, 쌍방은 군비관리, 군축면에서 달성된 성과를 환영하고 이의 성실한 실시의 중요성을 확인함과 함께, 이 분야에 있어서 진행중인 2국간 및 다국간의 고섭에 있어서의 신속한 합의의 달성을 지지했다.

16. 쌍방은 걸프위기의 준엄한 교훈을 고려, 핵무기, 화학무기등의 대량파괴무기 및 미사일의 불확산과 아울러, 통상무기의 이전에 관한 투명성 및 공개성의 증대와 각국에 의한 통상무기의 이전의 자주적인 관리의 강화에 대하여, 국제평화 및 안전유지의 견지에서 국제사회가 노력을 강화하는 것이 필요하다는 인식을 공유했다.

17. 쌍방은 냉전체제의 종언과 더불어 급속히 변화를 이루고 있는 현재의 국제질서 속에서 국제정치 및 국제경제에 있어서 쌍방이 갖고 있는 지위 및 쌍방이 져야 할 책임을 감안, 일.소관계의 완전한 정상화를 달성하고 비약적인 발전에의 전망을 여는 것이 중요하며, 그 실현이 양국의 이익에 부합할뿐 아니라, 아시아.태평양지역, 나아가서는 세계평화와 번영에 기여한다는 점에 일치하였다.

18. 쌍방은 국제연합, 기타 국제기관의 활동을 높이 평가함과 동시에, 이들에 의한 지역분쟁의 해결과 더불어 세계에 있어서 상호 이해, 신뢰 및 안정의 강화. 그리고 현대 국제사회에 있어서 건설적인 협력 및 협조의 확대에 대한 중요한 공헌을 높이 평가한다.

0093

6

쌍방은 국제연합이 정치.경제 및 환경의 문제와 더불어 마약의 불법적인 거래와의 투쟁문제를 포함한 기타 세계적인 문제의 해결에 발휘한 역할의 중요성에 대하여 의견의 일치를 보았다. 쌍방은 평화를 위한 활동에 관련된 국제연합의 잠재력을 충분히 꽃피우게 하여, 국제연합이 세계적 문제에 발휘할 역할을 높일 수 있도록 지원하기 위하여, 양국간에 협력 및 협의를 더욱 진행시킬 필요성에 관하여 인식의 일치를 보았다.

쌍방은 국제연합헌장에 있어서 「구적국」 조항이 이미 그 의미를 상실하였다는 것을 확인함과 동시에, 국제연합의 헌장 및 기구의 강화의 필요성에 유의하면서, 이 문제의 적절한 해결방법을 탐구해야 한다는데 대하여 의견의 일치를 보았다.

19. 쌍방은 걸프지역에 있어서의 위기에 대하여, 국제사회가 국제연합을 중심으로 연대하여, 협력하였던 것이 쿠웨이트의 해방이라는 성과를 가능하도록 하였다는 인식을 공유함과 동시에, 이라크가 국제연합 안전보장 이사회의 관련 제결의를 조기에 이행함으로써 지역의 평화와 안전이 회복되지 않으면 안된다는데에 의견의 일치를 보았다.

쌍방은 중동지역이 국제평화에 극히 중요한 지역인 것을 인식하고, 중동지역 뿐아니라, 세계의 평화와 번영의 확보를 위하여, 지역의 전후 경제부흥에 대하여 지역내 제국의 의향 및 활동을 존중하면서, 국제사회전체가 협조하여 적극적으로 협력하여 나가는 것이 중요하다는 인식에 일치하였다.

쌍방은 걸프지역 위기후의 건설에 관하여 노력함과 동시에, 중동에 있어서 기타 첨예화한 분쟁의 불씨, 우선 첫째로 중동평화문제의 조기 해결 및 이를 위한 진지한 평화프로세스의 개시를 국제사회가 지원하는 것이 극히 중요하다고 생각한다.

0094

20. 쌍방은 아시아.태평양지역에 있어서의 평화와 번영을 위한 노력을 평가하였다. 쌍방은 이와 관련하여, 동지역에 있어서의 분쟁의 평화적 수단에 의한 공정하고 합리적인 해결을 지지함과 동시에, 동지역 국가들의 자주성을 존중하면서, 이들 제국의 적절한 자조노력에 대하여 건설적인 협력을 행하여 가는 것이 중요하다는 인식에 일치하였다.

21. 쌍방은 한반도의 평화와 안정의 확보에 대하여 커다란 관심을 표명함과 동시에, 그 실현을 위하여 남북대화의 진전이 중요하다는 공동인식에 서서, 남북간의 총리회담의 계속을 지지하였다. 이와 관련하여, 일본측은 한.소 국교수립을, 소련측은 일.북한간의 관계정상화에 관한 대화 개시를 각기 한반도의 긴장완화에 기여하는 것으로서 환영하였다. 쌍방은 북한이 IAEA 와의 보장조치 협정을 신속히 체결할 것을 희망하는 뜻을 표명하였다.

22. 쌍방은 국제연합 안전보장 이사회의 5개 상임이사국 및 캄보디아에 관한 파리 국제회의의 공동의장에 의해 작성된 캄보디아 문제의 포괄적인 정치 해결에 관한 제 협정안의 중요성에 언급하였다. 이와 관련하여, 일본측은 국제연합 안전보장 이사회의 상임이사국으로서의 소련의 공헌을 평가하고, 또한 소련측은 포괄 평화안의 캄보디아 당사자에 의한 수락을 촉진하는 일본의 최근 노력을 환영하였다. 쌍방은 캄보디아 포괄 평화의 조기달성을 위하여 금후에도 계속 노력할 필요성에 관하여 의견의 일치를 보았다.

23. 쌍방은 국제정세에 있어서 긴장완화의 경향을 더욱 강화할 필요성에 대하여, 또한 아시아.태평양지역의 평화와 번영을 추진한다는 견지에서 안전보장면을 포함한 광범위한 문제에 대한 양국간의 대화와 교류를 확대하여 가는 중요성에 대하여, 의견의 일치를 보았다. 이를 위한 방편으로서, 쌍방은 1990년 12월에 행하여진 양국 외무부간의 정책기획협의를 높이 평가하고, 동협의를 더욱 계속하는 것에 관하여 찬의를 표명하였다.

0095

24. 쌍방은 자유와 개방성의 원칙하에 아시아.태평양지역의 각국간에 있어서, 또한 관련 경제적 제기구에 있어서, 지역의 번영을 위한 협력이 진행되고 있는 것을 평가하였다. 이와 관련하여, 일본측은 소련이 상기 원칙을 공유하면서 태평양 경제협력회의의 구성원이 되려고 하는 의향을 갖는 것을 환영하였다. 소련측은, 지역의 경제적 발전을 촉진하는 것을 목적으로 일본국이 행하고 있는 공헌을 적극적으로 평가하였다.

1991년 4월 18일 동경에서

일본국 내각총리대신

소비에트 사회주의 공화국연방 대통령

0096

관리 번호	91-2??

분류번호	보존기간

발 신 전 보

번 호 : WUS-1614 910419 1812 ED 종별 :

WAV -0362

수 신 : 주 미 대사. 총영사 (사본: 주오지리 대사)

발 신 : 장 관 (미안, 동구일)

제 목 : 북한 핵문제

1991.12.31.에 예고문에 의거 일반문서로 재분류됨

검토필(1991.6.30)

대 : USW-1806

1. 대호 북한의 핵사찰 불수락시, 쏘련은 북한과의 관계를 단절할 수도 있다는 Washington Times 지 (4.16)의 기사는, 그간 본부가 주일 대사관보고 및 일본 언론보도 내용등을 종합적으로 검토한 바에 비추어 볼때, 쏘련의 대북한 핵협력 중단 통보 내용이 확대 보도된 것으로 관측됨.

2. 본부가 파악하고 있는 바로는 북한 핵문제 관련, 지금까지 쏘련의 여하한 인사도 대북관계 단절을 시사하는 발언을 한바 없음.

3. 다만, 주쏘대사관 보고에 의하면, 쏘외무성 부대변인 Yurigremitskikh는 4.18 외무성 정례브리핑에서 "북한의 핵과 관련된 모든 활동을 IAEA 의 통제하에 두기 위해 쏘련은 북한이 조속한 시일내에 IAEA와의 협정에 서명하기를 원한다"고 언급하고, "향후 쏘.북한간의 협력은 동 협정 서명 여부에 의해 결정될 것"이라고 첨언하였다함.

끝.

예 고 : 1991.12.31 까지

(미주국장 반기문)

보안 통제	

앙고재	91년 4월 7일	안보과	기안자 성명		과 장		국 장		차 관	장 관
							전결			

외신과통제

0097

관리번호 91-2659

원 본

외 무 부

종 별 :

번 호 : AVW-0475 일 시 : 91 0423 1800

수 신 : 장 관(국기,미안,구이) 사본:이장춘대사

발 신 : 주 오스트리아 대사대리

제 목 : 북한의 핵안전조치 협정 체결문제

1. 당지 미국대사관의 JOSEPH SNYDER 정무참사관에 의하면, 미대사관은 최근 국무성의 훈령에따라 오스트리아가 지난 2 월 IAEA 이사회에서 북한에대해 핵안전조치 협정의 조기체결을 촉구한것과 관련, 오스트리아측에 사의를 표명하였다고함.

2. 당관이 IPU 평양총회에서 핵안전조치협정체결 문제에대한 북한의 정치적 선전 가능성에 대비, 오스트리아 대표단의 협조를 요청하였다고 알려주자, SNYDER 참사관은 국무성으로부터 IPU 평양총회와 관련한 훈령은 없었으나, 북한의 핵문제와 관련한 일반적 훈령에따라 미대사관측도 IPU 평양총회에서 오스트리아대표단의 협조를 요청하겠다고하였음. 끝.

19 예고:91.12.31 일반
의거 일반문서로 재분류

검토필(1991.6.30.)

국기국 장관 차관 1차보 2차보 미주국 구주국 구주국 정문국
청와대 안기부

PAGE 1 91.04.24 07:19

외신 2과 통제관 DO

0098

4/25 길
1. 주 ㅁㅁ, 유엔, 제네바, 오지리, 뉴질랜드, 카나다 대사
2. 아측 전략에 활용
3. 사본 이장춘 대사용 준비 (봉투)

관리번호	91-329

원 본

외 무 부

371

종 별 :

번 호 : AUW-0304 일 시 : 91 0424 1740

수 신 : 장관(국기,아동)

발 신 : 주 호주 대사

제 목 : IAEA 이사회 활용

대:WAU-0242

연:AUW-0268

1. 4.24 당관 양공사는 외무무역성 핵군축국 COUSINS 부국장을 오찬에 초청, 대호 북한의 IAEA 이사국 입후보 경우에 대비한 한국의 공식입장을 통보하고 아울러 한국의 IAEA 이사국 입후보에 대한 주재국 지지를 재요청함.

2. 이에대해 COUSINS 부국장은 한국 입후보에 대한 주재국의 지지를 재확인하면서 비록 북한이 금번 IAEA 이사국에 입후보하는 경우라도 지지국 미확보로인해 최종순간에 사퇴하고 한국과 필리핀이 당선될것으로 본다고 전망했음.

3. 한편 동부국장은 주재국이 아래와같이 IAEA 이사회를 활용, 대북 압력을행사할 계획을 가지고 있다고 알려왔음.

가. 호주 외무무역성은 오는 6 월 열리는 IAEA 이사회에서 북한을 직접 거명, 북한이 핵안전협정에 서명하도록 강력히 촉구하는 내용의 결의안을 제출할것을 검토하고 있음.

나. 이를 위해 호주 외무무역성은 내부의견 조정을 마치고, 금주초 주비엔나 대사로 하여금 호주가 IAEA 이사회에 여사한 결의안을 제출할시 현지사정 및 제반 문제점들을 보고토록 지시했다함.

다. 주재국 정부는 대북한 결의안 채택과 관련하여 일차적으로 일본정부측과 기초적의견교환을 하였던바 일본정부도 결의안 제출 필요성에 공감하였다 하며, 최근 호주.뉴질렌드. 카나다 3 자 정책협의회시 북한의 핵사찰 거부에 대한 우려가 공동으로 제기되었고 이와관련 오는 6 월 IAEA 이사회의 중요성에 대해 3 국 정부는 인식을 같이 했다함.

라. 호주 외무무역성은 주비엔나 대사 보고를 접하는대로 향후 2-3 주내로 결의안

국기국 차관 1차보 2차보 아주국 안기부

PAGE 1 91.04.24 17:47

외신 2과 통제관 BA

0099

초안을 작성, 우방국과 본격적으로 협의할 예정이라하며 동 결의안 초안이 작성되는대로 당관에도 그내용을 알려주기로 약속했음.

마. COUSINS 부국장에 의하면, 북한은 북한이 가진 두개의 원자로중 하나는IAEA 핵사찰을 허가했으나 다른 하나에 대하여는 완전 비공개정책을 취하고 있으며, 호주측 견해로는 북한이 1 차단계인 플루토늄 처리과정을 지나 2 차단계인핵생산과정으로 넘어가는 기술적 경계에 처해 있다고 보는데 만일 북한이 그러한 기술적 장벽을 넘어서는대로 북한은 6 개월이내 핵무기 제조가 가능하다는 결론이 나오므로 호주는 시간이 촉박함을 느끼고 있어 IAEA 이사회를 통한 결의안 제출을 서두루고 있다고함.

3. 동부국장 견해로는 북한이 유엔회원국이 아니므로 유엔을 통한 효과적 대북한 핵통제가 불가능하다고 판단되나, 금차 IAEA 이사회에서 대북한 결의안이통과될시 금년 9 월 유엔총회 제 1 위원회(정치분야)에서 동 결의안을 원용, 북한 핵문제를 본격 거론할수 있는 계기가 되기를 희망한다고 피력함. 끝. (대사 이창범-국장)

예고:91.12.31. 일반

검 토 필(1991.6.30.) [서명]

일반문서로 재분류 (1991.12.31.

0100

4/25 길
주미, 유엔, 오시니, 일본, 호주 배포
카세

관리 번호	91-468

원 본

외 무 부

311

종 별 :

번 호 : GVW-0755 일 시 : 91 0424 1900

수 신 : 장관(국기,미안,정이,해기,기정동문) 사본: 박수길대사

발 신 : 주 제네바 대사대리

제 목 : 핵시설 사찰관련 북한대사 기자회견

1. 당지 북한대표부 이철대사는 금 4.24(수) 오전 북한 핵시설 사찰문제에 관해 기자 회견을 자청, 당지 외신기자들과 기자회견을 하였는바(장소: PALAIS DES NATIONS), 요지 아래 보고함

- 한반도 정세는 그어느때 보다도 긴장된 상태임. 북한 핵시설 관련 지난 4.12일 한국 국방부장관 발언, 한반도가 걸프사태이후 가장 전쟁 발발 가능성이 있는 지역이라고 언급하고있는 동일자 미합참위원회 보고서는 한. 미 양국이 한반도에서의 전쟁발발을 기정사실로 인식하고 있음을 보여주는것임.

- 금년도 팀스프리트 훈련은 북한의 핵시설 파괴를 위한 연습을 실시하였는바, 이를 볼때 한국 국방장관의 발언은 우연한 것이 아니며, 한국측은 팀스프리트 훈련 발표이후 20 일 동안 북한에 대해 1500 회의 군사도발을 행하였음. 또한 걸프전에서 사용된 최신병기가 한국에 재배치, 증강되고 있음

- 최근 한. 미 양국은 북한의 IAEA 핵안전 협정체결을 요구하고 있는바, 북한은 핵무기를 개발할 의도도 또한 개발 능력도 없음.

- 북한은 미국의 핵공격 위협에도 불구, IAEA 와 핵안전협정 책(487) 협의를 하였으며 원칙적으로 합의에 도달함.

- 북한은 미국의 핵불사용에 관한 법적 구속력 있는 보장을 해주면 언제라도 IAEA 와의 핵안전협정에 서명할 용의가 있으며, 미국이 한반도에서 다른 의도가 없다면 여사한 보장을 해주지 못할 이유가 없음.

- 북한의 핵시설에 대해 사찰을 실시하고자 한다면 동시 한국주둔 미국 핵기지에 대한 사찰도 실시해야 할것임.

- 한국은 한반도 분단의 영속화에 관심을 갖고 있으며 북한으로 부터의 핵공격 위협을 구실로 하여 주한 미군의 무한정한 주둔을 도모하고 있음.

국기국 차관 1차보 2차보 미주국 구주국 구주국 정문국 청와대
안기부 공보처

0101

PAGE 1

91.04.25 05:54
외신 2과 통제관 CF

한. 미 양국이 제 2 의 걸프전을 구상하고 있다면 이는 잘못된 생각이며, 대화와 협상을 통한 평화적 해결을 추구해야 할것임.

2. 한편 당지 외신기자들에 의하면 베른에 상주하고 있는 이철대사가 제네바에 와서 기자회견을 가진것은 매우 드믄일이라 함. 끝

(대사대리 박영우-국장)

예고:91.6.30 까지

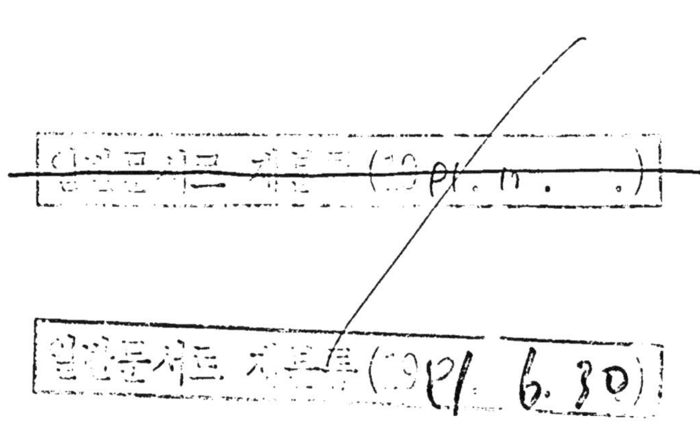

0102

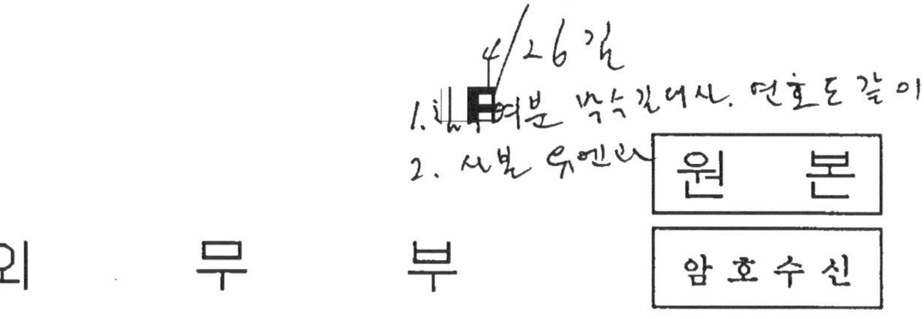

외 무 부

종 별 :

번 호 : GVW-0766 일 시 : 91 0425 1700

수 신 : 장관(국기,미안,정이,해기,해신,기정동문) 사본:박수길대사

발 신 : 주 제네바 대사대리

제 목 : 북한대사 회견 언론반응

연: GVW-0755

1. LA TRIBUN 요 DE GENEVE 지는 4.25 연호 회견 관련 동지 외신부장 A. NAEF 의 해설 기사를 게재한바 동 요지를 아래 보고함.

(외신면 4 단, 한반도 지도 1 단 게제(영변 원자로 공장 위치 표시))

기사 제목: 북한의 원자탄

부제: 한국의 우려에 고르바체프도 공감표시

요지: 0 (274)á한대사 이철은 4.24 기자회견에서 북한 원자로에 대한 IAEA 의 핵사찰문제 관련 북한의 공식입장을 재확인하였음. 즉 북한은 주한미군 기지도 핵사찰을 받을 경우 북한 원자로에 대한 IAEA 의 사찰을 수락하겠다는 것임.

0 약 4 만명의 병력을 한국에 주둔시키고 있는 미국은 주한 미군 기지에 핵무기를 배치하고 있는 여부에 대해 시인도 부인도 안하고 있으나, 만약 주만 미군이 핵무기를 보유하고 있다면 이것은 남. 북한간의 재래식 군비격차를 메우기 위한 조치일 것임. 한국의 65 만 병력에 비해 백만명의 군대를 유지하고 있는 북한은 대공 미사일을 제외한 모든 재래식 군사 장비면에서 한국을 앞서고 있음.

0 한편 미국 전문가들에 의하면 북한은 평양 북부 90 KM 지점 영변에 건설한 원자로에서 1994 년 부터 18 KG 내지 50 KG 의 PLUTONIUM 을 생산할수 있을 것이며 이는 이차대전말 나카사키에 투하한 종류의 원자탄 2 개 내지 5 개를 제조할수 있는 분량이라함. 북한은 이 원자로가 평화적인 용도를 위한 것이라고 주장하고 있음.

0 북한의 원자탄 생산 가능성은 지난 주말 제주도에서 개최된 한. 소 정상회담에서도 주요 의제로 논의되었는바, 고르바 체프의 대변인은 북한이 IAEA 의 사찰을 거부할 경우 소련은 대북한 핵연료 공급을 중단하겠다고 위협하였음. 끝

(대사대리 박영우-국장)

국기국	차관	1차보	2차보	미주국	국기국	정문국	안기부	공보처
공보처								

PAGE 1

91.04.26 05:18

외신 2과 통제관 DO

0103

4/26 김
#보: 주 제네바, 오지리, 미국

원 본

외 무 부

종 별 :

번 호 : GHW-0206 일 시 : 91 0425 1600

수 신 : 장 관(국기,정이,아프일,정일)

발 신 : 주 가나 대사대리

제 목 : 북한,핵폭탄 생산부인

당지 GHANAIAN TIMES지는 표제하 4.25자 2면톱기사 (4단)로 제네바발 REUTER 통신을 인용,아래 보도했음.

- 북한은 핵무기를 생산하지 않는다면서도, 소련등 여타국가의 요구에도 불구, 핵시설에 대한 국제사찰을 거부했음.

- 고르바쵸프 소련 대통령과 일본 가이후 수상은 북한이 핵사찰을 허용하도록 IAEA 협정에 서명할 것을 희망한 바 있음.

- 이 재으루 제네바대표부 북한대사는 미국이 남한에 설치한 시설을 공개, 유사한 검사를 할 수있을때까지 동협정 서명을 거부할것이라면서, 북한에 대한 핵위협이 제거되는 대로 동협정에 서명할 준비가 되어 있다고 말했음.

- 한편 소련의 MARTINOV IMEMO 의장은 고르바쵸프 방일직전, 북한이 동협정 서명거부시는 원자력공급 및 지원을 중단할 것이라고 언급한바있으며, 한, 미, 일 3국은 북한이 핵무기 개발을 시도하고 있다고 우려를 표한바 있음.

- 북한이 1985년 가입한 핵무기 비확산조약은, 핵무기 비보유국은 IAEA의 핵사찰을 허용토록 안전조치 협정에 서명토록 되어있으며, 서명의 전제조건으로 타국의 군사기지 사찰은 금지되어있음.끝.

(대사대리 도 영석 서기관 - 국장)

국기국 1차보 중아국 정문국 정문국 안기부

PAGE 1 91.04.26 09:24 WG

외신 1과 통제관

0104

번호 91-500

1세 김

주 제 네 바 대 표 부

국기 (UN)

제네(정) 20298- 71 1991. 4. 26

수 신 : 외무부장관

참 조 : 국제기구조약국장, 미주국장, 정보문화국장, 국가안전기획부장

제 목 : 핵시설 사찰관련 북한대사 기자회견

발송 91. 4. 26

연 : GVW - 0755

연호, 당지 북한 대표부 이철대사의 4. 24 외신기자 회견문을 별첨 송부합니다.

첨부 : 동 회견문 사본 1부. 끝.

일반문서로 재분류(1991. 6. 30)

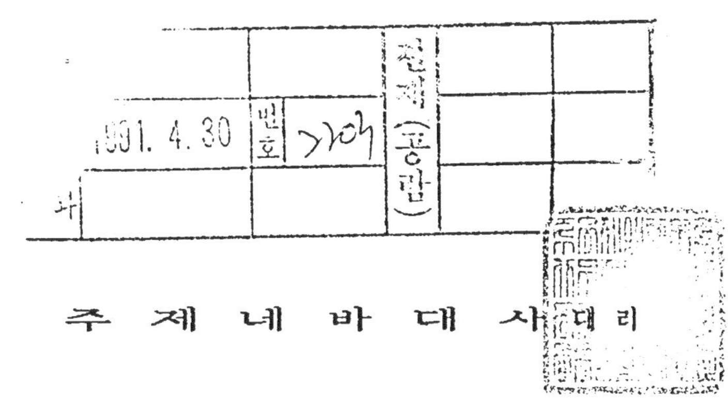

1991. 4. 30 번호 가아 전결(공람)

주 제 네 바 대 사 대 리

0105

La présente situation dans la péninsule coréenne est plus que jamais tendue.

Les exercices militaires conjoints américano-sud-coréens "Team Spirit 91", qui ont débuté à la fin janvier dernier, n'ont pas encore pris fin.

Selon les informations, 140 mille soldats y ont été mobilisés. Ce nombre, légèrement réduit par rapport à celui annuel de 200 mille hommes, n'est dû qu'à la guerre du Golfe et cette opération militaire revêt un caractère peu commun.

La situation dans la péninsule coréenne s'exacèrbe de plus en plus à cause de nouveaux événements récemment survenus.

Le 12 avril dernier, le "ministre de la Défense nationale" de Corée du Sud a déclaré "attaquer par surprise les installations de pile atomique du Nord" par la mobilisation des unités de commandos.

Le même jour, le Conseil des chefs d'état-major américain a publié le "rapport annuel sur l'appréciation des forces militaires" dans lequel il a indiqué que "c'est la péninsule coréenne qui sera la région où une guerre éclaterait après le Golfe".

Le "rapport" indique par ailleurs qu'une fois la guerre éclatée en Corée, "il serait inévitable de voir se dérouler des combats acharnés pendant plus de 120 jours au moins" et que les Etats-Unis y lanceraient leurs renforts de plus de 200 milles hommes.

Cela révèle qu'ils considèrent comme un fait accompli le déclenchement d'une nouvelle guerre en Corée.

Il est de notoriété publique que lors d'une "réunion consultative annuelle sur la sécurité sud-coréo-américaine",

0106

tenue vers la fin de l'année dernière, a été élaboré un plan opérationnel détaillé pour frapper le Nord.

Conformément à ce plan, durant les "Team Spirit" pour cette année se sont effectués les exercices d'opération comme "contre-mesures aériennes visant à éliminer les installations d'exploitation nucléaires du Nord.

En définitive, cela prouve que les propos du "ministre de la Défense nationale" de Corée du Sud ne sont pas une "parole malheureuse" et qu'ils ne coïncident pas fortuitement avec le plan de guerre, publié par le Conseil des chefs d'état-major américain.

Le danger de guerre s'approche dans la péninsule coréenne, mais il n'y existe pas d'instrument de prévention de la guerre. 38 ans se sont écoulés depuis le cessez-le-feu.

Il n'y a ni déclaration de non-agression entre le Nord et le Sud ni accord de paix entre les USA et la RPDC. La situation est telle qu'un coup de feu pourrait allumer la guerre.

Rien qu'en 20 jours qui ont suivi la publication du plan des "Team Spirit 91", ils ont commis plus de 1 500 provocations militaires dont le tir de fusils et de canons sur notre côté. Si nous y répondons par un coup de feu, ce serait l'éclatement d'une guerre.

Alors que le processus du désarmement et de la détente était accéléré en Europe, les forces armées et le danger de conflits armés se sont accrus de jour en jour dans la péninsule coréenne. On devra y prêter l'attention requise.

Il ne faudra pas, sur le plan mondial, que la détente dans une région débouche sur l'aggravation de la tension dans une autre.

Toutes sortes de chasseurs et de matériel de combat dernier modèle, soumis aux essais dans la guerre du Golfe, sont actuellement déployés et continuent à être renforcés en Corée du Sud.

Les équipements militaires ultra-modernes qui étaient mobilisés chaque année aux "Team Spirit" y demeurent presque intacts.

Voilà la réalité de la péninsule coréenne. Qui oserait nier ce risque de l'éclatement de guerre ?

Dans cette conjoncture, les propos belliqueux du "ministre sud-coréen de la Défense nationale" et le plan de guerre américain montrent à l'évidence qu'ils tentent d'éliminer les possibilités de paix dans la solution du problème coréen.

Le Gouvernement de la République Populaire Démocratique de Corée a avancé différentes propositions telles que celle du désarmement multilatéral, celle de transformation de la péninsule coréenne en zone exempte d'armes nucléaires, celle de conclusion d'un accord de paix avec les Etats-Unis, celle d'adoption d'une déclaration de non-agression avec la Corée du Sud et autres, en vue de préserver la paix en Corée et de réaliser sa réunification pacifique.

Mais, les Etats-Unis ne veulent même pas s'asseoir avec nous autour d'une même table et la Corée du Sud s'oppose à l'adoption de la déclaration de non-agression aux pourparlers Nord-Sud de haut niveau.

A l'heure actuelle, ils parlent bruyamment de l'accord de garanties; nous croyons que ce n'est pas parce qu'ils se sentent vraiment menacés, mais qu'ils ont besoin d'un prétexte pour provoquer une nouvelle guerre.

Auparavant, ils parlaient beaucoup de la "menace d'invasion contre le Sud", mais ils ont besoin d'un nouveau prétexte à l'heure présente où la communauté internationale reconnaît que le Nord n'a ni intention ni force d'envahir le Sud.

Claire est notre position sur la conclusion de l'accord de garanties.

Nous n'avons ni l'intention ni la capacité de fabriquer les armes nucléaires.

La raison pour laquelle notre pays a adhéré en décembre 1985 au TNP consistait à se placer sous sa protection.

En Corée du Sud sont déployées de plus de 1 000 armes nucléaires dont la puissance explosive est 1 600 fois plus grande que celle de la bombe atomique que les Etats-Unis avaient larguée à Hiroshima.

Notre nation, qui, après le peuple japonais, a le plus subi le dommage nucléaire, s'oppose plus que quiconque à la guerre nucléaire.

Lorsque notre pays a adhéré au TNP, la communauté internationale l'applaudissait et s'attendait au retrait des armes nucléaires de la Corée du Sud par les Etats-Unis.

Néanmoins, ceux-ci n'ont retiré depuis aucun engin nucléaire, mais au contraire ils ont accru l'arsenal nucléaire.

Notre Gouvernement se montre responsable à l'exécution des obligations internationales aux termes du Traité.

En dépit de la menace nucléaire incessante des Etats-Unis, notre Gouvernement a engagé à plusieurs reprises des négociations avec l'Agence internationale de l'énergie atomique (AIEA) pour conclure l'accord de garanties avec elle et est parvenu à un accord de principe.

Franchement parlant, au cours des négociations avec l'AIEA nous l'avons également priée de nous venir en aide afin que les Etats-Unis puissent nous donner une garantie de sécurité juridiquement contraignante, car la menace nucléaire américaine pèse sur les intérêts fondamentaux de notre pays et l'existence de notre nation.

Lors de la Quatrième Conférence des parties chargées de l'examen du Traité sur la non-prolifération des armes nucléaires, nous nous sommes efforcés sur tous les plans pour que soient entamées ici à Genève les négociations avec la délégation américaine.

L'AIEA a compris notre position et reconnu que tous les problèmes avec elle sont réglés et qu'il n'en restait qu'à résoudre avec les Etats-Unis.

Le texte de l'accord de garanties avec l'AIEA est déjà prêt et nous sommes disposés à le signer à n'importe quel moment, dès que la menace nucléaire contre nous sera éliminée.

Si les Etats-Unis n'avaient pas d'autres buts dans la péninsule coréenne, ils n'auraient pas de raison de ne pas nous donner la garantie de sécurité, tant qu'ils font une promesse générale sur le non-recours aux armes nucléaires.

En outre, s'il est vrai qu'ils disent, contrairement à la réalité, que nos activités nucléaires menaceraient quelqu'un d'autre, ils n'auront pas non plus de raison pour nous donner une garantie de sécurité, puis procéder à la surveillance internationale.

Quant à l'inspection nucléaire, nous estimons qu'il faudra effectuer celle sur nous, en même temps que celle sur les bases nucléaires américaines en Corée du Sud. 0110

Les Etats-Unis n'ont rien publié jusqu'à présent à propos des armes nucléaires déployées en Corée du Sud.

Si notre pays n'était pas petit et qu'un Etat doté d'armes nucléaires comme les Etats-Unis ne nous menaçait pas, le problème se poserait tout autrement.

En tant que petit Etat qui ne possède pas d'armes nucléaires et qui n'est pas capable de les fabriquer, notre pays est obligé de présenter la garantie de sécurité comme une demande vitale, pour se défendre de la menace nucléaire à laquelle il se trouve confronté.

Nous pensons qu'il en est de même pour plus de 50 Etats parties au Traité qui ne possèdent pas d'armes nucléaires en Afrique et au Moyen-Orient qui ne sont pas en mesure de conclure les accords de garanties.

Dans la communauté internationale, il faudra en finir avec un point de vue selon lequel les allégations et demandes des pays grands et forts seraient justes, avec le mépris de celles des pays petits et faibles et surtout avec le piétinement de leur souveraineté.

"Cessez de nous menacer par les armes nucléaires; si oui, nous signerons l'accord de garanties et accepterons l'inspection nucléaire.", cette demande n'est en aucun cas déraisonnable.

Par contre, il ne sera en effet pas difficile, pour les Etats-Unis, pays dépositaire du TNP et grande puissance, qui prétendent jouer un grand rôle pour le maintien de la paix dans le monde, de garantir qu'ils ne menaceront pas un petit pays des armes nucléaires.

Nous vivons dans l'inquiétude, en nous sentant menacés en permanence par les Etats-Unis.

0111

Si l'on croit aux Etats-Unis qui se disent menacés par nous, on dirait que le lion a peur du mouton.

La dignité est pour notre peuple plus précieuse que la vie.

Nous n'admettrons pas que notre dignité soit violée.

La raison pour laquelle les Etats-Unis ne se sont pas débarrassés de leur politique d'hostilité à notre égard se rapporte, à mon avis, à la politique d'obéissance sud-coréenne vis-à-vis des Etats-Unis.

Les autorités sud-coréennes sont beaucoup plus intéressées à la division perpértuelle du pays qu'à un fait évident que les horreurs nucléaires conduiront notre nation à son extermination.

En parlant de la "menace nucléaire en provenance du Nord" qui n'existe même pas, elles visent légitimer le stationnement indéfini des troupes américaines en Corée du Sud.

Il est erroné, pour les Etats-Unis et la Corée du Sud, de s'acheminer vers la mise en scène d'un scénario de la deuxième guerre du Golfe. Ce qui sera pour toujours condamné comme un acte d'agression devant l'Histoire.

Ils devront s'engager dans la voie de résoudre la question coréenne pacifiquement, à travers les négociations et le dialogue, conformément à la tendance actuelle.

0112

관리 번호	91-1430

	분류번호	보존기간

발 신 전 보

번 호 : WAV-0420 910508 1831 FO 종별 :

수 신 : 주 오지리 대사 . 총영사 (사본: 주 유엔, 제네바 대사) -0599

발 신 : 장 관 (미 안)

제 목 : 북한 핵문제

1991.12.31 에 예고문에 의거 일반문서로 재분류됨

검토필(1991. 6.30.)

대 : AVW-0525

연 : WAV-0400

1. 대호 주한미군 핵철수에 관한 미.쏘간 비밀 교섭설 보도 관련 외무부 당국자의 논평은, 미,쏘,일 외무부등 관계기관을 통하여 여사한 보도 내용이 사실 무근임을 확인한 결과에 따른것임.

2. 관련국 정부 당국자들은 한반도 핵에 관해 미국의 확고한 NCND 정책이 유지되고 있는 가운데 미국의 핵배치에 관해 미쏘간 협상이 이루어진다는 것은 논리적으로도 맞지 않는다는 반응등을 보였는바 주요 언급요지 다음과 같음.

o 미 국무부(한국과 및 쏘련과)

- 동 보도는 완전한 넌센스이며 기자들의 질문이 있을 경우 NCND 원칙에 입각, 답변할 것임.

- 미국의 핵배치에 관해 쏘련과 협상 한다는 것은 미국의 핵전략과 대평양에서의 군축 관련 입장에서 비추어 볼 때 논리가 서지 않음. (미 국방부 관계관들은 논할 필요도 없다는 반응을 보임)

/ 계속....

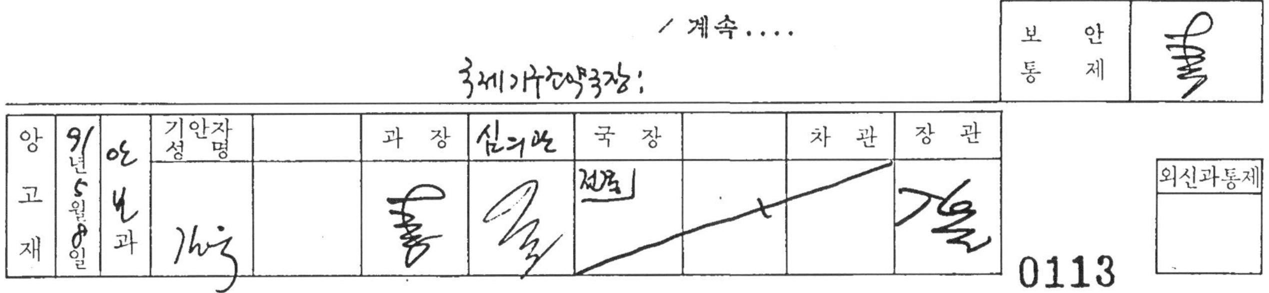

국제기구조약국장;

보 안 통 제					

앙 고 재	91년 5월 8일	안보과	기안자 성 명		과 장	심의관	국 장		차 관	장 관
							전결			

외신과통제

0113

o 소 외무부(한국부)

- 미국의 NCND 정책을 상기시키고, 미.소 양국 정부에서 여사한 문제가 공식 또는 비공식적으로 거론될 가능성은 없음.

- 그러한 사안은 비밀교섭 대상이 아니라 미.소간 협의 채널을 통해 공식적으로 거론(미.소간 핵군축 협상등)될 사안임.

o 일 외무성 (북동아과)및 방위청 : 전혀 아는바 없으며 사실 무근인 것으로 봄. 끝.

예 고 : 1991.12.31에 일반고문에 의거 일반문서로 재분류됨

(미주국장 반기문)

0114

관리번호 91-376

기 안 용 지

분류기호 문서번호	국기 20332-376	(전화:720-050)	시 행 상 특별취급	
보존기간	영구.준영구. 10. 5. 3. 1.	차 관	장 관	
수 신 처 보존기간				
시행일자	1991. 5. 9.			
보조기관 국장		협조기관 제1차관보		문 서 통 제
보조기관 과장		협조기관 미주국장		
기안책임자	김희택			발 송 인
경 유 수 신 참 조	건 의	발신명의		
제 목	IAEA 6월이사회 대책			

91.6.10-14간 비엔나 개최 IAEA 이사회에서 북한의 협정 체결 문제가 다시 논의될 예정인바, 금번 이사회에서는 주요 우방 이사국과 협의하여 아래와 같이 북한의 협정 체결을 촉구하는 결의문 채택 추진을 건의하오니 재가하여 주시기 바랍니다.

- 아 래 -

/계 속/

0115

1. 대북한 핵안전협정 체결 촉구 결의안 채택 추진

가. 호주가 준비중인 동 결의안에 대해 미국, 일본과 협의하여 결의안 제출을 측면지원(남.북한은 옵서버국이므로 결의안 제안국이 될수 없음)

o 호주 준비동향(4.24 주호주 대사 보고)

- 호주는 6월 이사회에서 대북한 협정체결 촉구 결의안 제출을 검토중이며, 향후 2-3주내 결의안 초안을 작성, 우방국과 본격 협의할 예정임.

- 호주측은 일차적으로 일측과 협의한바, 일본 정부도 동 결의안 제출 필요성에 공감 표시함.

o 결의안 문안은 IPU 평양총회시 채택한 내용 수준으로 함.

- 핵안전협정의 체결은 NPT 가입국의 무조건적 의무이며, 협정 미체결 모든 NPT가입국의 조속한 협정 체결을 촉구

나. 상기 협의결과를 바탕으로 결의안 채택을 위한 지지확보 교섭

o 지지확보 교섭시 IPU 평양 총회 결의안 채택사실 활용

o 선두 추진교섭 대상국 : 호주, 미국, 일본

o 지지교섭 대상국 : IAEA 이사국중 비협조 예상국(중국, 나이제리아, 인도, 이라크, 이란, 쿠바)을 제외한 하기 26개국

0116

- 2 -

- 쏘련(우크라이나 공화국 포함), 카나다, 프랑스,

  영국, 스웨덴, 독일, 벨지움, 이태리, 오지리, 폴투갈,

  체코, 폴란드, 이집트, 튀니지, 카메룬, 모로코,

  사우디, 알젠틴, 칠레, 베네주엘라, 브라질, 우루과이,

  필리핀, 태국, 인니

2. 결의안 채택 추진방법

가. 호주, 미국, 일본과는 주재공관을 통하여 교섭하면서 주오지리 대사관을 통하여 오지리 주재 동국 대표들과의 긴밀협력 도모

나. 기타 우방이사국과의 교섭은 주오지리 대사관을 교섭창구로 하되 필요시 수도에서의 교섭도 병행

다. 이사회에서 우방이사국이 먼저 북한의 협정 체결을 촉구하도록 하는 발언을 선행시킴으로써 결의안 채택분위기를 조성함

첨부 : 1. 북한의 원자력 개발현황

2. IPU 평양총회 채택 군축관련 결의문. 끝

예고 : 91.12.31. 일반

검토필(1991.6.30.)

1 12 31

0117

공　　란

공 란

국 제 의 회 동 맹
제 85 차 총 회
평양 1 9 9 1

85th INTER-PARLIAMENTARY CONFERENCE
Pyongyang, April 29 – May 4 1991

Conference
Item 3

CONF/85/3-DR.20
3 May 1991

NEED TO PREVENT THE PROLIFERATION OF NUCLEAR WEAPONS AND OTHER WEAPONS OF MASS DESTRUCTION, TO ENSURE THE SECURITY OF ALL STATES AND TO STRENGTHEN CONFIDENCE-BUILDING MEASURES IN THE CONTEXT OF THE PROCESS OF DISARMAMENT

Draft resolution adopted by the Committee on Political Questions, International Security and Disarmament, by 40 votes to 0, with 1 abstention

Rapporteur: Mrs. K. Sullivan (Australia)

The 85th Inter-Parliamentary Conference,

(1) Convinced that Parliaments and parliamentarians make a significant contribution to efforts to prevent vertical and horizontal proliferation of nuclear weapons and other weapons of mass destruction, to ensure the security of all States and to strengthen confidence-building measures in the context of the disarmament process,

(2) Also convinced that the security of all States is determined by political, military, economic, social, ecological and civic education factors,

(3) Mindful that peace is a prerequisite for the survival of mankind, the establishment of relations of understanding and friendship between peoples and the fulfilment of fundamental human rights,

(4) Recognizing that the arms race leads to waste and destruction of significant material and intellectual resources and is therefore detrimental to social progress and the achievement of better living conditions for the world's population,

(5) Believing that all nations have a fundamental interest in eliminating nuclear weapons and other weapons of mass destruction because the existence of such weapons jeopardizes the vital security interests of all States,

(6) Recalling that the arms race contradicts the fundamental principles of the United Nations Charter, in particular respect for the sovereignty, the independence and territorial integrity of States, the prohibition of the threat or use of force and non-interference in the internal affairs of States,

0120

(7) Reaffirming that protecting human and civil rights, guaranteeing basic freedoms and shaping societies in accordance with the principles of democracy, the rule of law and social well-being can contribute significantly towards internal and hence international peace,

(8) Recalling the significance of the principles of international law, in particular respect for sovereignty, equality, political independence, territorial integrity and the right of peoples to self-determination,

(9) Also recalling that the arms race is incompatible with the obligation of all States to settle their international disputes peacefully, that it is a negation of the principles of peaceful coexistence and détente among States and a rejection of international co-operation and understanding, and constitutes yet another barrier to the edification of a just and equitable new international order,

(10) Noting with satisfaction that in recent years, a major breakthrough has occurred in disarmament owing to the establishment of a climate of détente between the great powers,

(11) Deeply concerned that major powers, by taking certain initiatives with regard to disarmament, are in fact seeking to replace obsolete weapons with more sophisticated and powerful ones,

(12) Deeply concerned also that some other States are devoting significant resources to acquiring nuclear, chemical or other weapons of mass destruction,

(13) Convinced of the vital need to step up efforts made in the context of bilateral and multilateral negotiations, with a view to reaching concrete disarmament agreements and promoting the maintenance of international peace and security,

(14) Recognizing that the elimination of the arms race and the achievement of any progress in disarmament and in preventing the proliferation of nuclear weapons and other weapons of mass destruction presuppose rejection of all policies aimed at global or regional dominance by military force,

(15) Reaffirming the view expressed in the Final Document of the 1987 International Conference on the Relationship between Disarmament and Development that the relationship between disarmament and development is close and multidimensional,

(16) Recalling the recommendations of the Inter-Parliamentary Conference on Disarmament (Bonn, 21-25 May 1990) which stress the urgent need to consolidate disarmament efforts, reduce military spending and earmark the funds thus released for economic and social development,

(17) Realizing that negotiations on conventional armed forces are an important aspect of arms control,

(18) Calling for full adherence to the relevant international arms control agreements,

0121

(19) Recognizing the benefits of strictly peaceful and responsible uses of nuclear energy (generation of electricity, nuclear applications in medicine, agriculture, sciences), as well as the right of all States, without discrimination, to develop research on and the production and use of nuclear energy for peaceful purposes,

1. Urges nuclear-weapon-States to meet their obligations to achieve complete nuclear disarmament;

2. Urges States to abstain from the use or threat of use of nuclear weapons or other weapons of mass destruction;

3. Recognizes the need for improved security assurances by nuclear-weapon States to non-nuclear-weapon States regarding the non-use of nuclear weapons;

4. Urges all States not parties to the 1968 Treaty on the Non-Proliferation of Nuclear Weapons (NPT) to accede to it and to conclude the required safeguards agreement with the International Atomic Energy Agency (IAEA);

5. Reminds all States parties to the NPT which have not yet concluded IAEA safeguard agreements that the timely conclusion of safeguard agreements is an unqualified obligation of States parties, and urges them to conclude such agreements and put them into force as soon as possible;

6. Considers that the unsafeguarded nuclear programmes of States represent a threat to international peace and security, and urges all States which have not yet acceded to the NPT to do so;

7. Urges all States to ensure that their exports of nuclear material, equipment and technology to non-nuclear-weapon States do not assist any nuclear weapon programmes, and urges the nuclear supplier States to require IAEA full-scope safeguards as a necessary condition for such exports;

8. Welcomes the continued improvements in the effectiveness and efficiency of IAEA safeguards, and urges that this process be maintained;

9. Recognizes that attacks on nuclear facilities could result in large releases of radioactivity with potentially grave consequences, and urges States participating in the Conference on Disarmament to co-operate with a view to finding a successful solution to this issue in the near future;

10. Calls on all States to become parties to the 1977 First Additional Protocol to the 1949 Geneva Conventions, which forbids attacks on nuclear electrical generating facilities;

11. Welcomes the fact that international co-operation to strengthen nuclear safety and radiological protection has been stepped up since the Cherbobyl accident, mainly under the auspices of the IAEA;

0122

12. Urges all States with nuclear programmes to maintain the highest possible standards of nuclear safety and radiological protection and to strengthen international co-operation in assisting individual nations to establish the necessary policies and regulatory arrangements to ensure the safe use of nuclear energy for peaceful purposes;

13. Also urges the United Nations to continue its role in co-ordinating measures designed to prevent nuclear weapons proliferation, build confidence among States and further the entire disarmament process;

14. Welcomes regional approaches to non-proliferation, in particular the establishment of nuclear-weapon-free zones, such as those established by the 1967 Treaty of Tlatelolco for Latin America and by the 1985 Treaty of Rarotonga for the South Pacific;

15. Expresses the hope that further initiatives will be forthcoming, in particular to turn the Mediterranean and the Near and Middle East into a denuclearized zone;

16. Further urges Governments to make substantial reductions in their military budgets and to rechannel a significant proportion of the resources thus saved to social and economic development programmes, especially in Third World countries;

17. Invites all States to report military spending in accordance with the UN's "International System for the Standard Reporting of Military Expenditures";

18. Calls for a meeting of the major arms exporters to encourage them to make a formal commitment to increased transparency and greater restraint in arms exports;

19. Welcomes the signing in November 1990 by 22 States of the Treaty on Conventional Armed Forces in Europe, and calls for stronger conventional arms control measures to be implemented;

20. Encourages all Parliaments and Governments actively to promote the early conclusion of a Comprehensive Test Ban Treaty (CTBT) prohibiting nuclear testing by all countries in all environments for all times to achieve the ultimate objective of ridding the world of nuclear weapons and preventing nuclear proliferation;

21. Requests States which have not yet done so to accede to the Geneva Protocol of 17 June 1925 on the Prohibition of the Use in War of Asphyxiating, Toxic or Similar Gases and Bacteriological Methods of Warfare and to the Convention of 10 April 1972 on the Prohibition of the Development, Production and Stockpiling of Bacteriological (Biological) Weapons and on their Destruction;

22. Stresses the urgent need for the speedy conclusion, in conformity with the recommendations of the Paris Conference (January 1989) on the prohibition of chemical weapons, of a convention banning the development, manufacturing, stockpiling and use of chemical weapons that is truly comprehensive, universal and verifiable;

0123

23. Urges all States to make the broadest possible use of confidence-building measures and display maximum transparency in their security arrangements, especially in times of political tension and crisis;

24. Recommends that States refrain from using the high seas or Third World countries as a dumping ground for their nuclear or toxic waste;

25. Calls for the provision of the necessary guarantees that outer space will be used only for peaceful purposes;

26. Urges Parliaments to give positive consideration to the Recommendations for Parliamentary Action adopted at the Inter-Parliamentary Conference on Disarmament (Bonn, 21- 25 May 1990), and to take action accordingly;

27. Requests the National Groups of all IPU member Parliaments to exert influence on their respective Governments to support the principles contained in this resolution.

0124

관리번호	91-371

	분류번호	보존기간

발 신 전 보

WAU-0311 910510 1833 FN

번 호 :

종별 :

WAV -0433

수 신 : 주 호주 대사. 총영사 (사본 : 주오지리 대사)

발 신 : 장 관 (국기)

제 목 : IAEA 이사회

대 : AUW-0304

91.6.10-14간 비엔나 개최 IAEA 이사회 대책에 필요하니, 대호,호주의 대북한 핵안전협정 체결 촉구 결의안 제출 검토와 관련, 그간 진전상황등 호주측 동향을 가급적 상세 파악, 보고바람. 끝

(국제기구조약국장 문동석)

예고 : 91.12.31. 일반

검 토 필(1991. 6. 30.)

일반문서로 재분류(1991 .12.31.

보안통제	

앙고재	91년 5월 10일	국기과	기안자 성명		과 장		국 장		차 관	장 관
			김희택				전결			

외신과통제

0125

5/11 길.
ㅡ관ㅅ 연보
보고토록 기

관리번호	91-379

원 본

외 무 부

종 별 : 긴 급

번 호 : CNW-0567 일 시 : 91 0510 1900

수 신 : 장 관(국연,미북,경일,아이,국기,정일)

발 신 : 주 카나다 대사

제 목 : G-7 정상회담

연 : CNW-0505

대 : WCN-0413(1), 0412(2)

대호 관련 5.10.(금) 본직은 외무부 KINSMAN 정치.안보문제 담당 차관보와 면담, G-7 홍봉 준비회의 논의내용 및 아국의 대응 방향, 유엔문제 관련 대중국 협조문제등 의견 교환한보 요지 아래 보고함.(조창범 참사관 배석)

1. G-7 홍콩 준비회의(POLITICAL DIRECTOR'S MEETING) 논의내용

가. 한반도 문제 관련 한국의 유엔 가입문제, 북한의 핵사찰 문제등에 관해논의가 있었는바, 유엔 가입문제에 관해 각국은 모두 지지입장을 보이고 중국의 태도 전망에 관해 대체로 거부권 행사가 없을 것이라는 평가가 지배적이었으나 일본측은 불확실하다는 조심스런 평가였다고 함.

나. 특히 중국의 태도에 관해서는 미측이 5.6.(월) 중국 방문 예정이었던 미국무성 KIMMIT 차관(UNDER SECRETARY FOR POLITICAL AFFAIRS)이 중국 당국과 직접 협의하기로 한바 동 결과가 주목된다 하였음.

다. 각국은 또한 북한에 대한 핵사찰 문제와 북한의 무기(미사일) 수출 문제에 관해서 상당한 우려를 표명하였음.

라. 이에 따라 금번 회의에선 7 월 G-7 정상회담시 의장성명중 한반도 문제에 관한 어떤 형태의 언급(SOME REFERENCE)을 포함시키는 방향으로 검토하자는데일차적인 의견이 모아졌다고 함.(동 언급 내용은 한국의 유엔가입 환영, 북한의 핵안전 조치 협정체결 및 한반도에서의 전반적 긴장완화 촉구등의 취지라고함)

마. 유엔의 장래문제와 관련 앞으로 유엔의 기능강화가 중요하다는데 의견의 일치가 있었는바, 이를 위해선 특히 국제평화와 안전문제에 있어 유엔을 적극활용토록 하고 주요지역 분쟁 문제에 있어 가급적 유엔의 참여도를 높이며 유엔 사무총장직의

국기국	장관	차관	1차보	2차보	아주국	미주국	국기국	경제국
정문국	정특반	청와대	안기부					

PAGE 1 91.05.11 08:51

외신 2과 통제관 BS

0126

기능을 활성화 시키는 방안을 검토키로 했다 함.(특히 최근 쿠르드 난민문제 관련 유엔이 적극적으로 대응치 못한데 대한 각국의 불만이 컸다고 함)

바. 금번 회의에서 상당부분을 차지한 군축문제에 관해서는 앞으로 핵 비확산을 위한 국제적인 협력 체제를 보다 강화하고 재래식 무기의 수출 통제에 관한새로운 조치들을 강구토록 하는데 전반적인 콘센서스가 있었다고 함.

사. 기타 소련 정세에 관한 평가, 중국.홍콩 문제, 걸프사태 이후 중동문제(이락 지도체제, 쿠르드 난민문제, 쿠웨이트 민주화 문제등)에 관한 의견 교환이 있었는바, 특히 중동문제와 관련, 소련의 적극적인 협조(걸프전 대응, 중동 평화회의 추진협조등)에 대한 각국의 긍정적인 평가가 있었으며, 중국의 학생재판등 인권상황과 미사일 수출문제등에 관한 우려 표명도 있었다고 함.

이하 PART 2 로 계속

일반문서로 재분류(19 91 . 12 . 31)

검 토 필(19 91 . 6 . 30 .)

기

관리 번호	91-380

원 본

외 무 부

종 별 : 긴 급

번 호 : CNW-0568 일 시 : 91 0510 1920

수 신 : 장 관

발 신 : 주 카나다 대사

제 목 : CNW-0567 의 PART 2

아. KINSMAN 차관보 사견으로는 미.소 정상회담이 6 월말 모스크바에서 개최될 것으로 보며, G-7 정상회담시 고르바쵸프 초청문제에 관해서는 실현 가능성이 희박한 것으로 본다 함.

2. 상기 관련 본직은 KINSMAN 차관보의 DEBRIEFING 협조에 사의를 표하고 곧 본부의 검토가 있는대로 훈령이 있을 것임을 전제로 하여 금번 G-7 정상회담시 한반도 문제(특히 유엔 가입문제, 북한 핵문제) 관련 아국 입장을 지지하는 내용이 포함되도록 하는데 적극 협조해 줄것을 당부한바, 상기 1 항 논의 내용에비추어 별문제가 없을 것으로 전망하면서 특히 금번 G-7 주최국으로서 주도적 역할을 하게될 영국외무부의 POLITICAL DIRECTOR(JOHN WESTERN, UNDER-SECRETARYFOR POLITICAL AFFAIRS)와 역시 영향력이 큰 미측과도 사전 긴밀히 협조해 두는것이 도움이 될것이라고 하였음. 아울러 동 차관보는 앞으로 G-7 정상회담 개최시까지 몇차례 더(6 월,7 월초, 그리고 NATO 외상회의시등) 준비회의(POLITICAL DIRECTOR'S MEETING)가 있을 것이라고 부언하였음.

3. 한편, 본직은 대호(2) 유엔 가입문제 관련 중국의 건설적 역할 설득을 위한 주재국측의 협조를 요청한바, 동 차관보는 그간 카.중국 관계에 비추어 중국측으로서도 카측으로부터의 동문제 거론이 있을 것으로 기대하고 있을 것이라고 하면서 기회 있는대로 적극 협조할 것임을 다짐하였음. 아울러 카측으로서는 중국의 거부권 행사가 없을 것으로 보나 과번 유엔 안보리에서의 대이락 무력 사용 결의 채택과정에 있어서의 중국측 태도등에 비추어 중국이 마지막 순간까지 거부권 행사 여부에 관한 입장을 밝히지 않은채 이를 최대한 외교적으로 활용하는 입장을 취할 것으로 본다 하였음.

4. 또한 동 차관보는 상금 중국으로서는 미.중국관계에 큰 중요성을 부여하고

국기국 장관 차관 1차보 2차보 아주국 미주국 국기국 경제국
정문국 정특반 청와대 안기부

PAGE 1

91.05.11 08:55

외신 2과 통제관 BS

0128

있어(최혜국 대우 문제등) 미국의 영향력이 매우 크다고 하면서 미국을 통한 대 중국설득 노력도 긴요할 것이라고 하였음.

5. 아울러 본직은 이붕 총리 방북과 관련 유엔 가입문제등 중국.북한간의 협의내용 파악을 위한 카측의 협조도 요청한바, 주 북경대사관 등을 통해 정보있는대로 아측에 알려주겠다고 하였음.

6. 상기 G-7 홍콩 준비회의 논의 내용관련 아측 대응에 있어 출처 보호를 위해 KINSMAN 차관보가 직접 QUOTE 되는 일이 없도록 하여 주시기 바람. 끝

(대사 박건우-차관)

예고문 : 91.12.31. 일반

일반문서로 재분류(1991.12.31.)

검 토 필(1991. 6. 30.)

관리 번호 91-382

외 무 부

종 별 :

번 호 : JAW-2904 일 시 : 91 0511 2121

수 신 : 장관(아일,미북,정이(사본:주미대사:중계필))

발 신 : 주 일 대사

제 목 : 일.미 차관급 정치협의

연:JAW-2808

1. 연호, 작 5.10. 외무성 사이또 북동아 과장은 당관 박승무 정무과장을 초치, 미국무부 키미트 차관의 나까야마 외상과의 면담(5.7.)시 언급된 한반도 관련 부분을 다음과 같이 설명 하였음.

0 면담은 5.7. 09:30-10:20. 간 진행 되었으며 일.미 관계 전반, 중동문제,아. 태 안전보장문제, 중국문제, 한반도 관련사항에 대해 의견교환을 하였음.

0 한반도 관련 면담 부분

- 나까야마 외상: 작 5.6(IPU 총회 참석차) 북한을 방문하고 귀국한 자민. 사회당 의원으로 부터 방문 결과를 들었음. 일 정부의 입장은 일.북 관계 정상화를 위해 북측이 IAEA 핵사찰을 받아들여야 된다는 것임. 한편, 평양방문의원들 보고중에도 그런애기가 있지만, 북측은 미국이 한국에 보유한 핵 철거를 주장하고 있음. 북한의 분위기는 미국과의 관계개선에 아주 의욕적인 것으로 알고 있음. 북측은 일.북 관계개선을 아주 서두르고 있다는 코멘트를 일측이 하는데 대해신경질적임. 올여름 많은 사회당 의원들이 북한을 방문 예정임.

-키미트: 미국도 지금까지 북경에서 참사관 레벨에서 15 차에 걸쳐 북측과 협의를 해 왔음. IAEA 핵사찰 문제는 미.북 양국간 문제가 아니고 또 한반도에 있는 군사 PRESENCE 문제와 연계시킬 문제도 아니며, 북측이 국제의무로서 받어들여야될 문제임. 본인의 중국방문중 받은 인상으로서는 중국도 북한에 대해 IAEA 핵사찰을 먼저 받아들이는 것이 중요하다고 ADVICE 하고 있는것 같었음. 국제사회가 북한에 대해 계속 메세지를 보내는 것이 중요하다고 생각함. 걸프전쟁 이후 핵무기 불확산과 미사일 불확산에 대한 국제적 관심이 높아지고 있는바, 이에대해서는 북측이 진지하게 대응하는 것이 중요함.

아주국 장관 차관 1차보 2차보 미주국 국기국 정문국 청와대 안기부

PAGE 1 91.05.11 22:38

외신 2과 통제관 CH

0130

2. 5.8. 개최된 키미트 차관과 오와다 외무심의관과의 협의시 예정 의제중에당초 한반도 관계가 있었으나 시간관계로 협의치 못했다고 함. 끝.

(대사 오재희-국장)

예고:91.12.31. 일반

일반문서로 재분류(1991. 12.31.)

검 토 필(1991. 6.30.)

PAGE 2

0131

관리번호	91-468

외 무 부

긴 w

종 별 :

번 호 : USW-2342 일 시 : 91 0514 1841

수 신 : 장 관(아일,미북,미안,아이,정이,기정)

발 신 : 주 미국 대사

제 목 : 일.북한 관계 대미 협조 요청

검토필(1991. 6.30.)

1991.12.31에 예고문에 의거 일반문서로 재분류됨

대:WUS-2008

연:USW-2341

1. 연호, 본직은 5.14(화) 국무부 동.아태 담당 솔로몬 차관보를 면담하는기회에, 대호 훈령에 따라 일.북한 관계 개선관련 아측 입장을 설명하고, 미측이 동 내용을 염두에 두고 금번 다니노 국장 방미 경우 뿐만 아니라 앞으로도 일본과의 협의시 그와 같은 아측의 입장을 고려하여 줄것을 요청하였음.

(작 5.13. 유참사관이 본부훈령 내용을 국무부 한국과장에게 사전 설명한바있음)

2. 이에 대해 동 차관보는 다니노 국장과 많은 시간을 중국관계 협의에 할애하였으나 북한의 핵 개발 문제에 대해서도 비교적 상세히 협의한바 있다고 하면서 미국도 일본이 경제적으로 난관에 처한 북한을 설득하는데 있어 유효한 수단(LEVERAGE)을 갖고 있다고 생각하고 있으며, 그러한 수단을 버리지 말고 이를 잘 사용하도록 촉구하고 있다고 하면서 다음 요지 설명함.

- 미국은 북한의 핵 문제가 일본 스스로의 안보에도 중요하다는 것을 상기 시키고 있음.

- 북한이 IAEA 안전 협정에 단순히 서명하는것으로 문제가 해결되는 것이 아닌바(WOLFOWITZ 방한시 김종휘 보좌관과 도 협의된바 있다함) 북한이 실제로 핵 사찰을 수락하는 문제와 핵연료 재처리 문제를 별도로 검토해야 할것임.

- 이락의 경우 IAEA 안전 협정 에서명하고도 핵 개발을 계속한바 있듯이 북한의 경우도 이러한 점을 생각하여 일본과 협의를 하였음.

일본도 이에 대해 충분히 인식하고 있으며 북한이 핵 사찰을 수락하기 전에는 수교하지 않겠다고 말하고 있음.

- 또한 미국은 일본에 대해 한국과 긴밀히 협조 하도록 주의를 환기 시키고있으며

아주국	장관	차관	1차보	2차보	아주국	미주국	미주국	정문국
청와대	안기부							

0132

PAGE 1

91.05.15 09:46

외신 2과 통제관 BS

일본도 명백히 이해하고 있음.

일본은 북한과의 관계 개선을 크게 서두르지 않고 있다고 이야기 하고 있느바, 그 이유는 일본 업계가 북한 진출 보다는 과거 북한으로 부터의 채무 상환에관심이 더 많기 때문이라고 함.

- 미국으로서는 북한이 핵 안전 협정을 서명하더라도 그것을 이행하는 문제와 재처리 시설을 제거시키는 것이 중요하다는 점을 계속 강조할 생각임.

3. 본직이 북한의 핵 안전 협정을 설명할것이라는 첩보가 있다고 하고(다께시다 전 총리 발언등 언급) 미측의 견해를 문의한바, 미측도 유사한 이야기를 들은바 있다고 하면서 한국도 북한에 대해 영향력을 행사할수 있는 방안을 생각해야 할 것이라고 말함.

4. 한편 동 차관보는 BAKER 장관이 몽고의 개혁에 관심이 많다고 전제하고 몽고가 당면한 경제난국 특히 식량부족등을 극복하고 정치.사회 개혁에 성공할수있도록 원조 공여 국가 구룹(SUPPORT GROUP)을 구성할 계획인바, 한국의 참여를 촉구한다고 말함.

동 그룹에는 우선 뉴질랜드가 참여할 의향을 보이고 있다고 하면서 미국은 이미 3만톤의 곡물과 기타 기술 원조를 하기로 결정한바 있다고 하는바, 본건 검토후 아측입장 회시 바람.끝.

(대사 현홍주-국장)

예고:91.12.31.일반 예고문에 의거 일반문서로 재분류됨

0133

PAGE 2

김 W

관리번호	91-472

외 무 부

종 별 :

번 호 : USW-2343 일 시 : 90 1514 1949

수 신 : 장 관(아이,미북,미안,국연,기정)

발 신 : 주 미국 대사

제 목 :

국무부 KIMMITT 차관의 중국방문 결과에 관하여 문의한바, 동 과장의 발언 요지 다음 보고함.

1. 북한의 핵 개발

-중국은 북한의 핵 개발 문제에 있어 소련과 비교할때 덜 적극적인 입장을 취하고 있다고 생각되는바 유화추 차관은 북한이 어느정도의 핵 개발 기술을 가지고 있는지 모른다고 하면서, 북한이 핵개발을 달성(IMPLEMENT NUCLEAR PROGRAM) 할만한 기술 수준과 능력을 가지고 있는지 의심스럽다고 말함.

중국측은 또한 북한의 핵개발에 관해서는 직접적인 정보를 가지고 있지 못하다고 하면서, 중국은 이미 북한이 IAEA 안전협정 서명을 하지 않고 있는데 대한 미국측의 우려를 북한측에 전달한바 있다고 말함.

- KIMMITT 차관의 저기침 외상과의 면담에서는 전반적인 차원에서의 핵무기및 미사일 비확산 문제에 대해서 의견교환을 가졌으며 북한의 핵문제 에 관해서는 별도로 언급 하지 않았음.

19 .12. 31에 예고문에 의거 일반문서로 재분류 됨

2. 한국의 유엔 가입 문제

-유화추 차관은 자신이 지난번 ESCAP 회의시 방한하여 동 문제를 한국측과 협의한바 있다고 하면서 중국은 아직 입장을 최종 결정하지 않았으며 미국과 계속 협의하기를 바란다고 말한바, 중국측이 미국과 협의하겠다는 것이 주목됨.

-자신의 개인적 견해로는 중국이 금번 총회에서 거부권을 행사할것 같지는 않다고 봄.

3. 미.중 양국 관계

가. MFN 지위 연장 문제- 미측은 의회의 분위기를 설명하고 인권개선, 핵무기 및 미사일 비확산 분야 에서의 협조가 중요하다고 강조한바, 중국측도 MFN 연장의

아주국	장관	차관	1차보	2차보	미주국	미주국	국기국	청와대
안기부								

0134

PAGE 1 91.05.15 10:59

외신 2과 통제관 BS

중요성을 알고 있는것으로 보였음.

다만, 외교부 대변인이 공개적으로 강한 반발을 보인것은 체면을 지키기위한 것으로서 놀라운것은 아니며 또한 이문제를 중요치 않다고 생각하는것은 아니라고 본다고 말함.

-자신의 개인적 견해로는 결국 행정부가 의회를 설득하여 연장이 가능하게 될것으로 보지만, 그 과정에서 행정부와 의회와의 관계가 소원해질 우려가 있어 정치적으로 부담이 되며, 의회심의과정에서 불가피하게 나타날것으로 보이는 중국에 대한 부정적 이미지는 양국관계 개선에 악 영향을 끼칠것으로 우려된다고 말함.

나. 인권 문제

-최근 미국의 관심을 크게야기시키고 있는것은 천안문 사태관련 구속자 처리문제뿐만 아니라 기독교인(주로 천주교 신자) 에 대한 종교적 박해문제 인바, 교황청과의 교신 내용을 이유로 이들을 구속하고 있는것이라 함.

(이들 기독교인은 약 100 명 정도로 소수이나 미국으로서는 민감한 문제라고 함)

0 인권관련 한가지 진전이 있다면 중국측도 생산공장에 죄수동원을 금지 시키겠다고 한것임.

다. 핵 및 미사일 비확산 문제

-미측은 중국이 알제리아에 대한 핵 시설 건설 계약을 83 년 체결하고 공사를 그간 간헐적으로 추진해 왔으나 최근 알제리아를 설득하여, 동 계약 사실을 공개하고, 알제리아가 IAEA 안전 협정을 체결하도록 유도한것은 하나의 진전으로평가 한다고 함.

-미사일 수출관련 파키스탄 에 판매한 M-11 은 중국측의 설명에 따르면 사정거리가 290 KM 롯러 규제 대상에서 제외된다고 하나 탄두에 따라 얼마든지 초과될수 있다고 본다고 말함.끝.

(대사 현홍주-국장)

예고: 91.12.31. 일반 예고문에 의거 일반문서로 재분류됨

검토필(1991. 6. 30.)

0135

PAGE 2

관리번호 91-461

원 본

외 무 부

종 별 :

번 호 : USW-2346 일 시 : 91 0514 1952

수 신 : 장 관(미북,미안,정이,국기,아동)

발 신 : 주 미국 대사

제 목 : 북한의 핵 개발 문제

1991.12.31. 에 예고문에 의거 일반문서로 재분류됨

1. 5.13. 당관 김영목 서기관과 NORMAN HASTINGS 한국과 북한 담당관과 접촉시 NORMAN 담당관은 아측 내부 참고로만 하기를 희망한다고 전제하고, 최근 IPU총회시 주북경 호주 참사관의 한시해 별도 면담 결과중 핵 안전협정 서명 문제에 대한 한시해의 언급 내용이 주목된다고 하면서 다음 요지 알려옴.

- 북한으로서는 IAEA 안전협정을 서명하고, 이를 준수할 준비가 되어 있음.

- 동 안전 협정을 서명하느냐 여부가 문제가 아니고, 다만 언제 서명하느냐만 문제임.

- 북한은 미국이 한국내에 배치하고 있는것으로 알려지고 있는 핵무기의 존재와 T/S 훈련에 과해 적절한 조치(SUITABLE GESTURE)를 취한다면, 언제라도 안전협정을 서명할 것임.

- 북한으로서는 핵무기를 개발할 의도도 능력도 없음. 만일 북한이 핵무기를 개발할 의도가 있었다면 NPT 에 가입치 않았을 것임.

2. HASTINGS 담당관은 북한측이 일본측에 대해 마치 당장 핵사찰을 수락할것같이 애기하는것은 말대로 믿지 않으나, 호주측에 대한 발언에는 새로운 뉴앙스가 엿보인다는 견해를 보임.

3. 이에 대해 김서기관은 북한은 89 년부터 여사한 입장을 계속 표시하여 왔고, 특히 90 년 초반부터 현재까지도 미국의 적절한 조치만 있으면 가능한다는애기를 해왔으나, 결국은 T/S 훈련중지, 소위 한반도 비핵지대화 주장에 귀착되어 왔다는 관찰을 표시하였음.

4. HASTINGS 담당관은 호주측이 아측에 동 내용을 먼저 통보해 오지 않는한아측 내부 참고로 만 해주기 바란다고 수차 당부하였음을 참고 바람.

5. 한편, 금 5.14. 이호진 안보과장은 미측 관계관들과 북한 핵문제에 대한

미주국 장관 차관 1차보 2차보 아주국 미주국 국기국 정문국
청와대 안기부

0136

PAGE 1

91.05.15 10:41
외신 2과 통제관 BS

실무견해 교환 기회를 가졌는바, 동 내용은 별도 보고 예정임.끝.

(대사 현홍주-국장)

예고: ~~91.12.31. 일반~~

19 . . . 에 예고문에
의거 일반문서로 재분류됨

0137

PAGE 2

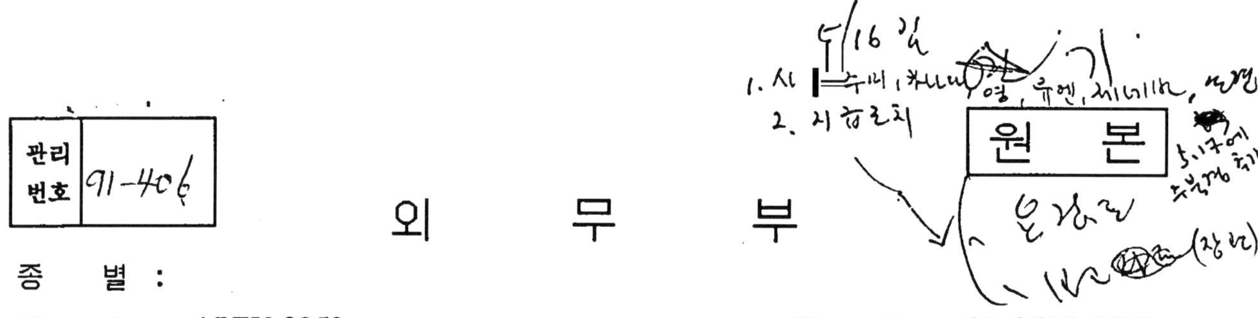

관리번호	91-406

외 무 부

종 별 :

번 호 : AUW-0353 일 시 : 91 0515 1810

수 신 : 장관(국기,아동,사본:주일,주오지리대사-본부중계필)

발 신 : 주 호주대사

제 목 : IAEA 이사회

대:WAU-0311

연:AUW-0304

금 5.15 당관 양공사가 외무무역성 COUSINS 핵군축 부국장(국장대리)를 면담, 대호 탐문한 결과 아래보고함.

1.COUSINS 부국장에 의하면 지난 4 월초 비엔나에서 호주, 한국, 일본, 미국등 5 개국 대표들이 회합하는 기회에 대북한 핵안전협정 체결 촉구와 관련한 일본대표의 아이디어에 대하여 일차 초보적인 의견 교환이 있었는바, 호주는 그후 일본측과 긴밀히 협조하여 일본의 구상을 참작, IAEA 이사회에 제출할 별첨 DRAFT RESOLUTION 을 작성하여 미국, 카나다, 일본과는 동 DRAFT RESOLUTION 에 대한 협의를 완료하고 공동 추진키로 하였다함.

2. 상기 공동추진 국가들은 금주말경(일본정부는 향후 이틀이내에 주일 한국대사관과 접촉, 동 결의안 초안에 대해 협의해 올것이라고함)부터 시작, 내주중으로 우선 영국, 소련및 아시아 국가중 IAEA 이사국을 대상으로 각국 수도에서호, 일, 미, 카나다 JOINT DEMARCHE 또는 개별 접촉을 통하여 동 결의안에 대한 반응을 탐색한후, 그결과에 따라 (COUSINS 국장대리는 현재로서는 결과에 대해 낙관적인 견해 표명)1-2 주 이내로 정식으로 비엔나 IAEA 대표부를 통해 공개상정시킬것 예정이라 함.

3.COUSINS 국장대리는 동결의안과 관련하여 일본.미국.카나다와는 시종 긴밀히 협의하였다고 말하고, 여타 국가들과는 이제부터 접촉을 개시할 것이라고 언급하면서, 동결의안 추진 그룹의 판단에 의하면 IAEA 이사회 이사국중 쿠바, 이라크 등이 반대할뿐 중국의 경우 기권 이상의 태도를 예상하고, 인도의 경우 확실한 예측을 하지 못하고 있다고 하면서 동 결의안이 절대 다수결로 통과될것임을 자신하고 있었음.

국기국	장관	차관	1차보	2차보	아주국	청와대	안기부

0138

PAGE 1

91.05.15 19:33

외신 2과 통제관 BA

4. 동국장 대리느 비엔나에서 동 결의안이 공개 상정되는 경우에는 지지획득을 위해 한국측도 적극 협조해 줄것을 요청하여 왔음. 끝.(대사 이창범-국장)

예고:91.12.31. 일반

별첨(AUW-0354)

관리번호	91-407

원 본

외 무 부

종 별 :

번 호 : AUW-0354 일 시 : 91 0515 1620

수 신 : 장관

발 신 : 주 호 대사

제 목 : AUW-0353 별첨물

THE BOARD OF GOVERNORS

MINDFUL OF THE FACT THAT THE DEMOCRATIC PEOPLES'S REPUBLIC OF KOREA, HAVING ACCEDED TO THE TREATY ON THE NON-PROLIFERATION OF NUCLEAR WEAPONS ON12 DECEMBER 1985, INCURRED AN OBLIGATION TO NEGOTIATE AND CONCLUDE AN AGREEMENT WITH THE INTERNATIONAL ATOMIC ENERGY AGENCY FOR THE APPLICATION OF SAFEGUARED ON ALL SOURCE OR SPECIAL FISSIONABLE MATERIAL IN ITS PEACEFUL NUCLEAR ACTIVITIES, SUCH AGREEMENT TO ENTER INTO FORCE NOT LATER THAN EIGHTEEN MONTHS AFTER THE DATE OF INITIATION OF NEGOTIATIONS

NOTING WITH CONCERN THAT THE DEMOCRATIC PEOPLES' REPUBLIC OF KOREA, A STATE WITH SIGNIFICANT UNSAFEGUARDED NUCLEAR ACTIVITEIS, HAS FAILED TO HONOR THIS OBLIGATION TO THE INTERNATIONAL ATOMIC ENERGY AGENCY

GRAVELY CONCERNED AT REPORTS THAT THE DEMOCRATIC REOPLES' REPUBLIC OF KOREA IS DEVELOPING A NUCLEAR WEAPONS CAPABILITY

CONVINCED THAT THE CONCLUSION BY THE DEMOCRATIC PEOPLES' REPUBLIC OF KOREA OF ITS SAFEGUARDS AGREEMENT WITH THE INTERNATIONAL ATOMIC ENERGY AGENCY WILL CONTRIBUTE TO AN EASING OF TENSION, AND OVERCOME A MAJOR OBSTACLESTO THE RECONCILIATION, ON THE KOREAN PENINSULA

NOTING THE DIRECTOR-GENERAL'S REPORT TO THE BOARD ON JUNE 1991

1. CALLS ON THE DEMOCRATIC PEOPLE'S REPUBLIC OF KOREA TO CONCLUDE AND BRING INTO FORCE A SAFEGUARDS AGREEMENT WITH THE INTERNATIONAL ATOMIC ENERGY AGENCY ON ALL SOURCE OR SPECIAL FISSIONABLE MATERIAL IN ALL ITS PEACEFUL NUCLEAR ACTIVITIES WITHOUT FURTHER DELAY

국기국 장관 차관 1차보 2차보 아주국 청와대 안기부

PAGE 1 91.05.15 19:35

외신 2과 통제관 BA

0140

2. FUTHER CALLS ON THE DEMOCRATIC PEOPLE'S REPUBLIC OF KOREA TO DEMONSTRATE ITS SAFEGUARDS COMMITMENT BY PROVIDING TO THE AGENCY FORTHWITH DESIGN INFORMATION FOR ALL ITS NUCLEAR FACILITIES INCLUDING THOSE UNDER CONSTRUCTION TO EXPEDITE THE EFFECTIVE APPLICATION OF SAFEGUARDS AS SOON AS THE SAFEGUARDS AGREEMENT ENTERS INTO FORCE

3. URGES ALL NNWS STATES PARTY TO THE NPT WHICH HAVE YET TO FULFILL THEIR OBLIGATION TO CONCLUDE A SAFEGUARDS AGREEMENT WITH THE IAEA IN ACCORDANCE WITH ARTICLE III OF THE TREATY TO DO SO WITHOUT DELAY AND

4.REQUESTS THE DIRECTOR-GENERAL TO CONVEY THE TEXT OF THIS RESOLUTION TO THE PRESIDENT OF THE DPRK AND TO THE PRESIDENT OF THE UNITED NATIONS SECURITY COUNCIL.END.

예고: 91. 12. 31 일반

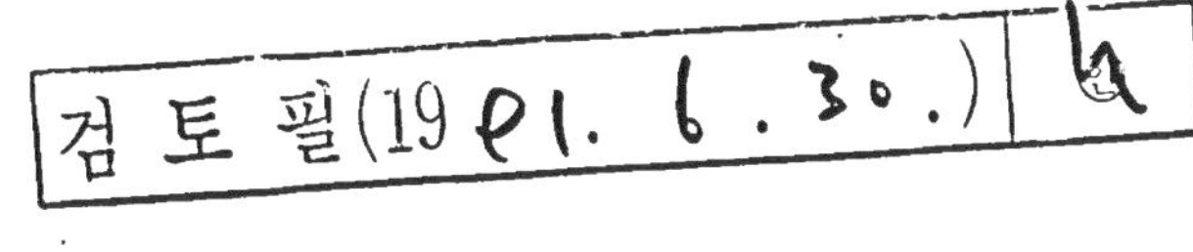

PAGE 2

0141

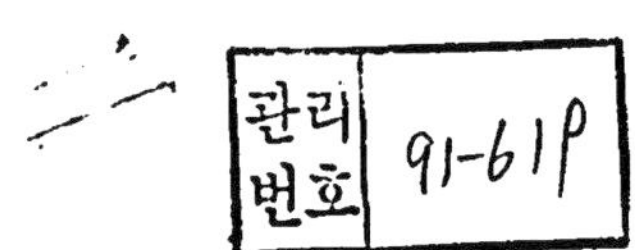

長官報告事項

報 告 畢

1991. 5. 16.
國際機構條約局
國際機構課 (33)

題 目 : IAEA 이사회에서의 대북한 핵안전협정촉구 결의안 채택추진

> 호주가 미국, 카나다 및 일본과 함께 6월개최 IAEA이사회(6.10-14)에서 북한의 핵안전협정체결을 촉구하는 결의안 상정을 추진중인 바 동 내용을 아래 보고드립니다.

일반문서로 재분류(19 91. 12.31 .)

1. 결의안 초안 요지

   o 북한이 IAEA와의 안전조치협정을 지체없이 체결하고 발효시킬것을 촉구함

   o 또한 북한은 안전조치협정의 발효와 동시에 현재 건설중인 것을 포함한 모든 핵시설에 대한 설계정보를 즉시 IAEA에 제공함으로써 안전조치에 대한 북한의 공약을 증명할 것을 촉구함

   o NPT조약 3조에 따른 IAEA와의 안전조치협정 체결의무를 이행치 않은 모든 비핵 NPT 당사국들은 지체없이 협정을 체결할 것을 촉구함

   o IAEA 사무총장이 본 결의안을 북한의 주석과 UN 안보리 의장에게 전달할 것을 요청함.

검토필(1991. 6.30.)

앙고재	국제기구과	91년 5월 16일	담 당	과 장	국 장	차관보	차 관	장 관
			(서명)	(서명)	(서명)			

0142

2. 결의안 채택 전망과 미국입장

o 호주는 결의안 표결시 IAEA 35개 이사국중 쿠바와 이라크가 반대, 인도는 불확실, 중국은 기권하여 결의안이 절대다수결로 채택될 것으로 봄

o 미국은 인도, 쿠바등에 의해 콘센서스가 파괴되는 것은 바람직하지 않다고 판단하고 있으며 좀더 관찰하려는 입장임

3. 아국 대책

o 아국은 기재가 득한 대로 호주, 미국, 일본과는 동국 주재공관을 통해 교섭하고 여타 이사국과는 주 오지리 대사관을 통하여 교섭하되 필요시 수도에서의 교섭도 병행

※ 호주측은 상기 결의안 채택 추진에 아국도 적극 협조할 것을 요청함.

첨 부 : 결의안 초안(영문) 끝.

0143

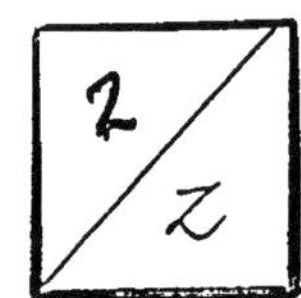

長 官 報 告 事 項

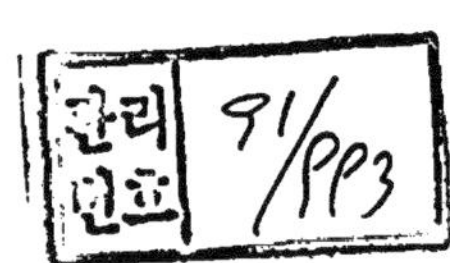

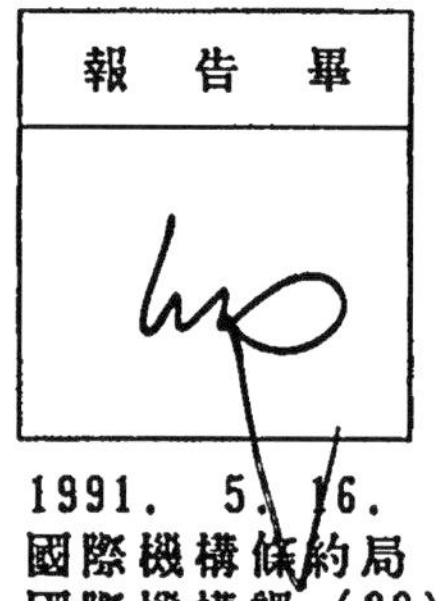

1991. 5. 16.
國際機構條約局
國際機構課 (33)

題 目 : IAEA 이사회에서의 대북한 핵안전협정촉구 결의안 채택추진

호주가 미국, 카나다 및 일본과 함께 6월개최 IAEA이사회(6.10-14)에서 북한의 핵안전협정체결을 촉구하는 결의안 상정을 추진중인 바 동 내용을 아래 보고드립니다.

1. 결의안 초안 요지

o 북한이 IAEA와의 안전조치협정을 지체없이 체결하고 발효시킬것을 촉구함

o 또한 북한은 안전조치협정의 발효와 동시에 현재 건설중인 것을 포함한 모든 핵시설에 대한 설계정보를 즉시 IAEA에 제공함으로써 안전조치에 대한 북한의 공약을 증명할 것을 촉구함

o NPT조약 3조에 따른 IAEA와의 안전조치협정 체결의무를 이행치 않은 모든 비핵 NPT 당사국들은 지체없이 협정을 체결할 것을 촉구함

o IAEA 사무총장이 본 결의안을 ~~북한의 주석과 UN 안보리 의장에게 전달~~ 할 것을 요청함.

일반문서로 재분류(1991. 12. 31.)

검 토 필(1991. 6. 30.)

– 1 –

0144

2. 결의안 채택 전망과 미국입장

o 호주 는 결의안 표결시 IAEA 35개 이사국중 쿠바와 이라크가 반대, 인도는 불확실, 중국은 기권하여 결의안이 절대다수결로 채택 될 것으로 봄

o 미국 은 인도, 쿠바등에 의해 콘센서스가 파괴되는 것은 바람직하지 않다고 판단 하고 있으며 좀더 관찰하려는 입장임

3. 아국 대책

o 아국은 기재가 득한 대로 호주, 미국, 일본과는 동국 주재공관을 통해 교섭하고 여타 이사국과는 주 오지리 대사관을 통하여 교섭하되 필요시 수도에서의 교섭도 병행

※ 호주측은 상기 결의안 채택 추진에 아국도 적극 협조할 것을 요청함.

첨 부 : 결의안 초안(영문) 끝.

The Board of Governors,

Mindful of the fact that the Democratic People's Republic of Korea, having acceded to the Treaty on the Non-Proliferation of Nuclear Weapons on 12 December 1985, incurred an obligation to negotiate and conclude an agreement with the International Atomic Energy Agency for the application of safeguards on all source or special fissionable material in its peaceful nuclear activities, such agreement to enter into force not later than eighteen months after the date of initiation of negotiations;

Noting with concern that the Democratic People's Republic of Korea, a State with significant unsafeguarded nuclear activities, has failed to honor this obligation to the Internationl Atomic Energy Agency;

Gravely concerned at reports that the Democratic People's Republic of Korea is developing a nuclear weapons capability;

Convinced that the conclusion by the Democratic People's Republic of Korea of its safeguards agreement with the International Atomic Energy Agency will contribute to an easing of tension, and overcome a major obstacles to the reconciliation on the Korean Peninsula; and

Noting the Director-General's report to the Board in June 1991,

1. Calls on the Democratic People's Republic of Korea to conclude and bring into force a safeguards agreement with the International Atomic Energy Agency on all source or special fissionable material in all its peaceful nuclear activities without further delay;

2. Further calls on the Democratic People's Republic of Korea to demonstrate its safeguards commitment by providing to the Agency forthwith design information for all its nuclear facilities including those under construction to expedite the effective application of safeguards as soon as the safeguards agreement enters into force;

3. Urges all non-nuclear-weapon States Party to the NPT which have yet to fulfill their obligation to conclude a safeguards agreement with the IAEA in accordance with Article III of the Treaty to do so without delay; and

4. Requests the Director-General to convey the text of this resolution to the president of the DPRK and to the president of the United Nations Security Council.

0147

공 란

공 란

공 란

공 란

공　　　란

공 란

공 란

관리번호	91-410

원 본

외 무 부

종 별 :

번 호 : AVW-0555 일 시 : 91 0515 1600

수 신 : 장 관(국기,미안,구이,아일,기정)사본:주일,미국,카나다,호주,소련,

발 신 : 주 오스트리아 대사 영국대사(본부중계필)

제 목 : 북한의 핵안전 결의안 추진(호주대사 면담)

연:AVW-0234(91.2.26), AVW-0386(91.4.3)

대:WAV-0375(AUW-0304)

1. 본직은 금 5.15(수) 오전(1100-1145) MICHAEL WILSON 호주대사를 사무실로 방문하고 표제 결의안 채택 문제를 협의하였음.

2. 연호(0234)와 같이 금년 6 월 이사회가 어떤 조치를 취해야 할것(THERE SHOULD BE A DECISION AS TO WHETHER THE BOARD... WILL TAKE ACTION ON THE QUESTION OF DPRK)이라고 본직이 지난 2 월 이사회에서 발언하였고 또한 연호(0386) 5 항과 같이 미국, 일본, 호주, 카나다, 한국대사간의 오찬 회동에서 본직이대북한 결의안 채택문제를 제기한 이래, 호주가 대호와같이 결의안 채택을 주도하고 있는것에 본직은 사의를 표하면서 상호 긴밀한 협조를 다짐 하였음.(본직은 본건에 관한 4.29 자 NEWSWEEK 특집기사와 IPU 평양 회의 결의문및 관련 속기록을 호주측에 참고로 수교하였음)

3. 호주는 별전 결의안 문안을 최근 일본, 미국및 카나다의 수도를 통해 제시하고 일단 그추진에 원칙적인 합의를 보았다고함.

4. 상기 결의안은 IAEA 이사회 회원국의 광범한 지지(SOLID AND WIDESPREADSUPPORT)를 받아 투표없이 통과시키도록 하되, 표결이 불가피한 경우에는 기원을 최소화 시키도록함.

5. 영국과 소련의 입장을 타진하고 결의안 채택에 가담하도록 교섭함.

6. 동아세아의 안보에 중대한 이해관계를 가진 인도네시아, 필리핀, 태국의동 결의안 채택에 대한 적극 지지를 확보함.

7. 인도가 G-77 국가들의 기권을 유발하지 않도록 노력하고, 에집트, 나이제리아등의 개도국들이 공동제안국이 되도록함. 끝.

국기국 장관 차관 1차보 2차보 아주국 미주국 구주국 정문국
정와대 안기부

PAGE 1

91.05.17 02:37

외신 2과 통제관 BW

0155

예 고:91.12.31 일반.

검토필(1991. 6. 30)

일반문서로재분류(1991.12.31.)

PAGE 2

0156

관리 번호	91-412

원 본

외 무 부

종 별 :

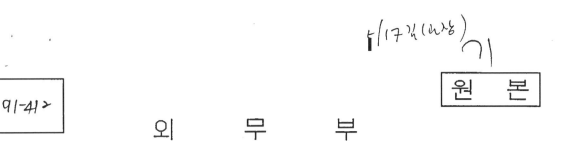

번 호 : AVW-0559　　　　일 시 : 91 0515 1600

수 신 : 장 관(국기,미안,구이,아일,기정) 사본:일,미,카나다,호주,쏘련,영국

발 신 : 주 오스트리아 대사　　　　대사 (중계필)

제 목 : 북한의 핵안전 결의안 초안

연:AVW-0555

DRAFT RESOLUTION ON NORTH KOREA

THE BOARD OF GOVERNORS

MINDFUL OF THE FACT THAT THE DEMOCRATIC PEOPLES'S REPUBLIC OF KOREA, HAVING ACCEDED TO THE TREATY ON THE NON-PROLIFERATION OF NUCLEAR WEAPONS ON12 DECEMBER 1985, INCURRED AN OBLIGATION TO NEGOTIATE AND CONCLUDE AN AGREEMENT WITH THE INTERNATIONAL ATOMIC ENERGY AGENCY FOR THE APPLICATION OF SAFEGUARED ON ALL SOURCE OR SPECIAL FISSIONABLE MATERIAL IN ITS PEACEFUL NUCLEAR ACTIVITIES SUCH AGREEMENT TO ENTER INTO FORCE NOT LATER THAN EIGHTEEN MONTHS AFTER THE DATE OF INITIATION OF NEGOTIATIONS

NOTING WITH CONCERN THAT THE (808)EMOCRATIC PEOPLES' REPUBLIC OF KOREA, A STATE WITH SIGNIFICANT UNSAFEGUARDED NUCLEAR ACTIVITEIS, HAS FAILED TOHONOR THIS OBLIGATION TO THE INTERNATIONAL ATOMIC ENERGY AGENCY

GRAVELY CONCERNED AT REPORTS THAT THE DEMOCRATIC REOPLES' REPUBLIC OF KOREA IS DEVELOPING A NUCLEAR WEAPONS CAPABILITY

CONVINCED THAT THE CONCLUSION BY THE DEMOCRATIC PEOPLES' REPUBLIC OF KOREA OF ITS SAFEGUARDS AGREEMENT WITH THE INTERNATIONAL ATOMIC ENERGY AGENCY WILL CONTRIBUTE TO AN EASING OF TENSION, AND OVERCOME A MAJOR OBSTACLESTO THE RECONCILIATION, ON THE KOREAN PENINSULA

NOTING THE DIRECTOR-GENERAL'S REPORT TO THE BOARD ON JUNE 1991

1. CALLS ON THE DEMOCRATIC PEOPLE'S REPUBLIC OF KOREA TO CONCLUDE AND BRING INTO FORCE A SAFEGUARDS AGREEMENT WITH THE INTERNATIONAL ATOMIC ENERGY AGENCY

국기국	장관	차관	1차보	2차보	아주국	미주국	구주국	정문국
청와대	안기부							

91.05.17 04:09

외신 2과 통제관 BW

0157

ON ALL SOURCE OR SPECIAL FISSIONABLE MATERIAL IN ALL ITS PEACEFUL NUCLEAR ACTIVITIES WITHOUT FURTHER DELAY:

2. FUTHER CALLS ON THE DEMOCRATIC PEOPLE'S REPUBLIC OF KOREA TO DEMONSTRATE ITS SAFEGUARDS COMMITMENT BY PROVIDING TO THE AGENCY FORTHWITH DESIGN INFORMATION FOR ALL ITS NUCLEAR FACILITIES INCLUDING THOSE UNDER CONSTRUCTION TO EXPEDITE THE EFFECTIVE APPLICATION OF SAFEGUARDS AS SOON AS THE SAFEGUARDS AGREEMENT ENTERS INTO FORCE:

3. URGES ALL NNWS STATES PARTY TO THE NPT WHICH HAVE YET TO FULFILL THEIR OBLIGATION TO CONCLUDE A SAFEGUARDS AGREEMENT WITH THE IAEA IN ACCORDANCE WITH ARTICLE III OF THE TREATY TO DO SO WITHOUT DELAY: AND

4.REQUESTS THE DIRECTOR-GENERAL TO CONVEY THE TEXT OF THIS RESOLUTION TO THE PRESIDENT OF THE DPRK AND TO THE PRESIDENT OF THE UNITED NATIONS SECURITY COUNCIL. 끝.

예 고:91.12.31 일반

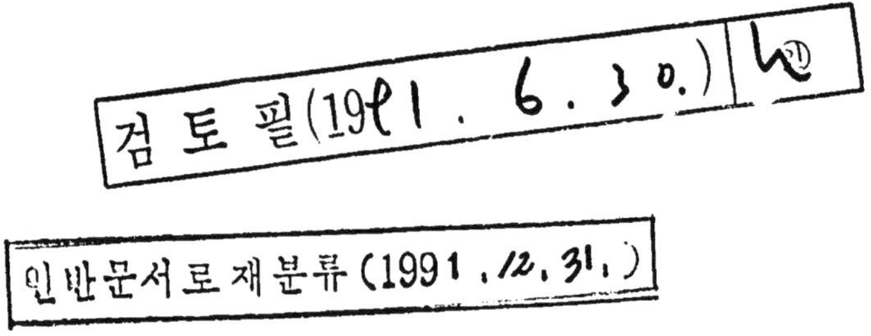

PAGE 2

0158

공 란

공 란

5/17 길(나상) 1
[illegible] 언어 국 교섭 [illegible]

관리 번호	91-414

원 본

외 무 부

종 별 :

번 호 : AVW-0565 일 시 : 91 0516 1830

수 신 : 장 관(국기,미안,구이) 사본:주소대사(중계필)

발 신 : 주 오스트리아 대사

제 목 : 북한의 핵안전 결의안(대소 교섭)

연:AVW-0561

1. 본직은 금 5.16(목) TIMERBAEV 소련대사와의 오찬 면담을 통해 연호 결의안 채택문제에 관해 협의하였음.

2. 그는 내주 WILSON 호주대사와 만날 예정이라고 하면서 차기 이사회대책에 관한 아측의 복안에 관심을 표시하였음.

3. 본직은 지난 2 월 이사회때의 아국 발언을 상기시키면서 차기 6 월 이사회에서는 대북한 압력을 강화하기 위해 결의안을 채택하는것이 바람직스러우며, 이미 호주를 포함한 일부 국가들이 이에동조하고 있으며 근간 본격적인 협의가 진행될것으로 안다고 말하면서, 소련이 처음부터 적극적으로 지지하고 공동제안국이 되어 줄것을 요청하였음.

4. 소련대사는 아직 모스코 본성과 이문제에관해 협의하지 못하였다고 말하면서 아래와같이 반응을 보였음.

가. 소련은 결의안 채택을 지지할수 있을것이나, 소련-북한 관계로보아 소련이 공동제안국이 되기는 곤란할것 같음.

나. 인도의 협조를 확보하는것이 가장 중요하다고 생각함.

다. 결의안의 문안에는 규탄적 언급이없이 촉구하는 내용이되면 무방할것임.

5. 본직은 지난 2 년간 TIMERBAEV 대사가 본건 대북 촉구에 가담해준것에 사의를 표하면서, 특히 소련 외무성으로 하여금 당지에서의 결의안 채택이 불가피하다는 생각을 하도록 그가 대본성 설득및 영향력을 발휘해줄것을 당부하였으며, 소련이 북한에 대하여 핵기술과 물질을 공급해왔다는 사실과 또한 한소 양국이 최근 세번에 걸쳐 정상회담을 개최하고 관계를 증진하고 있는 사실에 비추어 소련이 수동적으로 따라간다면 PUBLICITY 의 측면에서 현명하지 못할것임을 지적하였음.

국기국	장관	차관	1차보	2차보	미주국	구주국	청와대	안기부

PAGE 1

91.05.17 15:06
외신 2과 통제관 DO

0161

6. 그는 미국의 재한 핵무기문제와 연계시켜 미국이 본건에 관련하여 모종의 양보를 하더라도 북한은 끊임없이 새로운 요구조건을 내놓을것으로 본다는 사견을 피력하면서, 비엔나에서의 결의안 채택이 문제의 본질적 해결에 도움이 되지는 못할것이지만, 비에나의 외교관들이 할수있는 일은 북한에대한 외교적 압력을 강화하는 도리밖에 없다고 하면서 결의안에 찬성하는 취지로 반응을 보였음.

7. 모스코바를 통해 소련 정부의 입장을 조속 타진해주기 바라며, 가급적 처음부터 소련이 공동제안국이 되도록 특별 교섭을 전개해 주기바람. 끝.

예 고:91.12.31 일반.

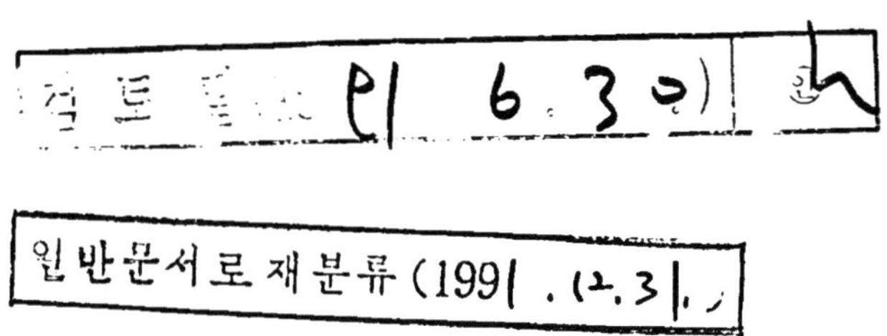

공 란

공 란

공 란

공 란

5/17 김(사무관)

관리번호 91-413

원 본

외 무 부

종 별 : 지 급

번 호 : JAW-3028 일 시 : 91 0516 2110

수 신 : 장관(국기,아일,정이),사본:주호주, 오지리대사-본부중계필

발 신 : 주 일 대사(일정)

제 목 : IAEA 이사회

대:WJA-2254

1. 금 5.16. 외무성 사다오까 원자력과장은 당관 박승무 정무과장을 초치, 오는 6.10-14. 간 비엔나에서 개최되는 IAEA 이사회와 관련, 다음과 같이 일측의입장을 설명 하였음.

0 지난 1 년반에 걸쳐 이사회 각국이 북한에 대해 핵안전 협정을 체결토록 촉구하는 개별 발언을 계속해 왔는바, 일측으로서는 현재와 같은 상태가 앞으로 계속되면 관계국의 관심도 점차 적어질 것이며, 북한으로서도 새로운 PRESSURE 를 느끼지 않게 될 것을 우려하고 있음.

0 이런점을 감안, 일측은 지금까지의 개별발언과는 다른 방안을 강구하는 것이 바람직 하다고 생각, 지난 3 월 동경에서 개최된 제 4 차 미사일 기술통제제도(MTCR) 회의에 참석한 미국, 카나다, 호주의 핵 담당자들과 비밀리에 접촉, 대책을 협의한바 있으나, 특별한 진전이 없었음.

0 그러던중 지난주 호주로 부터 6 월 이사회시 북한의 핵안정 협정체결을 촉구하는 결의안을 채택하기 위해 일측과 DEMARCHE 를 하고 싶다는 제안이 있었으며, 이에대해 일측이 찬성 하였음.

0 미국과 카나다는 이미 동결의안 채택에 찬성 입장이므로, 일본과 호주 및미국과 카나다 4 개국이 중심이 되어 NPT 조약의 기탁국인 쏘련과 영국에 대해서도 동 결의안 채택에 참가토록 요청할 것임.

0 작년가을 북한측이 핵문제에 대한 북한의 입장을 담은 문서를 유엔에 배포하였는바, 당시 이에대한 대응으로 반박 문서를 작성코저 하였으나, 미.일.카나다. 호주 및 폴란드 5 개국만 찬성하고 쏘련, 영국이 찬성하지 않았음. 쏘련. 영국은 IAEA 이사회의 유력한 멤버이므로 이들의 찬성이 필요하다고 봄.

국기국	장관	차관	1차보	2차보	아주국	정문국	청와대	안기부

PAGE 1

91.05.16 22:55

외신 2과 통제관 BW

0167

0 또한, 이사회까지 시간이 얼마남지 않은 점을 감안, 일측은 이사회의 아시아 멤버인 인니, 태국, 필리핀 3 개국에 대해 CO-SPONSOR 를 요청할 예정임.

0 일측은 상기와 같은 방안으로 결의안 채택을 이사회에 요청하는 의견을 확산시킬 생각이나, 주의해야 할 것은 이사국 가운데 중국, 인도, 큐바, 브라질, 아르헨티나 등 NPT 에 가입하지 않은 나라와 특히 NPT 에 가입하고 있는 이란, 이라크가 반대 또는 기권할 가능성이 있다는 것임.

0 결의안을 채택하기 위해서는 35 개 이사국중 과반수의 찬성을 얻으면 되는바, 현 단계에서 결의안이 표결에 붙여질 경우 일측 계산으로는 18 개국의 찬성을 얻어 과반수는 넘길것으로 예상하나, 그럴경우 반대가 17 개국이나 된다는 결과가 되어 북한이 동 결과를 잘못 판단할 가능성이 있음.

0 북한이 결의안 표결 결과를 잘못 판단할 가능성이 있다면, 동 표결 방안을 단념하고 현재와 같이 각국으로 하여금 개별적으로 북한의 협정체결을 촉구하는 것이 더 좋을 것인바, 금번 결의안 채택문제는 이런점에 주의하면서 대응하여야 된다고 봄.

0 일측으로서는 결의안 채택을 하지 않을 경우의 대책으로 CHAIRMAN'S SUMMERY 를 통해 북한의 협정조기 체결을 촉구하는 방안도 검토하고 있음.

0 그러나 현단계에서는 절대다수국의 지지를 얻어 결의안을 채택한다는 강경책을 취하는 것이 최선이라고 봄.

2. 상기 설명에 이어 사다오까 과장은 인니, 필리핀, 태국에 대해서는 일본과 호주가 접촉하겠으며, 만일 이들 3 국으로 부터 거부반응이 있을 경우, 그때 한국측이 나서는 것이 전략적으로 유리할 것으로 보는바, 한국측은 중.쏘.영국을집중적으로 접촉할 필요성이 있다고 말함. 또한, 동 과장은 이사회 개회시까지시간이 얼마남지 않은 점을 감안, 일측은 한국측과 긴밀히 협조 하겠다고 말함.

3. 본건 관련, 지시사항 있을시 회시 바람. 끝.

(대사 오재희-국장)

예고:91.12.31. 일반

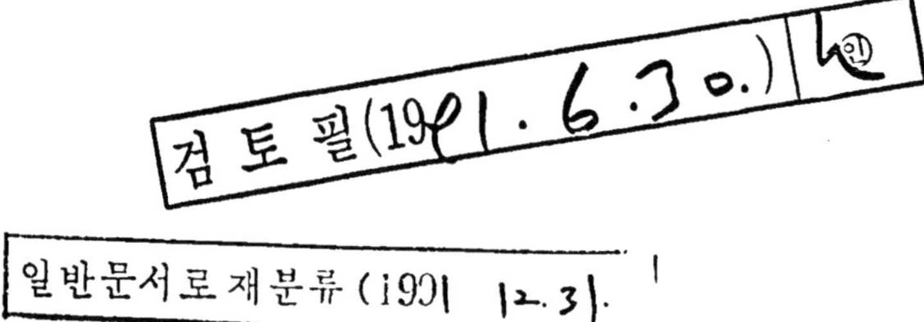

PAGE 2

0168

관리 번호	91-414

	분류번호	보존기간

발 신 전 보

번 호 : WAV-0460 910517 1916 FN 종별 :

수 신 : 주 수신처참조 대사. 총영사//

WUS -2135 WJA -2300
WCN -0454 USV -1509
WUK -0946 WAU -0337

발 신 : 장 관 (국기)

제 목 : IAEA 6월 이사회 대책

대 : AVW-0561

대호 관련 본부입장을 하기회신함

1. 인니, 태국, 필리핀에 대한 공동제안국 교섭은 이들 국가에 대한 일본과 호주의 접촉 결과를 지켜본후 아국이 교섭함

2. 여타 이사국의 공동제안국 추가교섭은 우선 ~~아주 소재~~ 상기 3개 이사국의 반응을 먼저 타진한 결과가 나온후 아측이 추진함

3. G-77의 의장국인 칠레의 지지교섭은 아측이 담당하되 그 추진시기는 일단 ~~역시 아주소재 IAEA 이사국~~ 인니, 태국, 필리핀의 반응을 ~~이 있은 연후에~~ 본후 추진함

4. 소련과 영국의 지지확보교섭은 미국, 호주, 일본, 카나다등 4개 공동추진국의 교섭 ~~결과를 감안하여 적절한 시기에 시행함~~ 과 병행하여 추진함. 끝.

예고 : 91.12.31 일반

검토필(1991. 6.30.)

(국제기구조약국장 문 동석)

일반문서로 재분류 (1991.12.31.)

수신처 : 주 오지리 대사 (사본 : 주미, 일, 카나다, 소련, 영국, 호주대사)

보안 통제	

앙 고 재	91년 5월 17일	국제기구과	기안자 성명		과 장		국 장		차 관	장 관

외신과통제

0169

관리 번호	91-44

	분류번호	보존기간

발 신 전 보

번 호 : WAV-0461 910517 1921 FN 종별 :

수 신 : 주 수신처참조 대사. ~~총영사~~

WAU -0338 WUS -2136
WJA -2301 WCN -0455
WSV -1510 WUK -0947

발 신 : 장 관 (국기)

제 목 : IAEA 6월 이사회 대책

대 : AVW-0561

1. 표제 6월이사회 대책을 하기 통보하니 우선 참고로만 하기바람.

가. 북한의 핵안전협정 체결 촉구 결의안 채택을 추진하되, 옵서버국인 아국은 동 결의안 공동 추진국인 호주, 미국, 카나다 및 일본의 활동을 지원하는 차원에서 교섭을 전개함.

나. 상기 4개 공동 추진국 주재공관은 교섭전개 상황에 관하여 주재국과 상호 의견을 교환하면서 교섭결과를 수시 평가하고 추후 대책방향을 논의함.

다. 기타 하기 우방 이사국과의 교섭은 귀관을 교섭창구로 하되 필요시 각 이사국 수도에서의 교섭도 병행함.

- 아 래 -

IAEA 이사국중 상기 4개 공동 추진국과 비협조 예상국(중국, 나이제리아, 인도, 이라크, 이란, 쿠바)을 제외한 25개국 : 소련 (우크라이나 공화국 포함), 프랑스, 영국, 스웨덴,독일, 벨지움,이태리, 오지리, 폴투갈, 체코, 폴란드, 이집트, 튀니지, 카메룬, 모로코,사우디, 알젠틴, 칠레, 베네주엘라, 브라질, 우루과이, 필리핀, 태국, ~~인니~~

보 안 통 제	(서명)

/계 속/

앙 고 재	91년 5월 17일	국제기구과	기안자 성 명		과 장		국 장		차 관	장 관
					(서명)					(서명)

외신과통제

0170

라. 상기 아국의 교섭시 6월 이사회에서 우방이사국이 먼저 북한의 협정체결을 촉구하도록 하는 발언을 선행시키도록 함으로써 결의안 채택 분위기를 조성함.

2. 상기 결의안 채택 추진과 관련 미국 국무부 Richardson 한국과장등 관계직원은 5.14(화) 워싱톤 방문중인 이호진 안보과장 일행에게 다음과 같이 언급하였다 함을 귀관 참고로 하기바람.

- 아 래 -

미측으로서는 금번 IAEA 이사회시 효과적인 결의안 채택을 지지하나 인도, 쿠바등에 의해 콘센서스가 파괴되는 것은 바람직하지 않다고 판단하고 있으며 동 결의안 채택을 주도하고 있는 호주의 노력을 좀더 관찰하고자 함. 끝

(국제기구조약국장 문동석)

수신처 : 주오지리, 호주, 미국, 일본, 카나다, 소련, 영국대사

예고 : 1991. 12. 31. 일반

일반문서로 재분류(1991 .12.31.)

검 토 필(1991. 6. 30.)

0171

5/18 길 가

관리번호	91-425

원 본

외 무 부

종 별 :

번 호 : AVW-0571 일 시 : 91 0517 1830

수 신 : 장 관(국기,미안)

발 신 : 주 오스트리아 대사

제 목 : 북한의 핵안전 협정문제

연:AVW-0565 및 0568

1. 본직은 금 5.17(금) IAEA WILMSHURST 섭외국장과 오찬 면담을 가졌는데,그는 금일 오전 당지 북한대표부 윤호진 참사관의 방문을 받고 아래와같이 면담하였다고함.

가. 윤참사관은 북한이 핵안전 협정에 서명할수 있도록 협정안을 차기 6 월IAEA 이사회에 상정시킬것을 수주전에 평양당국에 건의하였는데 아직 답이없다고 말하였음.

나. 윤참사관은 또한 북한의 핵에 관련하여 최근 일본 언론에 보도된 소위 특별사찰에 관심을 표시하고 관행등을 문의하였음.(동 섭외국장은 북한이 동의한다면 특별사찰이 가능하다고 말하였다함)

다.85 년도에 북한이 NPT 에 가입할 당시 북한 당국내에는 NPT 에 가입하여핵안전조치 협정을 체결하는 대가로 미국의 핵무기를 철수시킬수있을 것이라는그룹과 그러한 계산은 착오로서 NPT 에 가입할 필요가 없다는 그룹으로 대립하였으나, 전자가 우세하여 당시 NPT 에 가입하였는데, 이제와서는 전자 그룹의 목표가 달성되지 못하게되자 후자 그룹이 NPT 의 탈퇴를 주장하고 있다고 윤참사관은 말하였음.

2. 상기 1 항에 관련하여, 본직은 차기 6 월 이사회를 앞두고 다시 북한이 표면상 핵안전 협정을 체결할지도 모른다는 인상을 주면서 북한에대한 국제압력을 중화시키고자하는 전술을 쓰고있다고 보아야하며, 본래가 믿기 어려운 북한 공산주의자들이 85 년 NPT 가입 당시의 소위 내부토론을 이제와서 발설하는 의도는 NPT 탈퇴위협의 일환으로 보아야할 것이라고 지적하면서 북한과 IAEA 간의 금일 현재 본건 협정체결 교섭현황을 문의하였음.

3. IAEA 와 북한은 표준협정안에 입각한 문안에 관하여 구두로 일단합의를 끝냈으나, 동협정안이 이사회에 상정될수 있기 위해서는 별도의 최종확인

국기국 장관 차관 1차보 미주국 청와대 안기부 [illegible]

PAGE 1 91.05.18 07:31

외신 2과 통제관 BS

0172

교섭이필요하며 서면합의가 필요하다고 동국장은 상기 2 항의 본직문의에 대하여 대답하였음.

4. 본직과 그는 북한이 대일, 대미및 일반적 선전대책의 일환으로서 핵안전협정안을 차기 6 월 이사회에 극적으로 상정시키더라도 실제로 협정조항이 시행되기 위해서는 서명, 비준및 세부시행 약정을 체결하는데 시간을 얼마든지 끌수있으며, IAEA 사찰제도의 구멍을 악용할 가능성이 농후하다는 점을 걱정하였음.

5. 한편, 그의 후임 섭외국장에는 연호(0568)에 언급된 당지의 영국대사 대신 사무국내의 자체승진으로 결말이 날것임을 확신한다고 동국장은 말하였음. 끝.

예 고:91.12.31 일반.

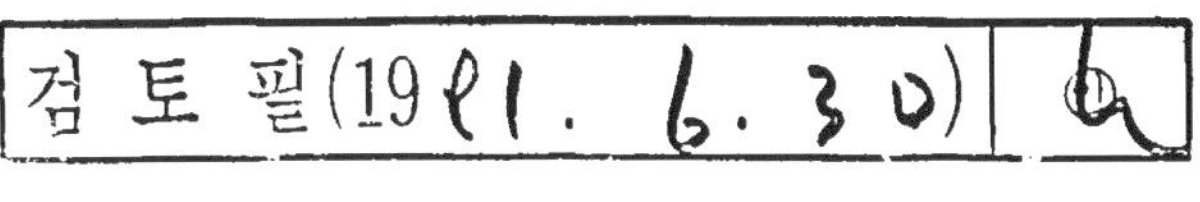

일반문서로 재분류 (1991 .12.31.

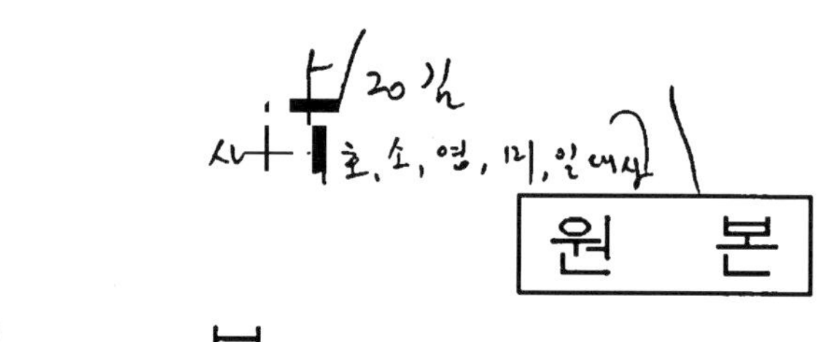

관리 번호	91-424

원 본

외 무 부

종 별 :

번 호 : CNW-0604 일 시 : 91 0517 2130

수 신 : 장 관(국기,미북,정일) 사본:주오지리대사-본부중계요

발 신 : 주 카나다 대사

제 목 : IAEA 6 월 이사회 대책

대 : WCN-0442,448,454,455

표제 관련, 조창범 참사관이 외무부 DESPRES 원자력 과장과 의견교환(5.16.오찬 및 5.17. 통화) 한바, 특기사항 아래 보고함.

1. 카측은 IAEA 6 월 이사회시 대호 북한의 핵안전 협정체결 촉구 결의안 채택 추진을 지지하면서 호주, 일본등과 긴밀한 협조하에 공동제안국으로서 여타국의 지지확보 노력에 참여중임.

2. 미국도 동 결의안 채택 추진을 적극지지(STRONGLY BACKING), 여타국 지지확보를 위한 DEMARCH 에 참여한다는 입장이나 동 결의안의 공동 제안국으로 앞서 나서는 것을 원치 않고 있음. 이는 북한측이 동문제를 미국의 핵 불사용 보장, 한반도에서의 핵무기 철수등 미.북한간의 쟁점으로 계속 몰고갈려고 하는 전략에 말려들거나, 미.북한간의 불필요한 논쟁 상황을 피하기 위한 것으로 본다함.

3. 카측은 런던 및 모스크바 주재 대사관에 호주, 일본등과 함께 5.17. 영국 및 소련 정부에 대해 공동 지지교섭(JOINT DEMARCH)토록 이미 훈령한바 있으며, 아울러 필리핀, 인니, 태국정부에 대해서도 현지 공관의 사정에 따라 공동 또는 개별 지지교섭 시행토록 금일 지시하였다 함.(여타국에 7 대해서는 비엔나를 통해 교섭 할것이라 함)

4. 금번 결의안 채택 추진에 있어 큐바, 인도, 파키스탄, 알젠틴,브라질등 NPT 비당사국들의 반대 입장 때문에 콘센서스 채택엔 어려움이 예상되나 표결에 의한 채택엔 문제가 없을 것으로 본다함.(알젠틴, 브라질의 경우 LOW-PROFILE 유지토록 설득하고, 이락, 이란의 경우엔 자국의 직접적인 이해 관계사항이 아니라는 점에서 침묵내지 기원 가능성도 있다 함.

5. 소련이 경우 비엔나에서의 호주측과의 1 차적 접촉결과에 의하면 금번 결의안

국기국 차관 1차보 2차보 미주국 정문국

PAGE 1

91.05.18 11:46

외신 2과 통제관 BS

0174

채택 추진과 같은 다자적 어프로치(MULTILATERAL APPROACH)가 비생산적이라는 생각에서 소극적 태도를 보이고 있어 공동 제안국 참여는어려울 것이나 결의안 지지확보엔 큰 문제가 없을 것으로 판단된다함.

6. 카측은 상기 교섭 진전 상황에 관해 당지 및 비엔나를 통해 아측과 긴밀히 협조하겠다고 함. 끝

(대사-국장)

예고문: 91.12.31. 일반

관리 번호	91-429

	분류번호	보존기간

발 신 전 보

번 호 : WSV-1517 910518 1411 FJ 종별 :

수 신 : 주 소련, 영국 대사. 총영사 (사본: 주오지리 대사) WUK -0956 WAV -0467

발 신 : 장 관 (국기)

제 목 : IAEA 6월이사회 대책

연 : WSV-1509, WUK-0946

연호 6.10-14 비엔나 개최 IAEA 이사회에서의 북한의 핵안전협정 체결 촉구 결의안 채택추진과 관련 귀주재국이 미국, 호주, 일본, 카나다와 함께 동 결의안의 공동 제안국이 되어줄 것을 교섭하고 결과 보고바람. 끝

(국제기구조약국장 문동석)

예고 : 1991.12.31. 일반

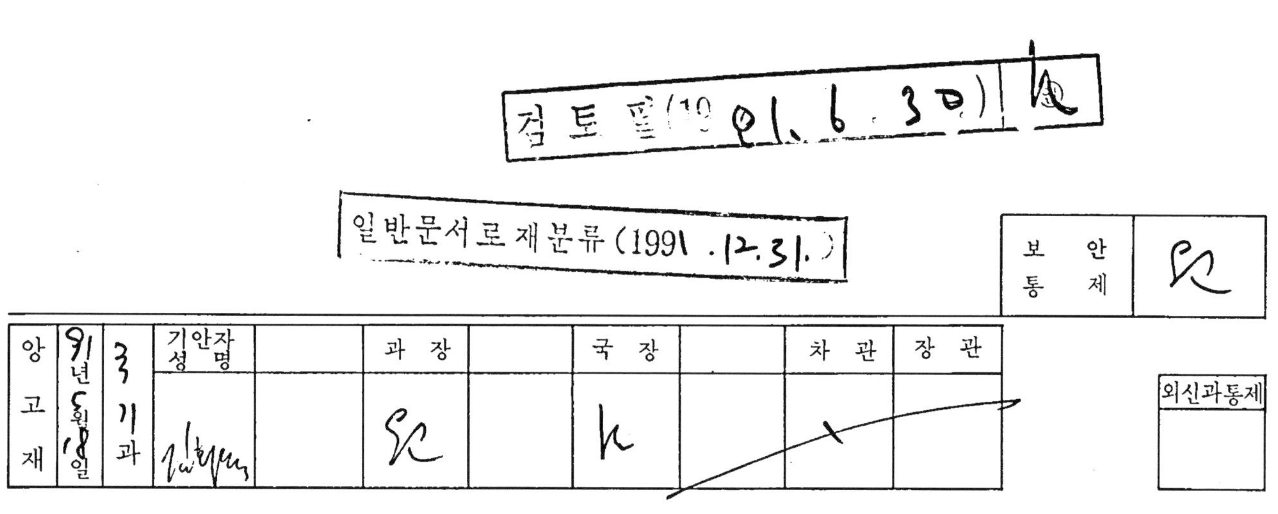

검토필(1991.6.30.)

일반문서로 재분류(1991.12.31.)

앙 고 재	91년 5월 18일	국기과	기안자 성명		과 장		국 장		차 관	장 관

보안 통제

외신과통제

0176

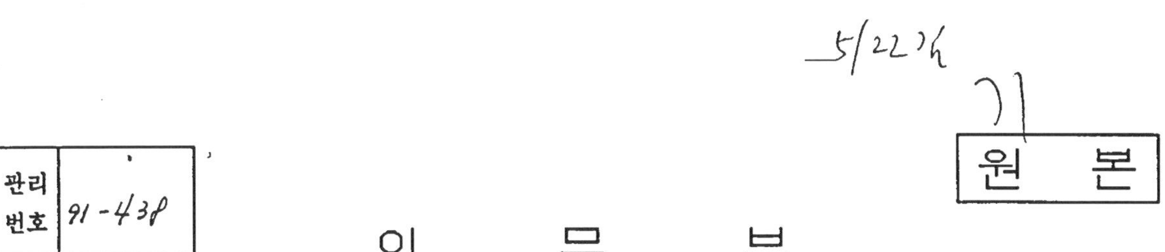

관리 번호 91-438

원 본

외 무 부

종 별 :

번 호 : SVW-1759 일 시 : 91 0521 2350

수 신 : 장 관(국기,미안,동구일,사본: 주오지리,주미,주일,주호주,주카나다 대사 중계필)

발 신 : 주 쏘 대사

제 목 : IAEA 6월 이사회

대 : WSV-1517(1),1480(2)

1. 당관 이원영 공사는 금 5.21(화) 주재국 외무성 마요르스키 국제과학 기술협력국장을 면담(김성환 서기관 및 메쉬코프 서기관 배석), 미국, 호주, 일본,카나다 등이 6 월에 개최될 IAEA 이사회에서 북한에 대하여 핵안전 협정 체결을 촉구하는 내용의 결의안을 채택하기 위해 공동 노력하고 있음을 설명하고 쏘련도 금번 결의안의 공동 제안국이 되어줄 것을 요청하였음.

2. 마 국장은 작 5.20(월) 당지 주재 아마에 일본공사와 호주대사관 차석이자신을 방문 대호(2) 결의안 초안을 제시하면서 쏘측이 이를 지지해 줄것을 요청한바 있고, 또 주오지리 TINERBAEV 대사로부터 보고를 접하여 이에 대해 잘 알고 있다 하면서 다음과 같은 반응을 보였음

가. 쏘련도 북한이 IAEA 와 핵안전 협정을 체결하도록 하기 위해 가능한 모든 수단을 다 동원해야 한다는 점에 대해서는 기본적으로 입장을 갈이하며, 이를위해 도움이 될 수 있는 조치들을 취한다면 적극 협조할 것임

나. 연이나, 금번 결의안 관련, 결의안이 채택된다 해도 북한이 이를 따를 것으로 보기는 어려우며 따라서 그 실효성에 대해서는 회의적인바, 북한이 안전협정을 채택토록 하기 위한 건설적인 방법이라고 생각치 않음.

다. 쏘련은 지난 수년간 북한에 대해 핵안전 협정을 체결하도록 설득해 왔으며 북한이 동협정을 체결치 않는 경우 원자력 협력을 중단할 것임을 통보했으나 북한이 이를 듣지않고 있는 상황인바, 공개적으로 북한을 몰아세울경우 오히려 역효과를 가져올 가능성이 많으므로 (최악의경우 NPT 탈퇴)조용히 북한을 설득해 나가는 것이 더 좋을 것으로 봄

라. 작일의 면담시 일측은 결의안 내용을 수정할 수도 있다고 하였는바 본인의

국기국 장관 차관 1차보 2차보 미주국 구주국 청와대 안기부

91.05.22 08:34

외신 2과 통제관 FI

0177

개인적인 견해로는 북한만을 특정하게 지목(SINGLE OUT) 하여 결의안을 채택하기 보다는 현재 안전 협정을 체결하지않고 있는 모든 국가를 대상으로하는 일반적인협내용의 결의안을 채택하는 것이 좋을 것으로 생각함

3. 이에대해, 이공사는 북한이 NPT 가입후 5 년반이 경과하도록 핵안전 협정을 체결치 않고 있는 사실을 지적하고 핵확산 방지와 NPT 안전체제의 유지를 위해서는 북한으로 하여금 핵안전 협정체결 의무를 이행토록 해야 한다는 점을 강조하고 , 이를 위해서는 금번 결의안 채택이 긴요하다고 하였음. 또한 이공사는 만일 북한이 핵무기를 갖게되는 경우, 한반도 및 동북아 안보에 중대한 위협이 될 것임을 강조하고 이러한 불행한 사태를 미연에 방지하기 위해서도 소련의 협조가 필요하다고 말하고 이문제를 소측이 신중히 검토해 줄것을 요청하였음.

4. 한편 마국장에 의하면, 동건관련 미국.호주.일본.카나다 4 국 대사(또는CHARGE)들이 공동으로 페트롭스키 유엔 및 국제기구 담당차관과의 면담을 요청, 금명간 면담이 이루어 질 것이라고 언급한바, 당관은 동 면담 결과등을 보아 이들과 협의 대처해 나가겠음

5. 또한 이공사는 5.21(화) 파데예프 국인국 부국장과 오찬시, 본건에 대하여 설명하고, 지역국이 국제과학기술 협력국과 본건협의시 협조해 줄것을 요청하였는바, 파부국장은 마국장과 비슷한 반응을 보이면서 아측요청을 유념하겠다고 하였음. 한편 파부국장은 소외무성이 금일 평양주재 자국대사에게 북한에 대해 핵안전 협정체결을 위해 조속 IAEA 와의 협상을 시작하도록 촉구하라고 지시했다함. 또한 동 부국장에 의하면 국인국은 추르킨 외무성 대변인에게 북한에 대해 EAEA 핵안전 협정체결을 촉구한다는 내용의 발표문안을 작성해 주었다고 하는바 동내용 발표되는 경우 추보하겠음. 끝

(대사 공로명-국장)

91.12.31 일반

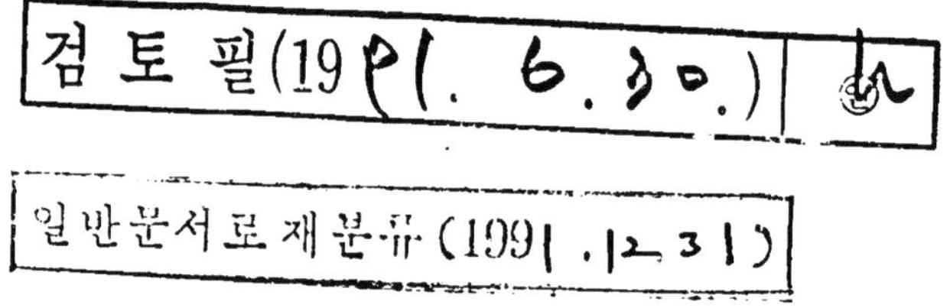
검토필(1991. 6.30.)
일반문서로 재분류 (1991.12.31)

PAGE 2

0178

1 5/22 기

관리 번호	91- 437

원 본

외 무 부

종 별 :

번 호 : UKW-1119 일 시 : 91 0521 1700

수 신 : 장관(국기,구일) 사본:주오지리대사(직송필),주호주대사(중계필)

발 신 : 주 영국 대사

제 목 : IAEA 이사회 대책

대: WUK-0956

1. 본직은 5.20(월) 외무성 SIR JOHN COLES 부차관을 면담, 대호 결의안에 영국이 공동제안국이 되어줄 것을 요망하였음.(조참사관, I.DAVIES 한국담당관 배석)

2.COLES 부차관은 영국으로서는 동 결의안 추진문제를 아직 충분히 검토하지 못했으나 긍정적인(SYMPATHETIC) 입장이라고 말하고, 5.17.(금) 호주측으로 부터도 접근이 있었다고 밝힘

3. 영측은 다만 동 결의안이 북한을 정식 국명으로 거명하고 있어 관련 법적 문제를 법률고문에게 검토 의뢰중이며, 검토가 끝나는대로 영측의 입장을 알려주겠다고 말했음. 끝

(대사 이홍구-국장)

예고: 91.12.31. 일반

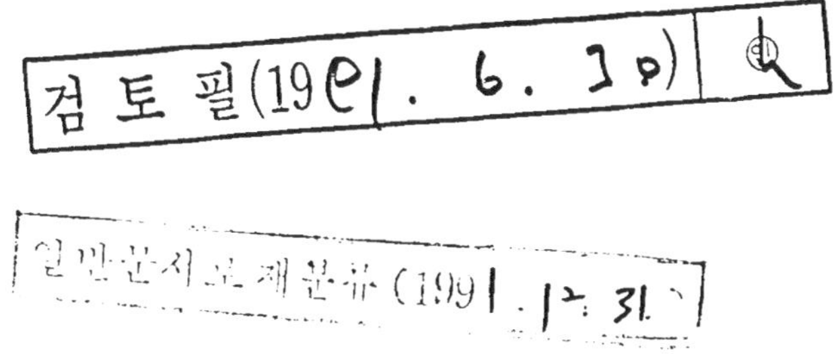

국기국 구주국

PAGE 1

91.05.22 05:52

외신 2과 통제관 BS

0179

관리 번호 91-441

원 본

외 무 부

종 별 :
번 호 : USW-2522 일 시 : 91 0522 2201
수 신 : 장 관(국기,미안,미북)사본:주소,주오지리,주일,주호주대사-중계필
발 신 : 주 미국 대사
제 목 : IAEA 이사회(북한 핵사찰 촉구 결의안)

대:WUS-2187(SVW-1759)

연:USW-2372

1. 금 5.22. NORMAN HARINGS 한국과 북한담당관은 당관 김영목 서기관에게 6월 IAEA 이사회시 호주측 결의안 추진과 관련, 현재 미국의 검토 방향을 다음 요지 통보해 왔음.

다음

-미국은 호주 및 일본등 국가의 결의안 추진을 적극 지지해 왔으나, 결의안채택에 완전히 동의를 하지 않는 국가가 상당수 있다는 판단을 하고 있음.

만약 결의안 채택에 합의(CONSENSUS)가 이루어 지지 않는다면, 미국으로서는 결의안 채택 계획을 중지하는 것이 좋다는 의견임.

-현재까지 중국은 물론 소련도 동 결의안 채택에 걸림돌이 되고 있는바, 이를 극복하기는 어려울것으로 예상됨.

2. 이에 대해 김서기관은 만일 , 중.소등 결의안 채택에 부정적인 국가가 북한을 지칭하지 않는 타협안을 내놓을 경우, 미측은 어떠한 입장을 취하게 될것인바 문의한바, 동 담당관은 미측은 상금 그러한 경우를 검토해 보지 않아 무어라고 답할수 없다는 반응을 보임.(부정적인 견해 시사)

3. 한편, 김서기관은 미측이 현단계에서 결의안 채택의 중지 의사를 표시하는 배경을 재차 확인한바, 연호 이호진 과장과의 협의시 표명한바와 같이 콘센서스가 파괴되는 것은 핵확산방지 원칙의 약화를 초래한다는 판단매문 이라고 설명함.

4. 전기관련 본부 검토 입장 및 호주 , 일본의 동향등 관련사항 회시 바람.

(대사 현홍주-국장)

예고 : 91.12.31. 까지

검 토 필(1991. 6. 30.)

국기국	장관	차관	1차보	2차보	미주국	미주국	정문국	청와대
안기부								

PAGE 1 91.05.23 13:14

외신 2과 통제관 BS

일반문서로 재분류 (1991 .12.31.

0180

수신: 외무부 안보과
김욱 서기관님 (722-8205)

발신: 과학기술처
원자력협력과장 조청원 드림.

말씀드린
6月 미국 회의 자료입니다. (총 5매)

0181

MAY 22 '23 14:05

- f3-2

United States Department of State

Bureau of Oceans and International Environmental and Scientific Affairs

Washington, D.C. 20520

October 4, 1990

Note

For: ERCE - Hal Bengelsdorf
Ed Wonder

From: OES/NTS - Al Burkart

Subject: Cooperation Policy Research Program

I've thought about the program that we want to offer the Korean's and how to reduce it to two weeks. I've taken what you sent me last year and also the course outline from 1988 and tried to work through several thoughts:

1. Any policy process is a combination of development of the carrot and the stick -- cooperation and control. It might be useful to organize the course in this manner -- those things that are control and those things that are cooperation.

2. Right off the bat last time, we strayed from the topic in the meetings. Any discussion of policy brings in export control, cooperation, technology trends and what have you. When you have a surplus of time, the duplication does not matter. When you don't, it does.

3. We had a lot of dead time -- for reading and for local travel and for preliminary meetings. This time around, we should give them the reading in advance, limit the preliminary meeting to a one hour session at ERCE which I will attend and then hold a half-day wrap-up round table where a few people get a chance to sum up and open the floor to questions/observations about the subject matter.

4. I think your overviews are crucial. They present a lot of facts in a concise manner. I also think it is important for the Koreans to meet a representative selection of people and organizations influencing U.S. nuclear policy.

5. U.S. non-proliferation policy evolved because we dealt with the questions Korea and others will have to deal with. Yes, our perspective is sometimes different. But each country has to ask and answer the same questions. Sometimes our policy seems irrational to others. I think it will seem more rational -- and inevitable -- if it is seen as arising out of a process and not an arbitrary collection of self-interests.

0182

With the above in mind, I suggest the following, with some thoughts in parentheses about several of the topics:

Day 1 Opening meeting at ERCE
Overview of the formation of a non-proliferation policy. (Obviously, we will use the U.S. policy as the basis of this policy formulation process. However, the purpose should not be to indoctrinate the Koreans into the basic goodness of our policy, but to lay out the factors that go into making a policy. I think the focus will be slightly more theoretical, but it will be liberally laced with practical examples from U.S. experience. Here is where we introduce the balance of cooperation and control that exists both on the national and international level. By the end of the period, they should be familiar with the questions you have to ask yourself to make a policy -- and by the way the manner in which the U.S. has answered those questions.)

Day 2 The international non-proliferation regime (I debated long and hard about whether or not this should be first. I finally concluded that this is basically a control regime, but one that institutionalizes the balance between cooperation and control in several places. The policy produced the regime, the regime did not produce the policy.)

Day 3am The U.S. Export Control Regime (This should be presented as a logical outgrowth of the non-proliferation regime, because in many cases it implements U.S. obligations under that regime but it also reflects controls that go beyond our obligations and reflect policies. It will clearly move the discussion toward the control aspects of our non-proliferation policy. Also, given the fact that it is in many cases closely related to the regime, it can probably be compressed somewhat in time. Your original proposal suggested eliminating it. I do not think that serves our interests.)

Day 3pm - 5pm Begin the Meetings (These will inevitably focus more on U.S. policy, but they should also serve to show the various interests that go into formulating anyone's policy. By saving them until after the first units have been completed, you can avoid some overlap. I suggest the following menu, largely drawn from your previous set of meetings. I'm not sure how many you will be able to fit into two-and-a-half days.)

Kennedy or Stratford (overview of non-proliferation as national security policy)

Stoiber (Specific formulation of non-proliferation policy. What are the policy options? What are the current concerns? The role of prevention and control in non-proliferation policy)

0183

Mike Rosenthal (ACDA role in policy. Issues facing the non-proliferation regime.)
Lisa Burdick (DOD role in policy formulation and perspective on non-proliferation)
Chris Kessler (the role of safeguards in the regime)
Ken Sanders (the interaction of national and international safeguards development programs)
Ed Fei (DOE and the role of technical definition in export control)
Arch Roberts (Congressional Perspective - forget Len Weiss, he was a waste of time)
Ron Hauber (NRC's licensing process for export control)

Day 6 -7 am U.S. Nuclear Technology Development -- Trends and Policy Issues (This is intended to include both blocks from before in a day and a half. It should include both a summary of the major policy questions we have addressed in our nuclear development and the status of U.S. nuclear technology. The latter may actually be able to be sacrificed somewhat, because unlike the first week, many of the people you visit will want to talk about their new toys, not the process by which they came to be developed. The foci, as this all relates to non-proliferation, should be that the technology base provides the basis for cooperation and that non-proliferation policy can in fact influence technology development.

Day 7pm International Nuclear Cooperation (Such cooperation is both bilateral and multilateral -- it occurs bilaterally through fora like the JSCNOET and multilaterally through fora like the IAEA and the NEA. It serves the purpose of both mutual advancement of technology and influencing foreign technology development. It incorporates and feeds off of the national technology base to the benefit of international non-proliferation policy.)

Day 8am -10 am Begin the Meetings (Some of these will focus on the status of U.S. technology and programs. Some of these will focus on the role of Agencies in international nuclear cooperation. Two-and-a-half days is very short, but its all we have. Speakers should come from the following list.)

Linda Gallini (role of the IAEA and NEA in international cooperation)
Frank Kinnelly (role of international cooperation in U.S. non-proliferation policy)
Phil Colton (U.S. international cooperation programs)
Hal Jaffe (DOE role in and interests in international cooperation)
Sol Rosen (U.S. advanced reactor programs)
Tom Isaacs (U.S. spent fuel disposal policy)

0184

Someone from DOE/EM (U.S. program on environmental restoration)
Jack Dugan (Congressional perspective on nuclear development)
Harold Denton (International cooperation in nuclear safety and regulation)
Phil Sewell (Future of uranium enrichment in the U.S.)
Someone from EPRI (Industry perspective on nuclear development)

Day 10pm Concluding Roundtable (An overview of how this all fits together into a policy. The level could vary. It could be working stiffs like Colton, Weber, Chaney and myself or it could be office directors like Kinnelly, Rosenthal, Rosen, and someone from Kennedy's staff. The purpose would be to conclude this with some perspective and have one final opportunity to address issues.)

What do you think of all this? Will it work? If so, how much will it cost? I'm not trying to dictate the above, but I think it might be the way to proceed. I could be argued out of it if you find something better. I would like to propose this to the Koreans for late March to early April 1991. That gets it after the February meetings in Vienna and before the usual round of bilaterals from late April on. Let me know what you think.

0185

관리 번호	91-66P

	분류번호	보존기간

발 신 전 보

번 호 : WUS-2222 910523 1609 FO 종별 :

수 신 : 주 수신처참조 대사. 총영사//

발 신 : 장 관 (국기)

제 목 : 북한 핵사찰 문제

WUN -1445 WSV -1562
WUK -0977 WGV -0666
WCN -0479 WAU -0354
WAV -0481

1. 일-북한 수교교섭 3차 회담(91.5.20-22, 북경)시 논의된 표제관련 내용을 아래 통보하니 업무에 참고바람.

가. 북한측은 일측의 핵사찰 수용 요구에 대해 동 문제가 미-북한간 문제로서 일-북한 수교교섭과 관계없음을 강조하고, 일-북 국교정상화와의 교환조건으로 핵사찰에 조인하는 일은 없을 것임을 인식하여 주기 바란다고 언명함.

나. 이에 대해 일측은 동문제를 덮어두고 다른 분야의 교섭을 진행할 수 없음을 재삼 강조하고, 북한 영변의 핵연료 재처리 시설을 포함, 몇개의 원자력 시설이 IAEA와의 안전조치 협정의 적용을 받지 않고 가동되고 있음을 중시한다고 최초로 구체적 지명을 열거하면서 북측태도를 비난함.

다. 한편, 북한측은 IAEA와의 협정 조기체결을 촉구한 일.쏘 공동성명은 ~~과 관련,~~ 동 문제에 대한 불공정한 취급이라고 반박함. 끝.

2. 상기 수교 회담은 하루를 연장하여 5.22까지 개최되었으나 양측의 입장 차이로 성과없이 끝났음

수신처 : 주 미, 유엔, 쏘련, 영국, 제네바, 카나다, 호주, 오지리 대사

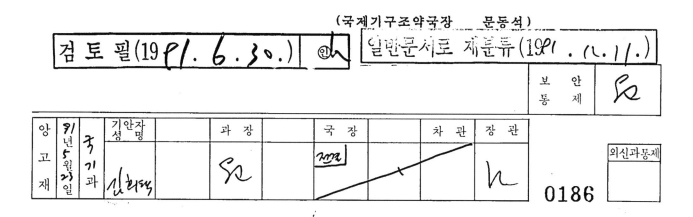

(국제기구조약국장 문동석)

검 토 필(1991. 6. 30.) 인

일반문서로 재분류(1991 . 12. 11.)

보안 통제	

앙 고 재	91년 5월 23일	국기과	기안자 성명	과 장	국 장	차 관	장 관
			김희택				

0186

외신과통제

관리 번호	91-1443

	분류번호	보존기간

발 신 전 보

번 호 : WJA-2383 910523 1843 FO 종별 :

WAU -0356

수 신 : 주 일, 호주 대사. 총영사

발 신 : 장 관 (국기)

제 목 : IAEA 6월 이사회

연 : USW-2522

연호 주미대사의 보고관련 귀주재국 정부와 지급 접촉하여 결의안 채택 추진에 대한 주재국측의 평가와 대책을 확인 보고바람.

예고 : 91.12.31일반

(국제기구조약국장 문동석)

검 토 필(1991. 6. 30.)

(1991. 12. 31.)

보안 통제	

앙 고 재	91년 5월 23일	국기과	기안자 성명		과 장		국 장		차 관	장 관
			김				전결			

외신과통제

0187

관리 번호	91-444

	분류번호	보존기간

발 신 전 보

번 호 : WAV-0485 910523 1844 FO 종별 :

수 신 : 주 오지리 대사. 총영사 ~~(사본 : 주미, 카나다, 영국, 소련대사)~~

발 신 : 장 관 (국기)

제 목 : IAEA 6월 이사회

연 : USW-2522

1. 연호 주미대사의 보고관련 귀지 주재 미국 대표부와 지급 접촉하여 결의안 채택추진에 대한 미국측의 평가와 대책을 확인 보고바람.

~~2. 아울러 결의안 채택 추진여부는 컨센서스 성사에 의존하여야 한다는 점에 대한 귀지 주재 우방이사국의 반응을 파악 보고바람.~~ 끝.

예고 : 91.12.31일반

(국제기구조약국장 문동석)

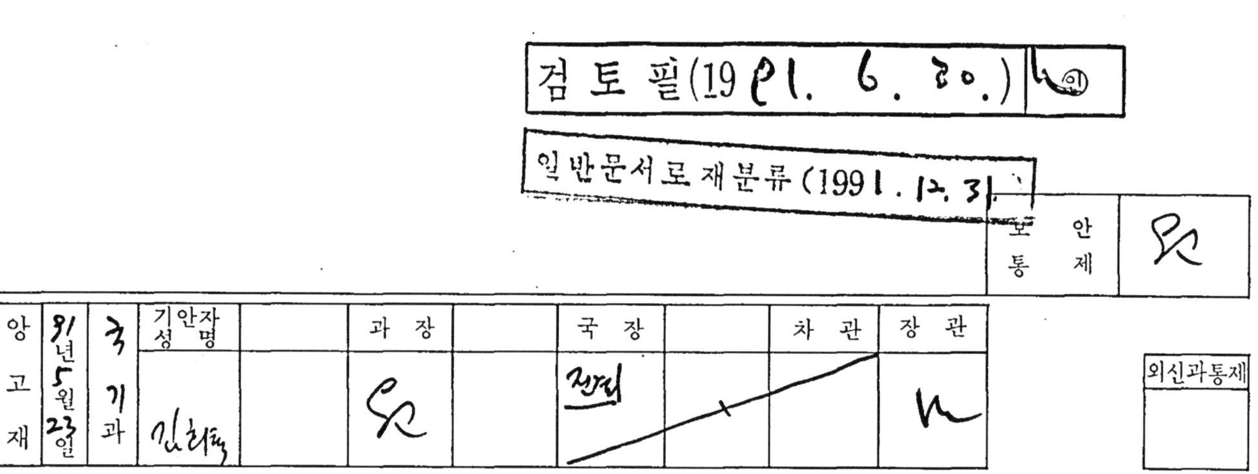
검 토 필(1991. 6. 30.)

일반문서로 재분류(1991. 12. 31.)

보안 통제	

앙 고 재	91년 5월 23일	국기과	기안자 성명		과 장		국 장		차 관	장 관
							전결			

외신과통제

0188

공 란

공 란

공 란

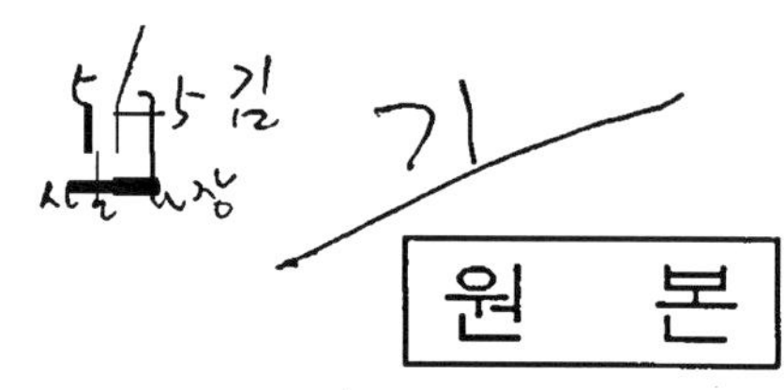

관리 번호	91-445

원 본

외 무 부

종 별 :

번 호 : SVW-1786 일 시 : 91 0524 1630

수 신 : 장 관(국기,미안,동구일,사본:주일,주미,주오지리대사)(중계필)

발 신 : 주 쏘 대사

제 목 : IAEA 이사회

대 : WSV-1517,1559

1. 일본대사관이 당관에 알려온 바에 의하면 에다무라 일본대사, 벨 카나다대사, 콜린스 미대사대리, 베디 호주 참사관은 5.22 페트로프스키 외무차관과 공동 면담, IAEA 이사회에서의 북한 핵안전 협정체결 촉구 결의안 채택관련 의견을 교환 하였다고 함.

2. 각국대사들의 언급내용및 페차관 답변 내용은 아래와 같음.

가. 에다무라 대사는 면담 모두에 4 개국을 대표하여 아래 요지를 언급함.

- 호주안에 대한 쏘측의 이해와 지지를 얻기 위해 공동면담케 된 것이라고 전제한 후 쏘측이 이 문제에관해 관심을 갖고 노력하고 있음과 일.쏘 공동성명, 한. 쏘 공동성명에서 공개적으로 쏘측 입장을 표명한 점을 평가함.

- 지난번 페차관 면담시 쏘측이 일.쏘 협력은 의견교환으로 그치지 말고 공동협력을 취해야 한다고 언급한 점을 상기시키면서, 일.쏘 공동행동의 가능성을 모색한다는 정신에따라 대응해 줄 것을 요망함.

나. 이에 페차관은 아래 요지로 답함.

- 쏘련은 언제나 NPT 를 중시해오고 있으며 북한의 NPT 상의 의무 불이행에 대해 우려하고 있는바임.

- 쏘측은 현재의 새로운 MOMENTUM 을 이용하여 본건해결을 위한 노력을 계속해야 된다고 보고있음.

- 결의안 구상관련, 쏘측이 중요시하는 것은 유효성과 역효과 파생 문제임. 즉 NPT 체재를 현재보다 일층 악화시키는 상황으로 몰고갈 가능성이 있는 점을 우려하고 있음. 그렇게 중요하지 않은 사실일지 모르나 현재 NPT 의무 불이행국은 북한뿐만 아니라 38 개 국이나 됨.

국기국 장관 차관 1차보 2차보 미주국 구주국

PAGE 1 91.05.25 05:52

외신 2과 통제관 DO

0192

- 결의안 내용에 포함되어 있는 일부 사항은 쏘련으로서도 동의 할만하나, 쏘련은 LOW-KEY 외교를 견지하는 것이 중요하다고 생각하고 조용하지만 강도있는 노력을 하고 있음.

다. 이에 에다무라 대사는 90 제 4 회 NPT 재검토회의라는 중요한 계기가 있었으나 여의치 못해 IAEA 이사회가 지쳐있으며 동사무국도 적극적이 아닌 상황임을 지적하고 금번 결의의 목적은 새로운 MOMENTUM 을 조성하는 것이라고 하고 폐차관이 언급한 새로운 MOMENTUM 이 무엇을 지칭하는지를 물음. 이에 폐차관은 일. 쏘 및 한. 쏘 공동성명이라고 답하고 특히 한. 쏘 공동성명의 북한에대한 IMPACT 는 컸을 것으로본다함. 또한 동인은 NPT 에 오랫동안 관여해온 자신의 경험에 비추어 보아도 공개적인 PRESSURE 보다는 조용한 외교쪽이 훨씬 효과적이라고 강조함.

라. 호주 참사관이 쏘련은 이사회에서 구체적으로 무엇을 할 것인지를 묻자 동인은 북한을 설득하는 노력을 계속하는 것이라고 함.

마. 카나다대사는 결의안에 대한 쏘련측의 태도가 가까운 장래에는 긍정적으로 되지 않는다는 것인지 또는 지금은 결의안이 적당치 않다고 보고 있는지를 물음. 이에 폐차관은 적어도 지금으로서는 적당치 않다고 하고 결의안은 보다 중요한 결과를 초래할 수 있다고 함. 카나다대사는 이어 IAEA 사무국장의 노력도 효과를 거두지 못하고 있는 상황하에서 이를 그대로 놔둘 수는 없다고 첨언 하였으며 일본대사는 보다 중요한 결과라는 것이 북한의 NPT 탈퇴를 의미하는 것이냐고 묻자 폐차관은 그럴 가능성도 배제할 수 없다고 답함. 일대사는북한의 고립화를 일층 촉진할 NPT 탈퇴를 북한이 그렇게 간단히 취할 수 없을 것이라는 것이 서방측의 분석이라고 하자 폐차관은 그와같은 분석도 있을 수 있지만 다른 결론도 있을 수 있으므로 신중하지 않으면 안된다함.

바. 일본 대사가 쏘련측은 북한과 활발한 대화를 계속하고 있다고 하지만 IAEA 이사회 공한에서 나타난 바와 같이 작년말 이래 북한측의 입장변화 조짐은 없다고 지적함. 이에 폐차관은 현재로서는 명확한 변화징후는 없으나 한. 쏘 공동성명과 같은 노력을 축적해가면, 양으로부터 질로의 전환이 일어나 북한의 태도 변경을 기대할 수도 있지 않겠냐고 반문함.

사. 일본 대사가 결론적으로 현재의 상황지속은 피로감을 증폭시킬 우려가 있다고 하고 교착상태의 타개를 위해 결의안 제출이 좋은 것으로 본다함. 또한 동대사는 이 문제에관한 서방측과 쏘련측의 태도는 방법론에 있어서 차이가 있을지 모르나

기본적으로 같다고 하면서 명백한 MOMENTUM 이 될 결의안에대한 쏘련측의 긍정적 검토를 계속해 주기를 바란다하고 쏘련측이 찬성할 수 있는 내용을 제시해 주면 서방측도 유연성있게 검토할 용의를 표명함. 이에 폐차관은 이해를 표명하면서 타국을 대단히 곤란한 입장에 처하게 하는 것이 적당한지는 문제가 있다고 함.

3. 지금까지 당관의 쏘관계 당국과의 접촉결과 및 상기면담 내용에서 나타난바와같이 쏘련측은 결의안 채택에관해 소극적인 입장을 견지하고 있는 바 재차 본직이 폐차관을 만나 촉구한들 변다른 진전을 기대하기는 어려울 것같은 느낌임. 본건에 대한 검토결과 회시바람. 끝

(대사공로명-국장)

91.12.31 일반

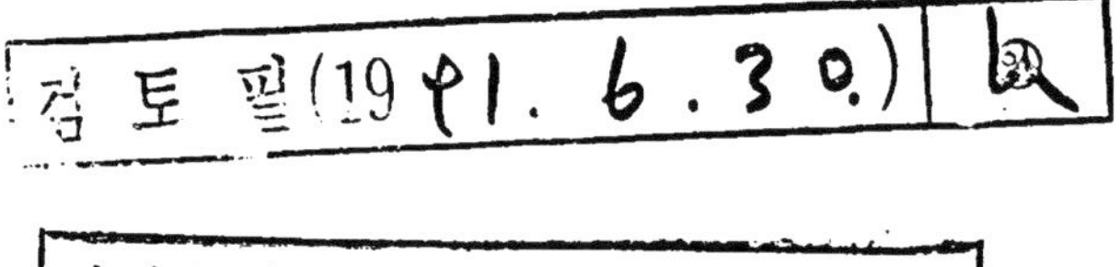
검 토 필(1991. 6. 30.)
일반문서로 재분류(1991 .12. 31.)

PAGE 3

0194

5/25 김

기

관리 번호	91-446

외 무 부

종 별 :

번 호 : SVW-1788　　　　일 시 : 91 0524 1640

수 신 : 장 관(동구일,국기)

발 신 : 주 쏘 대사

제 목 : 솔로몬-로가쵸프 회담

1. 당관 백주현 2 등 서기관은 5.24(금) 주쏘미대사관 W.DEVNY2 등 서기관을 접촉한바, 동인은 5.31-6.1(또는 6.1-6.2)간 룩셈부르그에서 솔로몬 미국무성 동.아태차관보와 로가쵸프 쏘 외무성 아태지역 담당 차관간의 정례회담이 개최될 예정이라고 알려주었음.

2. 금번 회담시 한반도 문제관련, 북한의 IAEA 핵안전협정 가입문제등도 토의될 예정이라 하는바 동 결과 추후 보고 예정임.끝

(대사공로명-국장)

91.12.31 일반

91.12.31

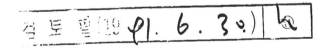

검 토 필(19 91. 6. 30)

구주국　장관　차관　1차보　2차보　국기국　청와대　안기부

PAGE 1　　　　91.05.25　05:58

외신 2과　통제관 DO

0195

원 본

외 무 부

종 별 : 지 급

번 호 : SVW-1796 일 시 : 91 0524 2040

수 신 : 장 관(국기,동구일)

발 신 : 주 쏘 대사

제 목 : IAEA핵안전 협정

5.23(목) 추르킨 외무성 대변인은 정례 브리핑을 통해 북한의 IAEA핵안전협정 체결관련 소련의 입장을 발표한 바 요지하기 보고함.(TASS보도내용)

1. 소련은 북한이 NPT당사국으로서 조속 IAEA와핵안전 협정을 체결, 북한내에 존재하는 모든 핵관련 물질을 IAEA의 감독하에 두어야 한다고 믿고 있음.

2. 쏘련은 NPT의 모든 당사국들이 무조건적으로IAEA와의 핵안전협정을 체결해야한다고 믿고 있음. 그러나 북한은 핵안전 협정 체결 문제를 NPT와 직접 관련 없는한반도내의 미군핵무기와 연계, 여러가지 정치적 요구들을 전제조건으로 내세우고 있음.

3. 쏘련은 동 문제 해결의 방법이 없다고 보지는 않으며, 한반도 상황의 제반 특수성을 고려하여 타협적 해결을 모색할 수 있을 것으로 봄. 이런맥락에서 미국은 국제핵무기 체제의 강화라는 측면에 입각, 북한의 IAEA와의 핵안전 협정체결을 위한유리하고도 건설적인 분위기 조성을 위해 타협적 조치(TAKE STEPS TO MEET THE KOREAN SIDEHALFWAY)를 취해야 할 것임.끝

(대사공로명-국장)

국기국 차관 1차보 구주국 청와대 총리실 안기부

0196

PAGE 1 91.05.25 05:59 ED

외신 1과 통제관

	분류번호	보존기간

발 신 전 보

WSV-1586 910525 1135 DQ

번 호 : 　　　　　　종별 : ~~암호송신~~

수 신 : 주 쏘 대사. ~~총영사~~ (사본 : 주미, 일, 호주, 카나다, 영국, 오지리 대사)

WUS -2275 WJA -2407 WAU -0365 WCN -0514 WUK -0935 WAV -0498

발 신 : 장 관 (국기)

제 목 : 쏘련, 북한에 핵협정체결 촉구

대 : SVW-1759

추르킨 쏘련 외무부 대변인은 5.23 뉴스브리핑에서 북한이 조속히 IAEA와 핵안전협정을 체결토록 촉구한 것으로 보도(별항 Fax송부)된 바, 동 대변인의 발표내용을 상세보고바람.

첨 부 : 상기 FAX 1부. 　　　끝.

(국제기구조약국장 　문동석)

보안 통제	

앙고재	91년 5월 25일	국기과	기안자 성명		과 장		국 장		차 관	장 관
			김현석		확인		전결			(서명)

외신과통제

0197

91. 5. 25. <경향>. 4면

蘇, 北韓에 核협정체결 촉구

외무부대변인 "美도 타협조치 취해야"

【모스크바=타스聯】 소련은 핵확산금지조약 서명국인 북한이 자국내의모든핵물질을 국제원자력기구(IAEA)의 보장하에 둘수있도록 IAEA와 핵검증협정을 신속하게 체결해야만 할 것으로 믿고 있다고 비탈리 추르킨 소련 외무부 대변인이 23일 밝혔다.

추르킨 대변인은 이날뉴스브리핑에서 핵확산금지조약에 조인한 모든회원국들의 이 조약에대한무조건준수를지지하고있다고말했다.그는 북한이핵확산금지조약과는 직접적인 관계가 없는 한반도배치 美핵무기와 관련해 많은 정치적요구들을 들고나와 이를IAEA의 핵검증협정 조인에 조건으로삼고있다고지적했다. 소련은한반도에서의특수한 상황을 고려해 볼때 타협적인 해결점을 찾기위한 노력들이 경주될 수 있을것으로 믿는다고 추르킨 대변인은 말하면서『이러한 상황에서 미국은 국제핵무기체제 강화로부터의 이해관계에서 더 나아가 북한과 IAEA간 핵검증협정 조인에 보다 우호적이고건설적인 분위기 마련을 위해북한측과타협하는조치를 취해야할것』이라고밝혔다.

0198

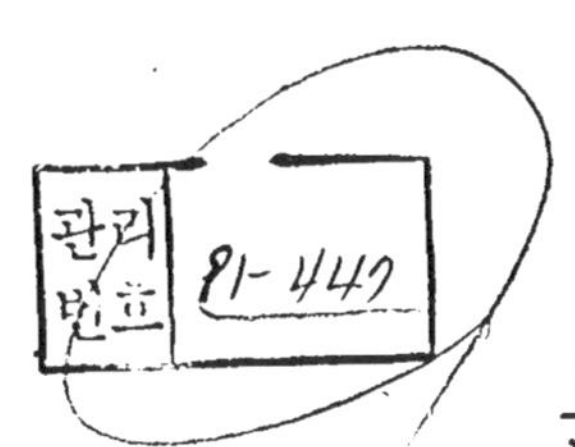

長官報告事項

報告畢

1991. 5. 25.
國際機構條約局
國際機構課 (34)

題 目 : IAEA 이사회 대북한 결의안 채택 추진 현황

IAEA 6월 이사회에서 일부 우방이사국이 북한의 핵안전협정 체결을 촉구하는 결의안 채택을 추진하고 있는 바, 현재의 추진상황을 아래와 같이 보고드립니다.

1. 추진경위

o 91.4 월초 비엔나 주재 호주, 일본, 미국, 카나다, 아국 대표회동시 대북한 촉구 결의안채택 문제 거론

o 91.5 월초 호주측이 결의안 초안 작성, 일본, 미국 및 카나다와 사전협의 후 5월중순 부터 영국, 소련 및 아시아 국가중 IAEA 이사국(필리핀, 인니, 태국등)을 대상으로 한 반응 타진시작

o 아국, 상기 공동추진 이사국과의 협의하에 지원교섭 동시 전개(소련과 영국을 대상으로 한 공동결의안 제안국 참여교섭)

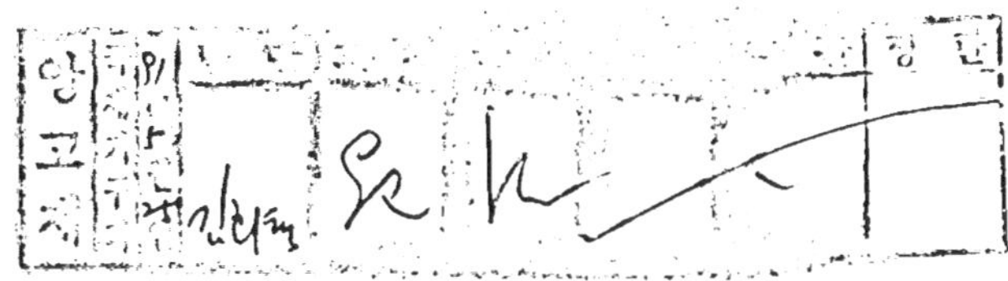

0199

2. 주요이사국 입장

o 미국(국무부 한국과장 및 북한담당관 언급)

- 컨센서스에 의한 결의안 채택이 바람직한데, 쿠바, 인도가 반대하고 소련과 중국이 장애가 될것이므로 채택추진 계획을 중단하는 것이 좋겠음

o 소련(5.22 외무차관 언급)

- 결의안 채택의 유효성과 NPT 체제를 악화시킬 수 있는 역효과 파생 우려
- 한.쏘 및 일.쏘 공동성명시 표명한 소련의 입장 표명으로 북한의 태도변화기대
- 결의안의 일부사항에 동의할만 하나 공개적인 압력보다는 Low-Key 외교의 견지가 중요

o 호주, 일본, 카나다

- 컨센서스로 채택되지 않더라고 채택추진필요
- 현재의 상황 지속은 피로감을 증폭시킬 우려가 있으므로 교착상태의 타개를 위하여도 결의안 제출 필요
- 자신을 겨냥한 결의안 채택을 북한이 협정체결 압력으로 받아들여 NPT를 탈퇴할 수도 있다는 소련의 우려에 이의 표명(북한의 NPT 탈퇴는 북한의 고립화를 촉진하기 때문에 북한으로서 간단히 취급할 수 없는 문제임)

o 영국(외무부 부차관 언급)

- 결의안 채택에 긍정적
- 북한을 정식 국명으로 거명하고 있는 결의안 문안에 법률적 검토중. 끝.

예고 : 91.12.31 일반

일반문서로 재분류(1991.12.31)

검토필(1991. 6.30.)

0200

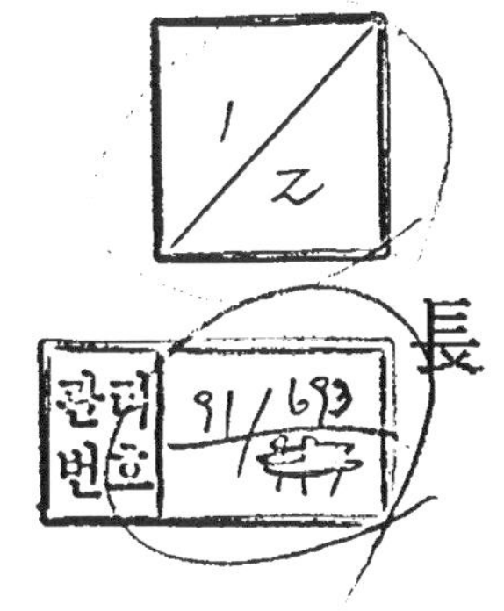

長 官 報 告 事 項

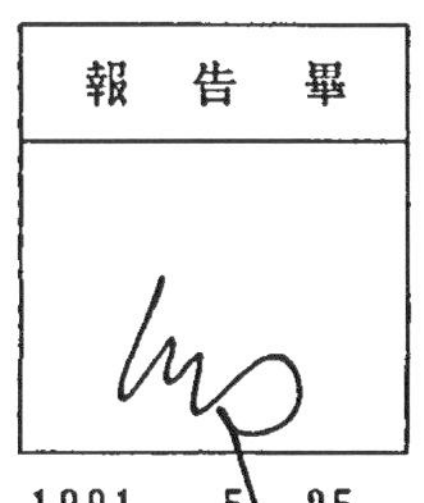

1991. 5. 25.
國際機構條約局
國際機構課 (34)

題 目 : IAEA 이사회 대북한 결의안 채택 추진 현황

IAEA 6월 이사회에서 일부 우방이사국이 북한의 핵안전협정 체결을 촉구하는 결의안 채택을 추진하고 있는 바, 현재의 추진상황을 아래와 같이 보고드립니다.

1. 추진경위

o 91.4 월초 비엔나 주재 호주, 일본, 미국, 카나다, 아국 대표회동시 대북한 촉구 결의안채택 문제 거론

o 91.5 월초 호주측이 결의안 초안 작성, 일본, 미국 및 카나다와 사전협의 후 5월중순 부터 영국, 소련 및 아시아 국가중 IAEA 이사국(필리핀, 인니, 태국등)을 대상으로 한 반응 타진시작

o 아국, 상기 공동추진 이사국과의 협의하에 지원교섭 동시 전개(소련과 영국을 대상으로 한 공동결의안 제안국 참여교섭)

0201

2. 주요이사국 입장

o 미국(국무부 한국과장 및 북한담당관 언급)

- 컨센서스에 의한 결의안 채택이 바람직한데, 쿠바, 인도가 반대하고 소련과 중국이 장애가 될것이므로 채택추진 계획을 중단하는 것이 좋겠음

o 소련(5.22 외무차관 언급)

- 결의안 채택의 유효성과 NPT 체제를 악화시킬 수 있는 역효과 파생 우려

- 한. 쏘 및 일. 쏘 공동성명시 표명한 소련의 입장 표명으로 북한의 태도변화기대

- 결의안의 일부사항에 동의할만 하나 공개적인 압력보다는 Low-Key 외교의 견지가 중요

o 호주, 일본, 카나다

- 컨센서스로 채택되지 않더라고 채택추진필요

- 현재의 상황 지속은 피로감을 증폭시킬 우려가 있으므로 교착상태의 타개를 위하여도 결의안 제출 필요

- 자신을 겨냥한 결의안 채택을 북한이 협정체결 압력으로 받아들여 NPT를 탈퇴할 수도 있다는 소련의 우려에 이의 표명(북한의 NPT 탈퇴는 북한의 고립화를 촉진하기 때문에 북한으로서 간단히 취급할 수 없는 문제임)

o 영국(외무부 부차관 언급)

- 결의안 채택에 긍정적

- 북한을 정식 국명으로 거명하고 있는 결의안 문안에 법률적 검토중. 끝.

예고 : 91.12.31 일반

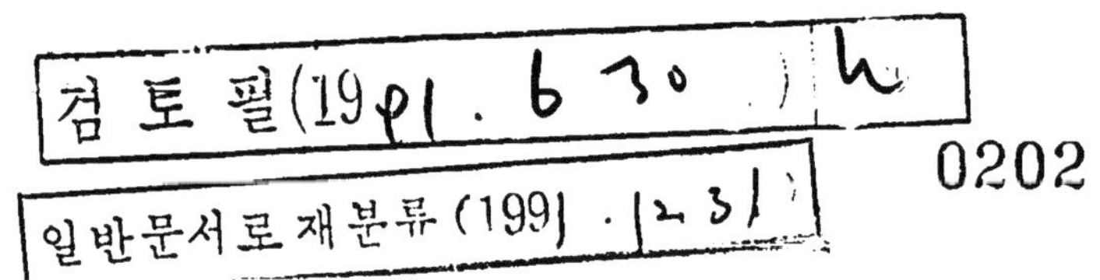

0202

관리번호 91-545

외 무 부

종 별 :

번 호 : AUW-0401　　　　　일 시 : 91 0527 1620

수 신 : 장관(아동,국기,국연)

발 신 : 주 호주 대사

제 목 : EVANS 외상 서한

1. 5.27 주재국 외무무역성 COUSINS 핵군축 부국장(국장대리)은 당관 양공사 면담시, EVANS 외상이 한국을 포함한 아태지역 각국 외상에게 핵.화학 및 세균(BIOLOGICAL,) 무기 확산 방지에 관한 서한을 보냈으며 한국 외무장관앞 아래요지 서한이 주한 호주대사관을 총해 명 5.28 경 전달될 예정임을 알려온바, 동서한 내용 별첨 타전함.

아 래

1991.12.31.에 예고문에 의거 일반문서로 재분류됨

가. 화학무기

0 화학무기 제한협정 조속 체결 및 각료급 군축회담 조속 개최 촉구

나. 핵개발

0 북한의 핵안전협정 체결의무 불이행에 우려 표명

-북한의 핵개발 중단 설득에 한국과 공동 노력

0 한국의 IAEA 이사회 입후보 지지

0 한국의 ZANGGER COMMITTEE 및 핵 공급국 회의 가입 권유

다. 세균 무기

0 9 월 개최예정인 세균무기협정 제 3 차 검토회의에 한국참가 희망

2. 북한 김영남 외교부장앞 서한 사본도 전달받았는바, 차회 정파편 송부 예정임.끝.(대사 이창범-국장)

예고: 91.12.31. 일반 / 1991.12.31.에 예고문에 의거 일반문서로 재분류됨

별첨:서한 1 부(AUW-0402)

검토필(1991.6.30.)

아주국	장관	차관	1차보	2차보	미주국	국기국	국기국	정문국
청와대	안기부							

0203

PAGE 1　　　　　91.05.27 17:41

외신 2과 통제관 BA

관리 번호 91-539

미안 7u w

외 무 부

종 별 :

번 호 : AUW-0402 일 시 : 91 0527 1530

수 신 : 장관

발 신 : 주호주대사

제 목 : AUW-0401첨부물

HE LEE SANG OCK

MINISTER OF FOREIGN AFFAIRS

SEOUL

1991.12.31.에 예고문에 의거 일반문서로 재분류됨

23 MAY 1991

YOUR EXCELLENCY

THE RECENT GULF WAR HAS INCREASED AWARENESS OF THE THREAT POSED BY WEAPONS OF MASS DESTRUCTION AND ONCE MORE DEMONSTRATED THE URGENT NEED TO CONTROL OR ELIMINATE THESE TERRIBLE WEAPONS. THE AFTERMATH OF THE WAR THUS PRESENTS AN OPPORTUNITY, AND A CHALLENGE, TO THE INTERNATIONAL COMMUNITY TO REINVIGORATE ITS EFFORTS TO PREVENT THE SPREAD OF NUCLEAR, CHEMICAL AND BIOLOGICAL WEPONS.

THE MOST SERIOUS THREAT OF AN OUTBREAK IN THE PROLIFERATION OF NON-CONVENTIONAL WEAPONS IS IN THE MIDDLE EAST. THANKFULLY, THE ASIA-PACIFIC REGION HAS SO FAR BEEN LARGELY SPARED THE PROLIFERATION OF THESE WEAPONS BUT WE MUST REDOUBLE OUR EFFORTS TO ENSURE THAT PROLIFERATION DOES NOT INCREASEGLOBALLY AND THAT OUR OWN REGION REMAINS FREE OF SUCH PRESSURES.

HEIGHTENED CONCERN FOLLOWING THE GULF CONFLICT SHOULD IMPART AN IMPETUS TO ENABLE GOVERNMENTS TO ADVANCE ARMS CONTROL AND DISARMAMENT OBJECTIVES. INDEED THERE IS A WIDESPREAD EXPECTATION OF EARLY AND EFFECTIVE MEASURESIN THIS DIRECTION. THE OPPORTUNITY, HOWEVER, MUST BE SEIZED IF IT IS NOT TO PASS US BY. AS SOME GOVERNMENTS, UNFORTUNATELY, REMAIN INCLINED TOWARDSTHE ACQUISITION OF WEAPONS OF MASS DESTRUCTION.

I STRONGLY BELIEVE THAT THE ONLY LONG TERM MEANS OF CONTROLLING AND

아주국 장관 차관 1차보 2차보 미주국 국기국 국기국 정문국
청와대 안기부

0204

PAGE 1 91.05.27 17:46

외신 2과 통제관 BA

ELIMINATING THESE WEAPONS IS THROUGH EFFECTIVE MULTILATERAL AGREEMENTS. THERE IS AN URGENT NEED TO STRENGTHEN EXISTING MULTILATERAL ARMS CONTROL ARRANGEMENTS, IN PARTICULAR THE NUCLEAR NON-PROLIFERATION TREATY, THE BIOLOGICAL WEAPONS CONVENTION, AND TO CONCLUDE A CONVENTION BANNING CHEMICAL WEAPONS.

THERE ARE A NUMBER OF AREAS WHERE ACTION IS NECESSARY. FIRST, IN MY VIEW AN EARLY CONCLUSION TO THE CHEMICAL WEAPONS CONVENTION IS A PRACTICAL OBJECTIVE OF THE POST-WAR PACKAGE OF SECURITY MEASURES. I HAVE BEEN VERY PLEASED WITH THE CO-OPERATION BETWEEN AUSTRALIA AND THE REPUBLIC OF KOREA ONPROMOTING SUPPORT FOR THE CONVENTION WITHIN THE ASIA-PACIFIC REGION.

FOR REAL PROGRESS TO BE MADE IN GENEVA, HOWEVER, THERE IS A NEED TO BRING TO BEAR THE POLITICAL IMPETUS, THE EXPERIENCE AND THE AUTHORITY WHICH CAN BE PROVIDED BY MINISTERS. TO THIS END AUSTRALIA IS ADVOCATING AN EARLYMEETING OF THE CONFERENCE ON DISARMAMENT AT MINISTERIAL LEVEL TO RESOLVE OUTSTANDING ISSUES. SUCH A MEETING WOULD FORM A MAJOR, PRACTICAL STEP WITHIN THE LARGER FRAMEWORK OF THE POST-WAR AGENDA.

I WOULD SEE GREAT ADVENTAGE IN SUCH A MEETING TAKING PLACE AT AN EARLYOPPORTUNITY, AT LEAST WELL WITHIN THIS YEAR, SO THAI IS BENEFITS FROM THEPRESSURES OF POST-WAR OPINION IMPOSING THE SENSE OF URGENCY ESSENTIAL TO ITS SUCCESS.

SECONDLY THE NPT IS FUNDAMENTAL TO INTERNATIONAL AND REGIONAL SECURITY. IT HAS SERVED THE SECURITY, TRADE AND NUCLEAR COOPERATION INTERESTS OF THE ASIA-PACIFIC REGION VERY WELL AND IN MY VIEW SHOULD BE EXTENDED INDEFINITELY IN 1995. BUT CONTINUING EFFORT IS REQUIRED TO STRENGTHEN THE TREATY,BOTH THROUGH ITS STRICT IMPLEMENTATION BY STATES PARTIES AND THROUGH THE ACCESSION OF THOSE FEW STATES WHICH HAVE YET TO ADHERE TO IT. ACCESSION TOTHE TREATY BY CHINA AND MYANMAR SHOULD BE IMPORTANT OBJECTIVES FOR THE REGION.

THE ONE... 이하 403 호로 계속.

관리 번호 91-538

외 무 부

종 별 :

번 호 : AUW-0403 일 시 : 91 0527 1550

수 신 : 장관

발 신 : 주호주대사

제 목 : AUW-0401첨부물 PART 2

THE ONE SOURCE OF CONCERN IN THE REGION ABOUT NUCLEAR PROLIFERATION ISTHE DEMOCRATIC PEOPLES' REPUBLIC OF KOREA. CONCERN ABOUT ITS OPERATION OFUNSAFEGUARDED FACILTIES AND ITS PERSISTENT FAILURE TO CONCLUDE THE NPT'S MANDATORY SAFEGUARDS AGREEMENT WITH THE INTERNATIONAL ATOMIC ENERGY AGENCYIS, I BELIEVE, INCREASING THROUGHOUT THE ASIA/PACIFIC REGION.

I APPRECIATE THE RESPONSIBLE MANNER IN WHICH THE REPUBLIC OF KOREA HASHANDLED THIS ISSUE. FOR ITS PART AUSTRALIA WILL CONTINUE TO WORK ASSIDUOUSLY WITH THE REPUBLIC OF KOREA TO DISCOURAGE NORTH KOREA FROM PORCEEDING TO DEVELOP NUCLEAR WEAPONS. AUSTRALIA WILL BE PLEASED TO SUPPORT THE ELECTION OF THE REPUBLIC OF KOREA TO THE IAEA BOARD OF GOVERNORS IN SEPTEMBER THIS YEAR AND LOOKS FORWARD TO COOPERATING IN THAT FORUM ON THIS AND OTHER MATTERS OF MUTUAL CONCERN.

I WOULD ALSO URGE THE REPUBLIC OF KOREA TO EXAMINE WAYS, PERHAPS IN THE CONTEXT OF YOUR RECONCILIATION DIALOGUE, TO DISSUADE THE DPRK FROM PURSUING THE IDEA OF A NUCLEAR WEAPON OPTION.

1991.12.31.에 예고문에 의거 일반문서로 재분류됨

DURING THE LAST BILATERAL AUSTRALIA/ROK NUCLEAR CONSULTATIONS IN CANBERRA IN FEBRUARY 1990, THERE WAS DISCUSSION OF NUCLEAR EXPORT CONTROLS. AUSTRALIA SUGGESTED THAT THE REPUBLIC OF KOREA MIGHT FIND IT USEFUL TO JOIN THE ZANGGER(NPT SUPPLIERS)COMMITTEE AND OFFERED TO SPONSOR A MEMBERSHIP APPLICATION BY YOUR COUNTRY. AUSTRALIA WOULD ALSO BE PLEASED TO SUPPORT KOREAN MEMBERSHIP OF THE NUCLEAR SUPPLIERS GROUP. IT WOULD BE A SIGNIFICANT CONTRIBUTION TO THE NUCLEAR NON-PROLIFERATION REGIME IF THE REPUBLIC OF

아주국 장관 차관 1차보 2차보 미주국 국기국 국기국 정문국
청와대 안기부

0206

PAGE 1 91.05.27 17:51

외신 2과 통제관 BA

KOREAWERE TO JOIN THESE TWO GROUPS AND USE THEIR GUIDELINES AS THE BASIS OF ITS NUCLEAR EXPORT CONTROLS.

THE CONVENTION ON THE PHYSICAL PROTECTION OF NUCLEAR MATERIAL IS A FURTHER WORTHWHILE MULTILATERAL INSTRUMENT FOR THE CONTROL OF NUCLEAR MATERIAL, THE CONVENTION'S FIRST REVIEW CONFERENCE WILL BE HELD IN SEPTEMBER 1992, ONLY SEVEN REGIONAL COUNTIRES, INCLUDING AUSTRALIA AND THE REPUBLIC OF KOREA, ARE PARTIES TO THE CONVENTION AND I SUGGEST THAT WE WORK TOGETHER TOENCOURAGE THOSE COUNTIRES IN THE ASIA-PACIFIC REGION WHICH ARE NOT YET PARTIES TO THE CONVENTION TO ADHERE TO IT.

THIREDLY, ANOTHER MULTILATERAL INSTRUMENT IN PLACE, BUT ALSO IN NEED OF STRENGTHENING, IS THE BIOLOGICAL WEAPONS CONVENTION. AS A STATE PARTY, THE REPUBLIC OF KOREA HAS SHOWN ITS COMMITMENT BY BOTH POLICY AND PRACTICE TO A WORLD WITHOUT BIOLOGICAL WEAPONS. THE THIRD REVIEW CONFERENCE OF THE BIOLOGICAL WEAPONS CONVENSION WILL TAKE PLACE IN SEPTEMBER. I HOPE THE REPUBLIC OF KOREA WILL PARTICIPATE IN THE REVIEW CONFERENCE AND JOIN AUSTRALIA AND OTHERS IN CONSIDERING HOW TO IMPROVE THE EFFECTIVENESS OF THE CONVENTION.

I AM WRITING TO FOREIGN MINISTER IN THE ASIA-PACIFIC REGION, URGING THEM TO SUPPORT INTERNATIONAL EFFORTS TO ADRESS THESE ISSUES AND TO TAKE ACTION WHEREVER APPROPRIATE.

IT IS VERY IMPORTANT THAT COUNTRIES OF THE REGION ACT TOGETHER TO CONSTRAIN THE PORLIFERATION OF WEAPONS OF MASS DESTRUCTION AND AUSTRALIA LOOKSFORWARD TO CO-OPERATING CLOSELY WITH OTHER COUNTRIES OF THE REGION IN THIS CRUCIAL ENDEAVOUR.

YOUR SINCERELY

GARETH EVENS.(SIGNED)

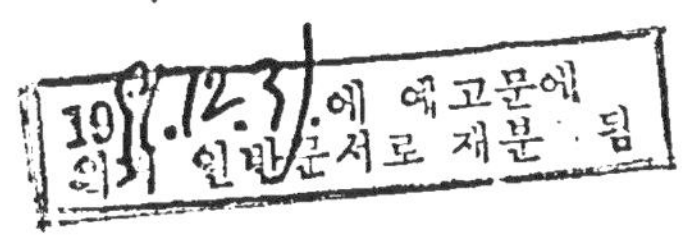

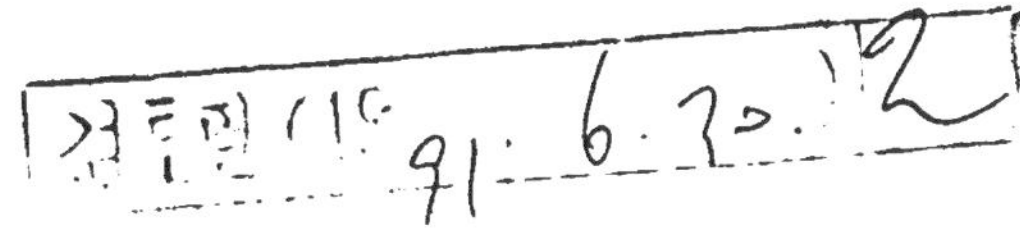

0207

PAGE 2

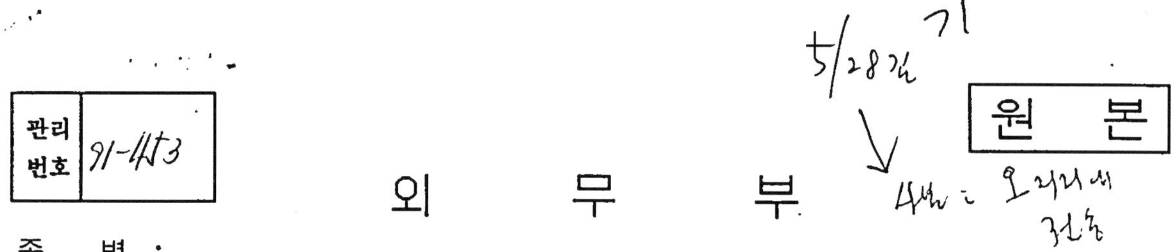

관리번호 91-1453

원 본

외 무 부

종 별 :

번 호 : AUW-0405　　일 시 : 91 0527 1720

수 신 : 장관(국기,아동)

발 신 : 주 호주 대사

제 목 : IAEA 6월 이사회

대:WAU-0356

연:AUW-0353

1. 금 5.27 양공사가 COUSINS 외무무역성 핵군축 부국장(국장대리)과 면담,표제이사회시 대호 결의안 추진 진전사항과 호주측 대책에 관하여 파악한 내용아래 보고함.

가. 동부국장은 연호 양공사와 면담이후 소련, 영국, 필리핀, 태국, 인니 5 개국을 대상으로 미.일.호주 3 개국, 또는 미.일 또는 일.호 JOINT DEMARCHE 를 한결과 필리핀, 태국.인니로부터는 즉각 결의안 지지를 약속받았다고함. 다만 소련의 경우 상기 3 개국 DEMARCHE 당시 동결의안에 대해 NEGATIVE 한입장을 보였는바, 당시 소련측의 반응은 (SPECIFIC INDICATION)동 결의안을 유엔 안보리 의장에게 보내는데 대한 강한 거부감을 보였으므로 오늘. 대일중(5.27-28)미.일 정부와 상호 접촉, 소련의 부정적 태도에 대한 공동대처 방안을 협의할것이라 함. 동방안에는 결의안 문안을 일부 수정(ACCOMODATE), 소련의 입장을 어느정도 살려주면서 소련의 지지를 유도하는 방향으로 결의안을 조정하는(ADJUST)문제등을 협의할것이며 동 대체 방안 협의결과따라 재차 소련당국을 접촉할것임.

나. 양공사는 호주측이 본결의안을 추진하기에 앞서 소련등의 태도를 사전에 예상할수 없었든가 문의한바, COUSINS 부국장은 자신이 3 월 모스크바 방문시스낀바 있어 어느정도 짐작은 하였다고 말하면서, 호주의 기본전략은 미.일등 중 요 우방국과 더불어 결의안 채택시까지 3 주여 남은기간동안 소련을 계속 설득해나가는 한편, 소련측의 반응에 따라 다른 30 여 회원국가들의 지지기반 확대를 통해 소련이 여사한 국제 여론을 무시하지 못하도록 하는 작전을 병행할 것이라고함. 그러나 소련이 결의안 채택 마지막 순간까지 완강히 부정적인 입장을 취할경우 (호주측은 상금도

국기국　장관　차관　1차보　2차보　아주국　청와대　안기부

PAGE 1　　91.05.27 17:56

외신 2과 통제관 BA

0208

결의안이 일부 조정되는 경우 소련이 끝내 거부적인 태도를 취하지 못할것이라는 생각을 하고있는것 같았음)동 소련의 입장은 중국.인도등에도 큰 영향을 미칠것으로 예상하면서 그러나 그러한 사태에 이르기전 까지는 남은 3 주동안에 많은 변화가 있을것이라고 내다보면서 미.일등과 협조, 동 결의안 채택을 위한 외교적 노력을 포기치 않을것이라고 다짐하였음.

다.COUSINS 부국장은 호.미.일등 결의안 공동추진국 대표들이 소련정부 당국자들과 만난이후 한국측이 소련측과 접촉한다면 소련측으로서야 방금 호.미.일대표들에게 동 결의안 관련 행한 발언을 반복할수 밖에 없을것이라고 말하면서호.미.일 3 국의 공동대처 방안 결과를 우선 한국측이 지켜보아 주기(STAND BACK)를 바라면서 결의안 제출과정에서 자연스럽게 한국측이 표면에 나서도록 요청할것이라고 함.

라. 이어 COUSINS 국장대리는 IAEA 이사회에서 다수결에 의해 결의안이 채택되는 경우를 가정한다면 숫자면에서는 동결의안을 채택하는데 문제가 없을것이나, 만일대비 반대.기권국에 소련. 중국등 강대국들이 포함되는 경우라면 비록 동 결의안의 다수결 통과를 자신다더라도 동 결의안의 MORAL FORCE 가 반감될수 있으므로 그러한 가능성에 대한 대책은 교섭 전개상황을 보아 추후 단계에 가서 검토할 예정이라고 하였음.

마. 동결의안 추진 일.미의 태도와 관련하여, 동국장대리는 양국과 상호 긴밀한 협조를 하고 있으며 일.미측도 동결의안 채택의 필요성을 동감하고 있으며 깊은 관심(KEEN INTEREST)을 표시하고 있다고 강조하면서, 전기 호.미.일 3 국 대책 협의결과를 오는 5.30(목) 양공사와 오찬시 알려주겠다고 약속했음.

바. 한편 동부국장은 비엔나주재 북한대표부가 대호 결의안이 추진되고 있음을 인지하고 있는것으로 감지 되었다고 첨언하였음.

3. 호주측은 대호 결의안 추진시 자신들이 추진하는 결의안이 IAEA 이사회를 전통적 관례인 CONSENSUS 에 의하여 쉽게 통과되기에는 다소 무리가 있을것이란는점을 예상하면서도 금번 기회를 활용, 그와같은 결의안을 추진하는것이 호주외교 목표에 부합하고, 걸프전쟁이후 국제관심이 고조된 이시점에서 미.일등 우방의 지원하에 본건을 적극 추진하는 경우 채택이 가능하고 부득이한 경우 마지막 단계의 상황을 보아 6 월이사회통과를 유보하고 9 월 이사회시 재시도 하더라도 득실면에서는 손해볼것이 없다는 집념과 판단하에 추진한것으로 보임.본건 진전상황은 오는 5.30(목) 동부국장과 재접촉코 추보위계임.끝.

(대사 이창범-국장)

예고:91.12.31. 일반.

검 토 필(1991. 6. 30.)

일반문서로 재분류(1991 . 12. 31.)

PAGE 3

0210

5/28 경

기

원 본

암호수신

외 무 부

종 별 :

번 호 : JAW-3258 일 시 : 91 0527 2244

수 신 : 장관(국기,아일)

발 신 : 주 일 대사(일정)

제 목 : IAEA 핵사찰

대:WJA-2428

1. 대호, 카이후 수상은 금 5.27. 교또에서 개최된 유엔 군축회의에 참석, 연설하였는바, 동 연설중 IAEA 핵사찰 및 한반도 관계부분 요지는 다음과 같음.

(IAEA 관련부분)

0 아직도 NPT 를 체결치 않은 국가가 있는가 하면, NPT 체약국 가운데서도 NPT 상의 당연한 의무이행을 태만히 하는 국가나 핵병기 개발에 관한 의혹을 사고 있는 국가가 있는등 NPT 체제는 반드시 만전을 기하고 있다고 볼수 없음.

0 NPT 의 준수를 확보한다는 관점에서 IAEA 에 의한 보장조치제도의 역할이중요한바, 폐만위기를 계기로 동 제도를 더욱 개선할 필요성이 널리 인식되어 있는바, 일본으로서도 IAEA 보장조치의 효과적이고도 효율적인 실시를 확보하기 위한 기술적, 제도적인 개선을 강구해야 한다고 생각함.

0 일본으로서는 보장조치의 유효성을 일층 제고하기 위해 1) 특별사찰의 활용을 도모토록 검토해야 하며, 2) 한정된 IAEA 의 자원을 최대한 활용하기 위해 사찰의 빈도를 재검토하고, 보다 상세하게 규정하는등 유연한 운용을 도모해야 함.

0 특히 NPT 체약국이면서 NPT 에 규정된 IAEA 와의 보장조치협정의 체결의무를 성실히 이행치 않는 국가가 존재하는 것은 정말로 유감된 일이라 아니할수 없음.

(한반도 관련부분)

0 아시아. 태평양 지역에서는 일.쏘간의 북방영토문제, 한반도의 남북대립,캄보디아 문제등 해결되지 않은 분쟁과 대립이 아직도 존재하고 있는바, 일본으로서는 이 지역에도 국제정세의 바람직한 변화가 생겨, 대립과 분단이 영원히 제게될수 있는 국제환경의 구축을 목표로 적극적인 외교를 전개하고 있음.

0 아시아. 태평양지역에서의 냉전구조를 극복하기 위해서는 남북한의 대화와

국기국 장관 차관 1차보 2차보 아주국 정문국 청와대 안기부

91.05.28 05:30

외신 2과 통제관 CA

0211

교류에 의한 한반도의 분단극복을 향한 일층의 노력이 중요한바, 일본으로서도 남북대화의 환경조성을 위해 계속 공헌하고 있음.

0 현재 진행되고 있는 일.북 국교정상화 교섭도 이런 관점에서 한반도의 긴장완화, 평화 및 안정에 도움이 되는 형태로 한국등 관계 제국과도 긴밀히 연락을 취하면서 추진해갈 생각임.

2. 카이후 수상 연설 전문 별첨 FAX(WJA(F)-1915) 송부함. 끝.

(대사 오재희-국장)

~~예고:91.12.31. 까지~~

PAGE 2

0212

관리번호	91-1545

외 무 부

종 별 : 지 급

번 호 : JAW-3265　　　일 시 : 91 0528 1035

수 신 : 장 관(정특,미안,아일)

발 신 : 주 일 대사(일정)

제 목 : 제2차 교또 유엔군축회의 참가 보고(1)

1. 표제회의는 5.27. 교또 국립교또 국제회관에서 37 개국으로 부터 100 여명의 군축전문가들이 모인 가운데 개막되어 카이후 일본수상, 아라마끼 교또지사, 아끼시 국련 사무차장(군축담당)의 개막 연설을 들은후 오전, 오후에 걸쳐 제1 차 및 제 2 차 전체회의를 가졌음.

2. 5.27. 오전 제 1 차 전체회의는 "냉전 및 걸프전쟁 이후의 국제질서와 다자간 군축에의 도전"이라는 제목하에 호주수상, 망글라프스 비율빈 외상, 페트로프스키 쏘련 외무차관, 레만 미국 군비관리 군축처장의 발제연설을 들었으며, 오후 제 2 차 전체회의에서는 "세계적 안전보장과 군축 및 지역적 접근방법"제목하에 오와다 일본 외무성 외무심의관, 폰바그너 독일 군축대사등의 발제연설을 들었음.

3. 금일 회의과정에서 카이후 수상, 에반스 외상, 오와다 외무심의관은 연설을 통하여 NPT 참가국 확대, 1995 년 NPT 연장의 중요성을 강조하면서 북한을 지칭하여 IAEA 안전협정 조속 체결을 강력히 촉구했으며, 특히 일본은 IAEA 특별시찰제도 강화를 위하 구체적 조치를 금후 유엔총회에 제의할 예정임을 밝혔음.

4. 이시영 대사는 주일대사관 이주흠 서기관과 함께 금번회의 참석중임.(북한에서는 이용호 외교부 진축과장 참석). 끝.

(대사 오재희-국장)

문서로 재분류(1991.12.31. 일반 .)

검 토 필 (1991.6.30.

검 토 필 (1991.12.31

미주국	장관	차관	1차보	2차보	아주국	정문국	정특반	청와대
안기부								

PAGE 1　　　91.05.28 11:05

외신 2과 통제관 BS

0213

5/28 간
실3장회의 자료 71

관리번호	91-457

외 무 부

종 별 :

번 호 : AUW-0409 일 시 : 91 0528 1200

수 신 : 장관(아동,국기,정이)

발 신 : 주 호주 대사

제 목 : EVANS 외상 서한

연:AUW-0401

1. 연호 EVANS 외상은 5.23 자 김영남 북한 외교부장앞 서한에서 북한의 핵안전조치 협정 불체결에 우려를 표명하고 지체없이 동 협정 체결에 응하는것이 북한을 위해서도 이익이 될것임을 천명하였는바 서한 내용중 해당부분을 아래와같이 타전함.

아 래

FIRSTLY, THE NPT IS FUNDAMENTAL TO INTERNATIONAL AND REGIONAL SECURITY. IT HAS SERVED THE SECURITY, TRADE AND NUCLEAR COOPERATION INTERESTS OF THE ASIA-PACIFIC REGION VERY WELL AND IN MY VIEW SHOULD BE EXTENDED INDEFINITELY IN 1995. ACCESSION TO THE TREATY BY CHINA AND MYANMAR SHOULD BE IMPORTANT OBJECTIVES FOR THE REGION.

CONTINUING EFFORT IS ALSO REQUIRED TO STRENGTHEN THE TREATY AND TO ENSURE ITS STRICT IMPLEMENTATION BY STATES. IN THIS REGARD YOU CAN BE IN NO DOUBT THE DEEP CONCERN THAT HAS BEEN AROUSED IN THE INTERNATIONAL COMMUNITY, AND PARTICULARLY AMONG THE COUNTRIES OF THE ASIA-PACIFIC REGION, OVER THE FAILURE OF THE DEMOCRATIC PEOPLES' REPUBLIC OF KOREA TO CONCLUDE THE SAFEGUARDS AGREEMENT WITH THE INTERNATIONAL ATOMIC ENERGY AGENCY REQUIRED BY THE NPT AND OVER YOUR COUNTRY'S CONTINUING OPERATION OF UNSAFEGUARDED NUCLEAR FACILITIES.

THIS CONCERN HAS BEEN EXPRESSED ON A NUMBER OF OCCASIONS BY A LARGE NUMBER OF STATES, INCLUDING AT THE IAEA BOARD OF GOVERNORS AND AT THE FOURTHREVIEW CONFERENCE OF THE NPT IN AUGUST LAST YEAR.

THE CONCLUSION OF A SAFEGUARDS AGREEMENT COVERING ALL OF A STATE'S PEACEFUL NUCLEAR ACTIVITIES WITH THE IAEA IS AN UNCONDITIONAL REQUIREMENT UNDER THE NPT

아주국	장관	차관	1차보	2차보	국기국	정문국	외연원	청와대
안기부								

PAGE 1 91.05.28 14:28

외신 2과 통제관 CE

0214

AND CANNOT BE MADE CONTINGENT UPON THE ACTIONS OF ANOTHER STATE.

THE DEMOCRATIC PEOPLES' REPUBLIC OF KOREA'S UNSAFEGUARDED NUCLEAR ACTIVITIES HAVE GENERATED DEEP SUSPICIONS REGARDING ITS NUCLEAR INTENTIONS ANDTHIS COULD HAVE CONSEQUENCES WHICH WOULD NO BE IN THE INTERESTS OF THE DPRK ITSELF OR THE WIDER ASIA/PACIFIC REGION. I THEREFORE URGE THE DPRK TO HONOUR ITS OBLIGATIONS WITHOUT DELAY.

THE CONVENTION ON THE PHYSICAL PROTECTION OF NUCLEAR MATERIAL IS ANOTHER WORTHWHILE MULTILATERAL INSTRUMENT FOR THE CONTROL OF NUCLEAR MATERIAL.ONLY SEVEN REGIONAL COUNTIRES ARE PARTIES. I URGE THE THE DEMOCRATIC POOPLES' EPUBLIC OF KOREA TO ACCEDE TO THAT CONVENTION AND THEREBY FURTHER ENHANCE THE EXISTING NUCLEAR NON-PROLIFERATION REGIME.

2. 상기서한 사본 정파편 송부 예정임.끝.

(대사 이창범-국장)

예고:91.12.31. 일반.

PAGE 2

0215

관리번호	91-489

외 무 부

종 별 :

번 호 : AUW-0410 일 시 : 91 0528 1430

수 신 : 장관(아동,정이,국연,기정)

발 신 : 주 호주 대사

제 목 : EVANS 외상 유엔군축회의 연설 내용

1. EVANS 외상은 5.27 동경개최 유엔 군축회의(UN CONFERENCE ON DISARMAMENT ISSUES)에 참석, 기조연설을 통해 국제군비통제및 군축협상의 현황에 관한 호주입장을 천명하는 가운데, 북한의 핵안전협정 체결지연에 대한 우려를 표명하고 국제사회가 공동으로 북한이 조속 협정체결에 응하도록 설득해야 한다고 촉구한바, 연설내용중 해당부분을 아래와같이 타전함.

아 래

IN THE ASIA PACIFIC REGION, THE GREATEST IMMEDIATE SOURCE OF CONCERN ABOUT NUCLEAR PORLIFERATION IS THE KOREAN PENINSULA. THE DEMOCRATIC PEOPLE'SREPUBLIC OF KOREA, MORE THAN FIVE YEARS AFTER ACCEDING TO THE TREATY, CONTINUES TO OPERATE AN UNSAFEGUARDED REACTOR AND PERSISTENTLY REFUSES TO CONCLUDE THE SAFEGUARDS AGREEMENT WITH THE IAEA THAT IS REQUIRED OF IT UNDER THE NPT. THIS SITUATION IS OF GREAT CONCERN, AND I URGE ALL COUNTRIES TO TAKE ALL BILATERAL AND MULTILATERAL OPPORTUNUTIES AVAILABLE TO BRING HOME TO THE DPRK THE DEEP CONCERN OF THE INTERNATIONAL COMMUNITY AT ITS FAILURE TO COMPLY WITH A KEY OBLIGATION OF THE NON PROLIFERATION TREATY.

2. 동연설물 전문 파편 송부 예정임.끝.

(대사 이창범-국장)

예고:91.12.31. 일반.

검 토 필(19 91. 6. 30.)

아주국	장관	차관	1차보	2차보	국기국	정문국	외연원	청와대
안기부								

PAGE 1 91.05.28 14:32

외신 2과 통제관 CE

0216

Evans 호주외상의 장관님앞 서한 (91.5.23자)

1. 호주외상의 서한 발송 배경

o 걸프전 종료를 계기로 각종 대량 파괴무기 (핵, 화학, 세균병기등)의 군축 필요성에 대한 세계적 관심의 실천방향 추진(비핵보유 선진국으로서의 입장활용)

o 세계적 군축논의와 병행하여 적어도 아.태 지역에서의 문제소지 방지와 지역적 군축을 주도

2. 서한 내용 요지

가. 다자관계

o 화학무기 제한협정 조속체결 및 각료급 군축회담 조속개최 촉구

o NPT 조약의 95년 이후 연장 및 NPT 체제강화 필요

o 지역안보 관점에서 북한의 핵안전협정 미체결 우려

나. 양자관계

o 아국과 공동보조하에 북한의 핵개발 저지노력 계속

o 아국의 IAEA 이사국 진출 지지

o 아국의 Zangger Committee(26개 핵 공급국 위원회) 및 핵공급국 그룹 가입 권유

o 핵물질 방호조약(한.호는 기 가입)에 대한 지역내 여타국가의 가입공동 독려

o 세균 무기협약의 제3차 평가회의(91.9월)에 대한 아국 참여 희망

공람	국제기구과	기년월일	담 당	과 장	국 장	차관보	차 관	장 관
			(서명)	(서명)	(서명)			

0217

3. 서한 관련 아국입장 및 업무분장

가. 서한내용별 아국입장

o 화학무기제한협정체결 및 각료급 군축회담개최 : 유엔과 검토중

o 북한 핵개발 중단을 위한 한.호 공동노력계속 지지

o 한국의 Zangger Committee 및 핵공급국 그룹가입 : 부내협의 완료 (가입찬성 입장)후 관계부처와 협의 중

o 핵물질 방호조약 가입촉구 한.호 공동노력제안 : 적극지지

o 세균무기협약 제3차 평가회의 아국참여 : 조약과 검토중

나. 현행업무분장

o 유 엔 과 : 화학무기 제한협정체결

o 국제기구과 : 북한의 핵안전협정체결

o 조 약 과 : NPT, 세균무기확산방지협정, 핵물질 방호조약

o 통 상 1 과 : Zangger Committee 및 핵공급국 그룹 가입문제

다. 향후 업무 담당 예상부서(구체내용은 관계 실.국간 협의 후 확정)

o NPT, 화학무기제한협정체결, 각료급군축회담개최, 세균무기협약평가회의 : 신설되는 안보정책과 에서 담당

o Zangger Committee등 핵물질 관련업무 : 안보정책과, 통상 1과, 과학환경과 중 1개과 담당

o 북한의 IAEA 핵안전협정 서명문제 : 현행대로 국제기구과 담당. 끝.

0218

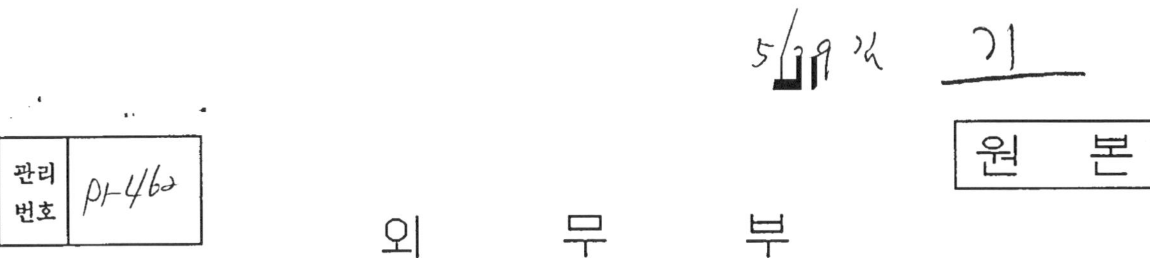

5/29 기

원 본

관리번호 91-462

외 무 부

종 별 : 지 급

번 호 : AVW-0624 일 시 : 91 0528 1900

수 신 : 장 관(국기,미안,구이,기정) 사본:과기처

발 신 : 주 오스트리아대사

제 목 : 북한의 핵안전 협정 교섭재개 제의

연:AVW-0571

1. 본직과 WILMSHURST 섭외국장간의 금 5.28(화) 통화에 의하면, 당지의 다자담당 북한대사 전인찬은 금일 오전 BLIX 사무총장과의 면담시 북한과 IAEA 간의 핵안전 협정안을 마무리 짓기 위하여 교섭을 재개하자는 제의를 자신(전인찬)명의의 BLIX 앞 서한으로 하였다고함.

(REFERRING TO THE NEGOTIATION ON THE SAFEGUARDS AGREEMENT BETWEEN THE DPRK AND IAEA UNDER THE NPT, I HAVE THE HONOUR TO INFORM YOU THAT THE AUTHORITIES CONCERNED OF THE DPRK HAS THE INTENTION TO HOLD A NEGOTIATION WITHTHE AGENCY TO FINALIZE THE DRAFT SAFEGUARDS AGREEMENT. I HOPE THE DETAILED TIMING OF NEGOTIATION SHOULD BE AGREED BETWEEN OUR MISSION AND THE SECRETARIAT OF THE AGENCY.)

2. 상기 교섭재개 제의에 관련하여, 북한측은 그 시기를 적당한 날자(SUITABLE DATES)로 잡자고 하였으며, IAEA 측은 금번 6 월 이사회 개막전에 교섭이 재개되기를 북한이 원한다면 6.3 부터 시작하는 주에 할수있으며, 불연이면 6 월의 마지막 주에 할수있다는 입장을 표시하였다고함.(WILMSHURST 국장은 6 월의 마지막 주가 되지 않겠나하고 GUESS 하였음)

3. 한편, 윤호진 참사관은 작 5.27 WILMSHURST 국장을 방문하고 교섭재개 문제를 논의하였다고 하는데, IAEA 측은 더 '교섭'할것이 있느냐고 물었고, 북한측은 문안을 확정하는 작업이 필요하지 않나하는 반응을 표시하였다고함.

4. 한편, ROMAN ZELAZNY 이사회 의장은 91.5.27 일자 북한 외교부장 김영남앞 아래 서한으로 지난 2 월 이사회에서 본건에 관하여 이사국들의 우려 표시가 있었고, 북한이 조속히 핵안전협정을 체결 할것을 촉구하였다고함.

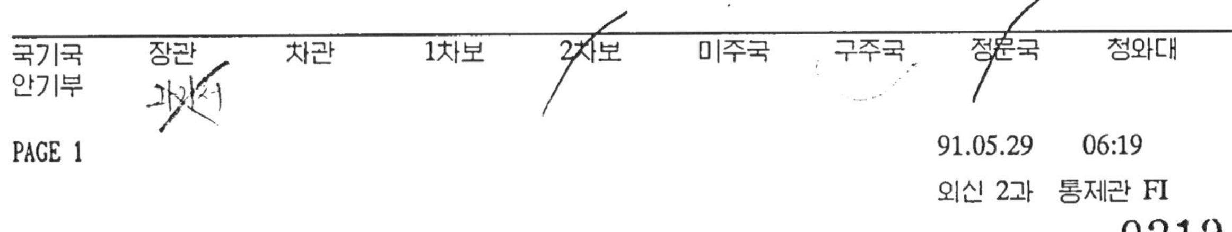

국기국	장관	차관	1차보	2차보	미주국	구주국	정문국	청와대
안기부	과기처							

PAGE 1

91.05.29 06:19

외신 2과 통제관 FI

0219

27 MAY 1991

SIR

WITH REFERENCE TO THE LETTER OF 22 JUNE 1990 WHICH THE DIRECTOR GENERAL OF THE INTERNATIONAL ATOMIC ENERGY AGENCY(IAEA) ADDRESSED TO YOU REGARDING THE DISCUSSION IN THE IAEA'S BOARD OF GOVERNORS ON 14 JUNE 1990 ABOUT THE UNDER ARTICLE III(1) OF THE TREATY ON THE NON-PROLIFERATION OF NUCLEAR WEAPONS, I HAVE THE HONOUR TO INFORM YOU THAT ON 26 FEBRUARY 1991 THERE WAS AGAIN A DISCUSSION ABOUT THIS IMPORTANT MATTER IN THE IAEA'S BOARD OF GOVERNORS.

THE BOARD'S OPINION AS REFLECTED IN THE DISCUSSION WAS THAT, AS BEFORE, IT SAW NO OBSTACLE TO THE CONCLUSION BY THE DEMOCRATIC PEOPLE'S REPUBLICOF KOREA OF A STANDARD-TYPE SAFEGUARDS AGREEMENT - AND THE BOARD EXPRESSED CONCERN AT THE VERY LONG DELAY ALREADY EXPERIENCED.

IN CONVEYING THE BOARD'S OPINION AND CONCERN TO YOU, I WISH TO EXPRESSTHE PROFOUND HOPE THAT YOUR GOVERNMENT WILL FIND ITS WAY IN THE VERY NEARFUTURE TO FULFILLING THE OBLIGATIONS WHICH IT VOLUNTARILY TOOK UPON ITSELF BY ACCEDING TO NPT ON 12 DECEMBER 1985.

ACCEPT, SIR, THE ASSURANCES OF MY HIGHEST CONSIDERATION.

ROMAN ZELAZNY

5. 상기 1 항에 관련하여 연호 4 항을 면밀히 참조바람. 끝.

예 고:91.12.31 일반.

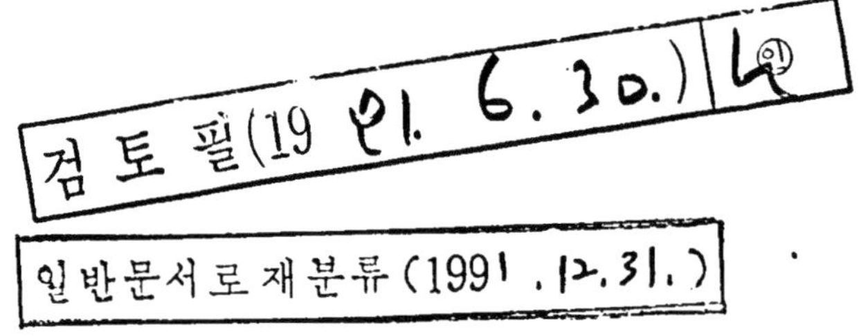

PAGE 2

0220

「核사찰」수용 긍정신호

거부땐 유엔「平和원칙」에 안맞아
對日수교-국제적 압력도 큰 작용

北韓 核안전협정교섭 再開의미

焦点

北韓의 핵안전협정 교섭재개의사 표명이 현재로선 협정체결을 전제로 한 것인지는 분명치 않다. 그러나 국제원자력기구(IAEA)소식통이 북한의 이같은 변화를 「핵안전협정 체결문제를 매듭짓기 위한 긍정적 신호」로 해석하는데는 북한이 당면한 몇가지 국내외적 정세변화와 연관시켜 볼때 상당히 설득력있는 분석으로 보여진다.

우선 北韓이 27일 전격적으로 발표한 북한의 유엔가입신청선언에 뒤이어 표명된 교섭재개 의사는 어떻게 보면 하나의 외교적 맥락으로 엮을 수 있다. 즉 평화애호를 원칙으로 한 유엔에 가입하려면 핵사찰을 받아들이는 안전협정체결이 불가피하다는 논리다.

한국의 유엔단독가입을 못마땅하게 여겨 불가피하게 동시가입으로 전환하게 된 북한이 안전협정을 체결치 않고는 유엔가입과정에서 설득력있는 지지를 얻어내기 어려울 것이라는게 이곳 외교소식통들의 전망이다.

이와관련, 한 외교소식통은 북한이 핵안전협정을 체결치 않는 한 평화애호가 기본원칙인 유엔에 가입할 자격이 있느냐하는 신뢰성에 의문이 제기될수 있다고 말했다.

둘째는 日本과의 수교협상교착에 있다. 어려운 국내경제난을 타개하기위해 西方, 특히 日本으로부터 대규모 차관을 시급히 얻어야하는 시점에서 日本이 핵안전협정체결을 사실상 수교의 전제조건으로 내세우고있기 때문이다. 최근 끝난제3차수교협상에서 日本측이 강력히 요구했지만 지난2월 IAEA이사회에 참석한 日本외무성 오타 히로시(太田博) 심의관도 「협정체결은 협상이나 타협의 성질이 아니라 의무조항이며 北韓·日本수교의 전제조건」이라고 밝혔었다.

한국을 제외하면 日本이외의 국가로부터는 협력을 기대하기 어려운 상황에서 수교협상이 지연될수록 북한은 그만큼 현실적인 어려움에 빠져들기 때문에 다급한 입장이다.

셋째는 국제적 압력이다. 북한은 85년12월 핵확산금지조약(NPT)에 가입한후 18개월내에 조인토록 의무화되어 있는 안전협정을 지금까지 미루어왔다. 북한은 협정체결문제를 「美國이 핵위협을 않겠다는 보장」을 전제조건으로 내세워 美國과 북한과의 당사국문제로 격하시키면서 對美협상수단의 포석으로 삼아왔다. 그러나 최근 핵선진국은 물론 전세계가 북한의 핵안전협정체결을 요구하고 있고 특히 6월 이사회에선 체결촉구 결의안채택 움직임이 濠洲 日本 美國 캐나다 蘇聯등 이사국에 의해 본격적으로 추진될 전망이어서 더이상 협정체결을 회피할 수 없게 됐다.

NPT가입국중 핵안전협정에 가입치 않은 국가가 51개국이 되지만 핵관련 활동을 하면서 협정을 체결치 않은 나라는 북한이 유일하다. 북한의 이번 교섭재개 의사표명이 국제적 압력과 주요 이사국들의 움직임을 사전에 중화시키려는 의도도 있지 않나하는 관측도 물론 있다.

또한 최근 한국내에서의 일부 학자및 재야측의 한반도 非核주장과 美國의 의회와 언론 학계 일부에서 거론되는 핵무기철수의견등이 북한이 그동안 내세워왔던 한반도 非核지대화 주장과 상통하는 분위기조성이 되고있다고 판단하는 전술적 측면도 있음을 간과할 수 없다는 시각도 있다.

그러나 앞서 지적된 △유엔가입 △경제난타개를 위한 日本과의 조속한 수교필요성 △국제적 압력등이 북한에 보다 현실적 과제로 등장함에 따라 핵안전협정의 교섭재개와 궁극적으로 체결로 이어지는 외교적 변화가 불가피하지 않느냐는 것이 현지 외교소식통들의 공통된 전망이다.

또 교섭이 재개된다해도 협상과 IAEA이사회의 승인→서명→비준까지와 성실한 협정이행을 규정하는 세부약정의 체결등 절차상 많은 시간이 걸릴수도 있고 핵안전협정의 허점을 악용할 소지또한 없지않아 이점이 핵선진국과 IAEA측이 관심을 갖고 주시해야할 사항이라고 IAEA소식통은 말했다.

〈빈=崔乘浩특파원〉

0221

관리 번호	91-463

	분류번호	보존기간

발 신 전 보

번 호 : WSV-1635 910529 1535 FN 종별 :

WCZ -0418 WPD -0507

수 신 : 주 수신처참조 대사. 총영사

발 신 : 장 관 (국기)

제 목 : 북한의 핵 안전협정교섭 재개제의

표제관련 주오지리 대사가 보고하여온 IAEA 사무국의 하기 제보를 참고바람

1. 북한은 5.28 주 비엔나 다자담당 북한대사 전인찬이 IAEA 사무총장 면담시 자신 명의의 IAEA 사무총장 앞 서한을 전달하면서 북한 - IAEA간 핵안전협정안을 마무리 짓기 위하여 교섭을 재개할것을 제의 하였음

2. 북한측 서한 내용은 동 협정 초안을 확정하기 위하여 IAEA와 협상할 용의가 있으며 협상의 구체적 시기는 북한 대표부와 IAEA 사무국간 합의 하기를 희망한다는 것임

3. IAEA 사무국측은 북한이 협상시기를 명시하고 있지 않지만 6월중 교섭이 재개될 수 있을것으로 추측하고 있음

4. 한편 IAEA 이사회 의장 Zelazny(폴란드인)는 5.27자 북한 외교부장 김영남앞 서한발송을 통하여 북한의 협정체결을 촉구하였음.

예고 : 91.12.31 일반

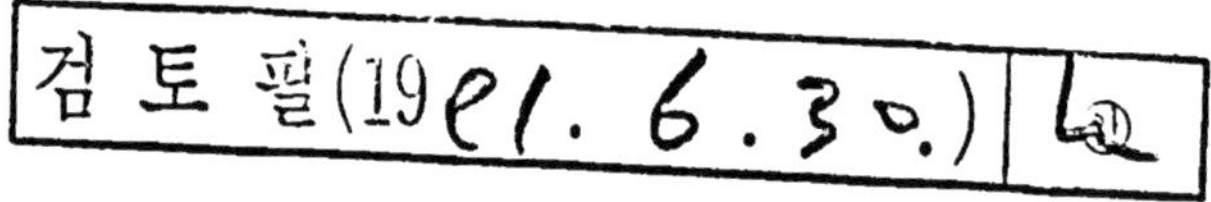
검토필(1991. 6. 30.)

(국제기구조약국장 문동석)

수신처 : 주 미, 일, 유엔, 제네바, 쏘련, 카나다, 영국, 프랑스, 독일, 북경, 태국, 인니, 필리핀, 체코, 폴랜드대사

보안 통제	

앙 고 재	91년 5월 29일	국기과	기안자 성명 김하택		과 장		국 장		차 관	장 관

일반문서로 재분류(1991. 12. 31.)

외신과통제

0222

WUS-2364 외 별지참조

WUS-2364 910529 1533 FN

WJA -2476 WUN -1530 WGV -0693 WCN -0548 WFR -1117

WUK -1008 WGE -0811 WAU -0374 WCP -0685 WTH -0857

WDJ -0546 WPH -0479

0223

관리번호 91-468

5/30 ...

외 무 부

종 별 : 지 급

번 호 : JAW-3301 일 시 : 91 0529 0039

수 신 : 장관(아일,미북,정이,국기),사본:주미대사-본부중계필

발 신 : 주 일 대사(일정)

제 목 : 외무차관 정례오찬

대:WJA-2397

연:JAW-2862, 3293

본직은 금 5.28(화) 쿠리야마 외무차관이 주최한 정례업무 오찬에 참석, 일.북관계, 한. 미.일 정책협의회등에 대해 협의하였는바, 동 내용은 다음과 같음.(일측: 다니노 아주국장, 사이또 북동아과장, 아측: 남홍우 공사, 박승무 정무과장 배석)

1. 제 3 차 일.북 수교교섭 본회담

가. 쿠리야마 차관 설명요지

0 금번 3 차 본회담의 전체적인 인상은 북측이 일.북 정상화 교섭과정에서 핵문제가 제기되는 것을 피해 동 문제를 분리하고자 하였으나, 일측이 핵문제 분리에 동의치 않으리라는 판단에서 보상등 경제관계도 함께 분리하여 일.북간 국교정상화를 먼저 추진하려는 의도를 가졌던 것으로 느껴짐.

0 관할권 문제에 대한 북측 제안도 이와같은 북측의 FLEXIBILITY 의 구도에서 나온 것으로 생각하는바, 동 제안은 문서도 아닌 구두로 제시된 것으로 이에 대해서는 별도로 신중히 검토 예정임.

0 일측으로서는 북의 핵병기를 보유하지 않도록 하는것이 목적인바, 이런 목적을 어떻게 달성하느냐가 문제이며, 이를 위해서는 북한이 핵사찰을 받도록 IAEA 핵안전협정을 체결해야 한다고 보고있음.

0 북한의 핵병기 보유를 포기시키기 위해서는 일본 이외에도 관련 국가가 북에 대해 APPROACH 하는것을 조정 협의할 필요가 있음. 키미트 미국무 차관 및 월포비츠 미국방차관의 최근 방일시도 이러한 일측 견해에 동감을 표시한바 있음.

나. 이상 일측 설명에 대해 본직은 3 차 본회담시 일측이 북한의 핵재처리 시설

아주국	장관	차관	1차보	2차보	미주국	국기국	정문국	청와대
청와대								

PAGE 1

91.05.29 06:25

외신 2과 통제관 BW

0224

문제도 제기하였는지를 문의하였는바, 동 차관은 핵재처리 시설과 관련된 의혹이 있으므로 이 문제를 포함하여 핵 안전협정 체결이 중요하다는 점을 명확히 했다고 말함.

다. 또한 본직은 본회담 과정에서 북측이 핵안전 협정에 서명할 가능성에 대해 일측이 얻은 감촉이 있었는지를 문의하자, 동석한 다니노 국장은 미.북 관계를 감안해 볼때 북측이 간단히 서명할 가능성은 없는 것으로 생각한다고 말함.

라. 사이또 북동아 과장은 3 차 회담시 북측이 FOREIGN AFFAIRS 에 게재된 크로우 전합참의장의 한반도 핵관련 논문을 인용하였다고 밝히고, 일측은 이에 대해 미국은 민주주의 국가로 개인적인 견해를 말할수 있음로 이를 미측 공식입장을 보면 안된다고 반론 하였다고 설명함. 또한 동 과장은 북측이 NPT 에 가입하고도 핵안전 협정을 체결하지 않는 나라가 45 개국이나 된되고 하면서, 북측만이 핵안전협정을 가입하지 않고 있는 것은 아니라고 항변했다고 말함.

마. 본직은 북한이 핵안전 협정에 서명하는 것은 북측의 의사여하에 달린 문제로서 북측이 NPT 에 가입하고 있느냐의 여부와는 직접관계가 없다고 보모, 북측에 대한 제일 큰 압력은 일.북 교섭시 일측이 이 문제에 대해 강력하게 대응해 주는 것이라고 지적해 두었음.

바. 본직은 금번 3 차 본회담시 일측의 한국측 입장을 충분히 감안, 대응해준것을 평가하고 금후 회담전망을 문의하엿슨바, 동 차관은 3 차 북경회담시 북측은 은혜문제로 아주 강한 반발을 보이면서, 나까히라 대사에게 비례한 언사를 한것 갑으나, 교섭의 계속은 희망하고 있는바, 북이 어떻게 대응해 올지는 금후의 북의 태도를 보지 않으면 알수 없다고 하면서, 볼은 지금 북한에 가있다고 말함.

2. 한. 미.일 3 자 정책협의회

가. 본직은 3 자 정책협의회에 대해 레벨과, 시기, 장소등에 대해 한. 미.일간에 의견이 약간 상이한 것으로 알고 있다고 말하고, 이에대한 일측입장을 문의하였는바, 쿠리야마 차관은 한국측의 동 협의회 관련 제안은 검토중에 있으며,외무성에서는 정보조사국이 이를 담당하게 될 것이라고 말함.

나. 동 차관은 이에 미측이 여름까지는 북한의 핵문제에 대한 대책을 강구하겠으며, 이를 토대로 한. 미.일간의 POLICY COORINATION 을 하고 싶다고 하는 입장인바, 이를 11 월의 협의회에서 논의하기에는 너무 시기적으로 늦은 감이 있으므로, 동 협의회의 작업부회로써 실무레벨에서라도 북한의 핵문제에 한하여

대외적으로 알리지 않고 6 월등 빠른 시기에 한. 미.일간 협의를 싶다고 말함.

다. 동 차관은 미측 설명대로 북한이 핵재처리 계획을 추진하고 있는 것이 사실이라고 하면, 일측으로서도 중대한 일이나 일측이 이에 관한 정보가 없어 확인할수 없으므로, 이를 한. 미.일 3 국간에 여하히 대응조치 하는 것이 좋은지, 또는 중.쏘와 협의하는것이 필요한지등을 협의하기 위해 핵재처리 문제만을 분리해서 협의하고자 한다고 말하고, 이 문제에 관해서는 미국도 DECISIVE 한 영향을줄 입장이 아니며, 일측만으로도 결정적인 LEVERAGE 를 가지고 있지 않으므로 3국 공동대처가 필요하다는 견해를 표명함.

라. 이와관련, 다니노 국장은 일측으로서는 금번 실무협의는 방위청이나, 과기청등을 제외하고 외무성만으로 할 예정이며, 일측 참가자로 사이또 북동아 과장 레벨(실무전문가 수행)을 검토중이라고 밝히고, 솔로몬 차관보와의 만찬시 하와이, 알라스카등을 거론하였는바, 동 실무레벨 협의를 조속히 개최하여 서로의 견해를 SHARE 하기 바란다고 언급함. 또한 동 국장은 사이또 북동아과장이 5.30-6.1. 간 서울 출장시 본건 협의하게 될것이라 함. (사이또 과장은 6.4 부터 방한하는 오부찌 자민단 간사장을 수행, 재차 서울 방문 예정이라 함)

3. 일황 동남아 방문

0 쿠리야마 차관은 일황이 타이, 말레이지아, 인니 3 국을 오는 9.26. 부터10 일간 정도의 일정으로 공식 방문할 예정으로 관계국과 협의중이라고 밝히고(5.30. 각의결정후 공식 발표 예정임), 일황은 한국측으로 부터도 초청은 받고 있으나, 방한은 신중히 검토해 나가고자 한다고 말하였음.

4.G-7 정상회담(이하 쿠리야마 차관 설명)

가. 일측으로서는 G-7 정상회담시 한반도 문제와 관련한 한국측 입장을 이미 알고 있는바, 유엔문제는 해결되었으나, 그밖의 남. 북대화 계속, 북한의 핵안전 협정축구등에 대해서는 이지역의 안전에 관한 문제로서 관심을 가지는 것이중요하다는 생각으로 동 회담에 임하고자 함.

나. 금번 G7 정상회담시 주요 협의사항으로는 우루과이 문제, 세계경제 문제 이외에 쏘련의 참석문제가 미.영을 중심으로 대두되고 있는바, 이 문제는 고르바쵸프 대통령이 서방측의 대규모 경제원조와 지원을 희망하여 자신의 입장을 런던 서미트에서 APPEAL 한다는 구상에서 나온듯하며, 일측은 아직 이문제에 대한 협의를 요청받은바는 없으나 마지막까지 상황을 보고 결정하면 될 것이라고 생각함.

PAGE 3

0226

다. 서미트 멤버의 콘센서스는 어느나라도 지금 쏘련에 대해 대량의 경제적지원을 할수 있는 입장에 있지는 않으나, "고"대통령에게 분발해 줄것을 기대하고는 있는바, 그렇다고 대쏘지원을 어떻게 하면 좋을지도 아직 분명치 않음.

5. 기타

0 본직은 한. 일 외무차관 상호방문과 관련, 쿠리야마 차관에게 재직중 적절한 시기에 방한해 줄것을 요청하였는바, 동 차관은 본직의 요청에 사의를 표하고 현재로서는 업무 일정상 아직 방한 가능시기가 언제가 될지 확실치 않은 실정이라고 말함. 끝.

(대사 오재희-장관)

예고:91.12.31. 일반

검 토 필(1991. 6. 30.)

일반문서로 재분류(1991 .12. 31.)

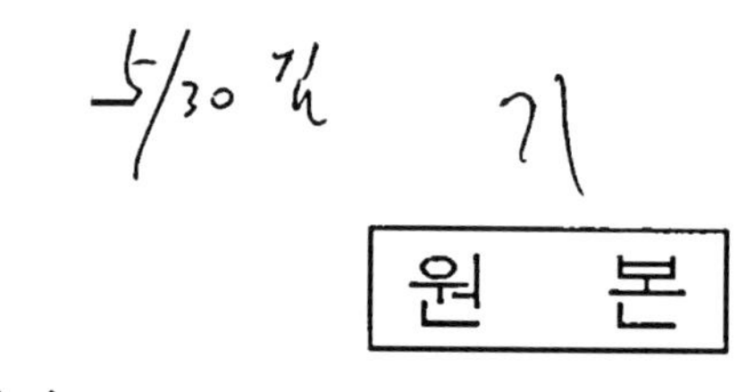

관리번호	91-466

원 본

외 무 부

종 별 : 지 급

번 호 : JAW-3329 일 시 : 91 0529 1837

수 신 : 장관(국기,아일,정이)사본:주미, 쏘, 오지리대사-중계필

발 신 : 주 일 대사(일정)

제 목 : IAEA 6월 이사회

대: WJA-2383

연: JAW-3028

1. 당관 박승무 정무과장은 작 5.28. 외무성 사다오까 원자력과장을 방문, IAEA 6 월 이사회시 결의안 채택관련, 일측의 평가등을 문의하였는바, 동 과장이 언급한 내용은 다음과 같음.

0 일.미.호주.카나다 4 개국은 연초이후 쏘련 및 영국에 대해 결의안 채택에 대한 지지교섭을 하였는바, 영국은 지지, 쏘련은 극히 NEGATIVE 한 반응을 보였음.

0 "에다무라" 주쏘 일대사는 5.21. "페트로프스키" 외무차관을 접촉하였는바, 동 차관은 쏘측이 결의안 채택에 대해 NEGATIVE 한 입장을 취하는 이유가 북한을 너무 궁지에 몰면 북한이 NPT 를 탈퇴할 가능성이 있기 때문이라고 설명하면서, 쏘측으로서는 조용히 끈기있는 자세로 북측과 접촉해야 한다는 견지에서 결의안 형식에 반대하며, 종전대로 각국이 개별발언을 통해 핵안전협정 조기체결촉구발언을 촉구하는게 좋을 것이라는 견해를 표명하였음.

0 현단계에서 중요한것은 미국이 결의안에 대한 쏘련입장을 어떻게 보고있는가 하는것인바, 만일 미국도 쏘련이 NEGATIVE 한 입장을 취하고 있다고 판단한다면, 결의안 채택을 시도해도 의미가 없다고 보며, 일측으로서는 이런점을 감안, 미국의 입장을 확인중에 있음.

0 일측으로서는 결의안 성립이 무리라고 판단되어도 IAEA 이사회회원국에 대해 북한의 핵안전협정 조기체결 촉구발언을 요청할 예정이며, 겸하여 CHAIRMANS SUMMERY 방안도 추진코자함.

2. 사따오까 과장은 상기 설명에 이어 개인적인 견해라고 전제하고, 현단계에서의 최선책은 CHAIRSMANS SUMMERY 를 추진하는 방안이라고 생각하며, 이방안이 채택될

국기국 장관 차관 1차보 2차보 아주국 정문국 청와대 안기부

PAGE 1 91.05.29 19:38

외신 2과 통제관 BA

0228

경우 이사회의 대표적 의견을 반응하는 것이므로 북한의 핵안전협정 체결촉구에 진전을 가져오는것으로 평가될수 있다고 하면서, 이 경우에도 일.미.호주.카나다가 기타국들과 DEMARCHE 해서 다수국가의 발언을 확보하여야 할것이라고 부언함. 끝

(대사오재희-국장)

■고:91.12.31. 일반

검 토 필(1991. 6.30.)

일반문서로 재분류(1991 .12.31.)

0229

5/31 7ㅊ

71

관리 번호	91-469

원 본

외 무 부

종 별 :

번 호 : AUW-0419 일 시 : 91 0530 1730

수 신 : 장관(국기,아동)

발 신 : 주 호주 대사

제 목 : 북한 핵안전협정 체결촉구 결의안

연:AUW-0356

대:WAU-0374

금 5.30 당관 양공사가 외무무역성 COUSINS 핵군축담당부국장(국장대리)과 오찬시 의견교환한 내용을 아래와같이 보고함.

1. COUSINS 국장대리는 연호 미.일.호주.카나다의 공동대처 방안 협의시 표제 결의안 추진을 각국대사가 분담 한층 강화하여 전개한 다음, 내주중 제 2 차 전략협의를 갖기로 했다함.

2. 동국장대리에 의하면 주비엔나 소련대사는 표제건 추진중인 호.미.일 대사들과 만난자리에서 연호 소련 외무성 페트로프스키 외무차관에 대한 JOINT DEMARCHE 이후 동차관은 대북한 국제압력이 가중되고 있으므로 북한이 스스로 핵안전협정을 체결하는것이 좋을것이라고 권고하는 메세지를 북한에 보냈다는 사실을밝힘과 동시에, 자신(소련대사)은 본국정부로부터 호주등 우방국이 추진중인 표제결의안 채택을 DISCOURAGE 하는 방향으로 노력하되, CONSENSUS 가 이루어지는 경우에는 이를 BLOCK 하지 말라는 훈령을 받았음을 밝혔다함.

3. 한편 5.28 교또 유엔군축회담에 참석한 EVANS 외상은(동회담에는 외상급으로 EVANS 외상및 필리핀 외상이 참석했다함)연단에서 페스로프스키 소련 외무차관과 동렬에 앉은기회에 동차관에게 소련이 대북한 결의안 채택에 왜 부정적인태도를 보이는가에 대해 문의한바 동차관은 북한에 대한 국제적인 여러가지 압력이 가중되고 있는 현시점에서 북한을 더 몰아세울 필요성이 있겠는가라고 반문하였다 함.

4. 한편 COUSINS 국장대리는 5.29 주오지리 호주, 일본대사등이 중국대사와면담, 동건관련 중국입장에 대하여 탐문한바, 중국대사는 "의외로"어떤 거부반응을 명시적으로 보이지 않고 호주, 일본등의 움직임에 일응 수긍하는듯한 자세를 보여

국기국 장관 차관 1차보 2차보 아주국 청와대 안기부

PAGE 1

91.05.30 17:52

외신 2과 통제관 BA

0230

호주등 관련국 대표들이 다소 고무되어 있는 상태라고 밝히고 금명간 전기 중.소 대사들과 재차 접촉을 갖도록 할것이라고 하였음.

5 .COUSINS 국장대리는 본결의안 추진에 있어 미국과 일본정부는 SCONSENSUS가 이루어 지지않은 경우라면 이를 계속 밀고 나갈 필요성이 있겠느냐는 다소 덜 적극적인 신축성있는 태도를 보이고 있는것은 사실이나 호주로서는 소련을 주목표로 계속 접촉, 설득해 나가면서 IAEA 이사회 서방측 이사국들과 접촉을 강화, 전반적인 분위기를 결의안 채택에 유리하도록 전개시킨후 이를 대소 압력의 수단으로 활용, 상황이 허락하는데 까지 본건을 추진할 의향이라고 밝혔음.

6. 동부국장은 소련이 북한에 대하여 핵안전협정체결을 촉구하면서 본결의안 추진국에 대하여 DISCOURAGE 하는 태도를 보이는것은 대세가 결의안 채택으로가는 경우 이를 수용하겠다는 입장이라고 분석하고 중국이 의외로 유연한 자세를 보이고 있는것도 본건 추진을 쉽사리 단념할수 없는 배경임을 시사했음.

7. 한편 COUSINS 부국장은 대호 북한 전인천 대표가 IAEA 사무국장을 만나 협정체결을 위한 협상을 제의한것은 북한이 국제적인 압력을 완화(TO LESSEN GROWING INTERNATIONAL PRESSURE)시키면서 시간을 벌자는 전술(TACTICAL MANEUVERING)에 불과하다고 말하고, 똑같은 전법을 남아연방이 지난 4-5 년간 계속 사용해 왔음을 상기시키면서, 대호 북한측 움직임에 어떤 신뢰성을 특별히 부여하기 어렵다고 천명했음.(남아연방은 오는 9 월 IAEA 총회시 지금까지 4-5 년간 지연해온 핵안전협정에 서명하겠다고 공언하고 있으나 이것도 결과를 보아야 알겠다고 첨언했음)

8. 동 부국장은 북한의 핵안전협정 촉구가 IAEA 이사회 및 총회시 해마다 연례행사적으로 있어왔으나, 금년의 경우 보다 강도높게 이를 표현할 필요성하에동결의안을 추진중에 있다고 말하면서, 지난주 주오지리 북한대표부 참사관이 호주대표부 참사관에게 전화로 동 결의안 추진내용에 대하여 문의한바 있었고, 지난 2 월 IAEA 이사회시 동의장이 북한에 대하여 핵안전협정 체결을 촉구토록 요청하였으나 이사회의장이 이를 지금까지 미루어 오던중, 근자에 와서 의장이 북한에 대하여 핵안전협정 체결을 촉구하는 서한을 발송했다 함.

9. 동 국장대리가 IAEA 가 북한에 대한 압력을 가중하는 경우 NPT 를 탈퇴하겠다는 북한 위협을어떻게 해석할지를 문의한데 대하여, 양공사는 북한이 유엔가입 신청을 하겠다고 공언한 이상 유엔가입을 앞두고 NPT 조약에서 탈퇴하는등 비국제적

시민국가로서의 행동은 하지 않을것이라고 말하고 IAEA 가 북한의 핵안전협정 체결을 유도할수 있는 가장 적절한 시기는 바로 지금이 아닌가고 한데 대하여 COUSINS 국장대리는 이에 전적인 동감을 표시하고 주오지리 대사로 하여금 보다 활동을 강화, 표제건을 추진토록 지시할것이라고 말하였음.

10. 본건 추진 전개사항은(내주중 있을 제 2 차 전략협의후)당관에 계속 알려주기로 하였음. 끝.(대사 이창범-국장)

예고:91.12.31. 일반

검 토 필(1991. 6. 30.)

일반문서로 재분류(1991 .12.31.)

PAGE 3

0232

관리번호	91-420

원 본

외 무 부

종 별 :

번 호 : AUW-0420 일 시 : 91 0530 1730

수 신 : 장관(국기,아동)

발 신 : 주 호주 대사

제 목 : 북한 핵안전협정 체결관련 호주측 태도 일면

연:AUW-0419

1. 연호 양공사가 COUSINS 국장대리와 오찬시, 동국장대리는 작년 8.23-24 제네바에서 개최된 NPT 제 4 차 평가회의에 참석한 EVANS 외상은 기조연설시 북한의 핵안전협정체결을 강도높게 촉구하면서 당시 회의에 참석한 북한대표를 향하여 "여기에 참석한 북한대표는 본회의장에서 나오는 모든 대북한 촉구발언을 굴절없이 본국정부에 보고하는 용기를 가지라"고 요구했던 일화를 소개하면서(당시 북한 대표단은 호주대표단 바로 뒷줄에 앉았다고함)EVANS 외상의 집념의 강도의 일면을 알려주었음.

2. 6.11-13. 주인니 한봉화 북한대사가 당지 방문시 CALVERT 아주국장, BENSON 부국장, COUSINS 군축국 국장대리들과 만날것인바, 동대사가 본국정부에 대하여 호주정부가 말한 내용을 그대로 보고할수 있다거나 북한 외교정책에 영향을미칠수 있는 인물로 평가하지 않아 동대사와 만나는것 자체에 별 의미를 부여하고 있지 않으나 금번 경우 시기가 시기인지라 COUSINS 국장대리는 동대사에게 북한의 핵안전협정 체결을 한층 강도있게 촉구할것이다 함을 참고로 첨언함. 끝.

(대사 이창범-국장)

예고:91.12.31. 일반.

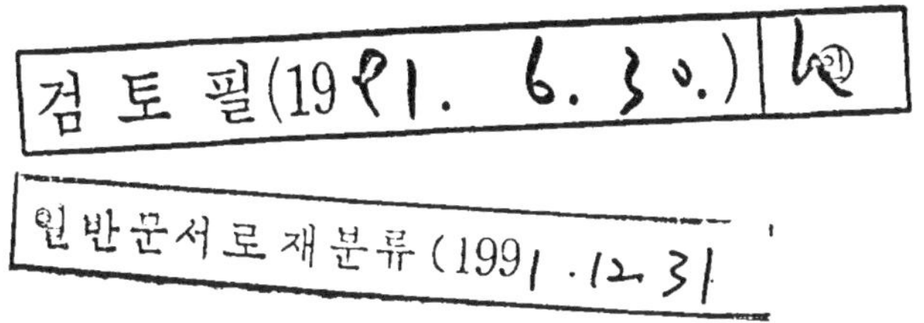

검 토 필(1991. 6. 30.)

일반문서로 재분류(1991 .12. 31

국기국	장관	차관	1차보	2차보	아주국	청와대	안기부

PAGE 1

91.05.30 17:52

외신 2과 통제관 BA

0233

91.5.30 주인 호주 참사관
-lin 내방 전달 (국기과)

CH059994/2

DRAFT RESOLUTION ON DPRK SAFEGUARDS

TEXT OF DRAFT RESOLUTION

BEGIN TEXT:

THE BOARD OF GOVERNORS,

MINDFUL OF THE FACT THAT THE DEMOCRATIC PEOPLE'S REPUBLIC OF KOREA, HAVING ACCEDED TO THE TREATY ON THE NON-PROLIFERATION OF NUCLEAR WEAPONS ON 12 DECEMBER 1985, INCURRED AN OBLIGATION TO NEGOTIATE AND CONCLUDE AN AGREEMENT WITH THE INTERNATIONAL ATOMIC ENERGY AGENCY FOR THE APPLICATION OF SAFEGUARDS ON ALL SOURCE OR SPECIAL FISSIONABLE MATERIAL IN ITS PEACEFUL NUCLEAR ACTIVITIES SUCH AGREEMENT TO ENTER INTO FORCE NOT LATER THAN EIGHTEEN MONTHS AFTER THE DATE OF INITIATION OF NEGOTIATIONS,

NOTING WITH CONCERN THAT THE DEMOCRATIC PEOPLE'S REPUBLIC OF KOREA, A STATE WITH SIGNIFICANT UNSAFEGUARDED NUCLEAR ACTIVITIES, HAS FAILED TO HONOR THIS OBLIGATION TO THE INTERNATIONAL ATOMIC ENERGY AGENCY,

GRAVELY CONCERNED AT REPORTS THAT THE DEMOCRATIC PEOPLE'S REPUBLIC OF KOREA IS DEVELOPING A NUCLEAR WEAPONS CAPABILITY,

CONVINCED THAT THE CONCLUSION BY THE DEMOCRATIC PEOPLE'S REPUBLIC OF KOREA OF ITS SAFEGUARDS AGREEMENT WITH THE INTERNATIONAL ATOMIC ENERGY AGENCY WILL CONTRIBUTE TO AN EASING OF TENSION, AND OVERCOME A MAJOR OBSTACLES TO THE RECONCILIATION, ON THE KOREAN PENINSULA,

NOTING THE DIRECTOR-GENERAL'S REPORT TO THE BOARD ON JUNE 1991,

1. CALLS ON THE DEMOCRATIC PEOPLE'S REPUBLIC OF KOREA TO CONCLUDE AND BRING INTO FORCE A SAFEGUARDS AGREEMENT WITH THE INTERNATIONAL ATOMIC ENERGY AGENCY ON ALL SOURCE OR SPECIAL FISSIONABLE MATERIAL IN ALL ITS PEACEFUL NUCLEAR ACTIVITIES WITHOUT FURTHER DELAY;

2. FURTHER CALLS ON THE DEMOCRATIC PEOPLE S REPUBLIC OF KOREA TO DEMONSTRATE ITS SAFEGUARDS COMMITMENT BY PROVIDING TO THE AGENCY FORTHWITH DESIGN INFORMATION FOR ALL ITS NUCLEAR FACILITIES INCLUDING THOSE UNDER CONSTRUCTION TO EXPEDITE THE EFFECTIVE APPLICATION OF SAFEGUARDS AS SOON AS THE SAFEGUARDS AGREEMENT ENTERS INTO FORCE;

0234

PAGE.003/004

3. URGES ALL NNWS STATES PARTY TO THE NPT WHICH HAVE YET TO FULFILL THEIR OBLIGATION TO CONCLUDE A SAFEGUARDS AGREEMENT WITH THE IAEA IN ACCORDANCE WITH ARTICLE III OF THE TREATY TO DO SO WITHOUT DELAY; AND

4. REQUESTS THE DIRECTOR-GENERAL TO CONVEY THE TEXT OF THIS RESOLUTION TO THE PRESIDENT OF THE DPRK AND TO THE PRESIDENT OF THE UNITED NATIONS SECURITY COUNCIL.

END

관리 번호	91-491

분류번호	보존기간

발 신 전 보

번 호 : WAU-0378 910530 1919 FO 종별 :

수 신 : 주 수신처 참조 대사. 총영사

발 신 : 장 관 (국기)

제 목 : IAEA 이사회 결의안

WAV -0520 WJA -2500
WUS -2391 WCN -0566
WUK -1027 WSV -1657
WDJ -0557 WPH -0485
WTH -0865

1. 금 5.30(목) 주한 호주대사관 Mullin 참사관은 국제기구과장을 방문, 현재 진행중인 6월 IAEA 이사회에서의 북한 협정체결 촉구 결의안 채택 추진 상황에 대하여 아래와 같이 설명하였음.

가. 미국, 일본, 카나다, 호주등 4개 공동 추진국은 공동 보조하에 인도네시아, 태국, ~~말레이시아~~ 비율빈 및 영국을 접촉하여 긍정적인 반응을 얻었음.

나. 소련이 문제가 되는바, 동 4개국의 소련주재 외교관이 5.22 소련 외무부 군축국장 Majorski와 페트로프스키 외무차관 면담시 소련은 북한을 명시한 결의안 채택의 제반 문제점을 지적하면서 결의안 동조 요청에 부정적인 입장을 표명하였음. 그러나 동건 관련 주 비엔나 소련대사 Timerbaev를 접촉 하였을때 동인은 컨센서스 채택에는 반대할것이나 투표에 부쳐지는 것은 별개의 문제라고 발언하면서 투표시 반대하지는 않을 것이라는 인상을 주었음. 한편 Evans 호주 외상이 최근 일본 교또 개최 유엔군축 회의 참석 기회에 소련 외무차관을 면담하였을시 동 차관은 5.22 면담시와 같은 발언을 하였음.

/계속...

미주국장

보안 통제	

앙 고 재	91년 5월 30일	국기과	기안자 성명 김희택		과 장		국 장 전결		차 관	장 관

외신과통제

0236

다. 4개 공동추진국은 다음단계로 이집트, 스웨덴, 오지리, 독일, 폴랜드, 불란서, 이태리, 나이제리아, 사우디아라비아 및 라틴 아메리카 이사국을 접촉할 예정인 바, 동 접촉결과 다수 이사국의 지지를 획득할 경우 소련의 반대입장이 누그러질것으로 전망함

라. 또한 4개 공동추진국 모두 강력한 지지를 받지못하는 결의안을 채택시키는것을 원하지 않기 때문에 이러한 점에서도 다수 이사국의 지지가 필수적이라고 생각함.

마. 동건 관련 중국측과도 비엔나에서 접촉하였으나 중국측은 별다른 반응없이 북경에 전달하겠다고 하였음

바. 결의안 채택 추진 관련 미국의 태도(박과장의 질문에 대하여)는 여타 3개 공동추진국과 같이 매우 positive 하나, 소련이 끝까지 반대하여 쿠바등 몇개 이사국을 반대진영에 끌어들일경우 북한측에 bad signal을 줄 수 있으며 결의안 채택 자체에 손상을 주어 counter productive 한 결과가 될 것에 우려하고 있음. 그러나 상금 결의안 채택 전망은 매우 밝음.

사. 결의안 채택 추진 교섭에 있어서 한국은 우선 개입하지 말아주기 바람. 북한은 한국이 개입할 경우 이를 트집잡아 결의안 채택 교섭에 악영향을 미칠것이기 때문임

아. 결의안 채택 교섭이 만약의 경우 여의치 않다면 마지막 순간에 금번 6월 IAEA 이사회에서의 대책을 변경시켜 대안으로서 여러 이사국이 보다 강도높게 북한의 협정체결을 촉구토록 하는 발언을 하도록 교섭하겠으나 이 문제는 현재의 결의안 채택 추진 교섭 단계에서 전혀 거론할 성질이 아님

/계속...

0237

2. Mullin 참사관은 상기 언급후 북한이 5.28 IAEA에 핵안전협정 교섭을 제의하였다는 것에 대하여 이는 북한의 상투적인 전략(Familiar tactics)에 불과한 것이지 북한이 핵안전협정을 체결한다는 정책변화가 아니라고 평가하였음. 끝.

예고 : 91.12.31 일반

(국제기구조약국장 문동석)

수신처 : 주 호주, 오지리, 일본, 미국, 카나다, 영국, 소련, 인니, 비율빈, 태국대사

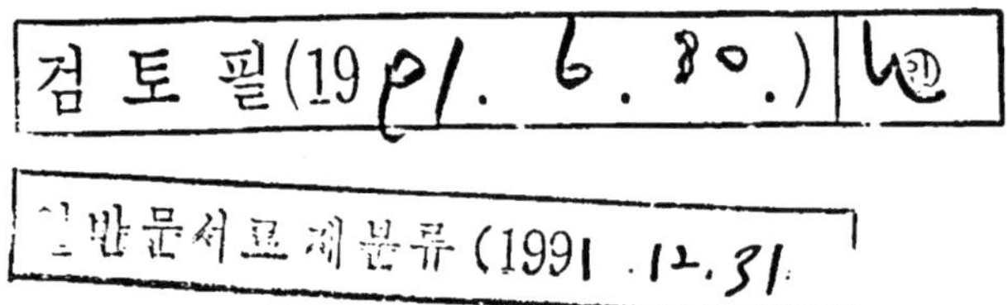

0238

2116

(미북, 정이. 안보. 지통. 해신)

북한 핵협정서명 교섭의사 표명 등

The Washington Post A24 FRIDAY, MAY 31, 1991

N. Korea Will Discuss Nuclear Plant Inspection

Talks Toward 'Safeguards' Pact Proposed

By T. R. Reid
Washington Post Foreign Service

TOKYO, May 30—Taking another potential step out of its deep political isolation, North Korea has agreed to reopen negotiations over international inspection of its nuclear facilities, Japanese government officials said today.

North Korea's ambassador in Vienna, Chon In Chan, told Hans Blix, secretary general of the International Atomic Energy Agency (IAEA), that his country would be willing to renew talks that could lead to a comprehensive safeguards agreement, which would provide for regular inspections by the Vienna-based U.N. agency.

The Vienna meeting occurred Tuesday, the same day North Korea announced it would seek admission on its own to the United Nations. That announcement, reversing Pyongyang's traditional insistence that North and South Korea should share a U.N. seat, has been viewed by diplomats in Asia as a major policy change for one of the world's most tightly closed countries.

Diplomats here and in Seoul said they were uncertain about the implications of North Korea's agreement to discuss nuclear inspections.

One theory held that the decision goes hand in hand with the U.N. application, indicating an initiative on Pyongyang's part to cooperate with the international community. Another view was that North Korea does not intend to allow inspections, but has raised the possibility now as a tactic to head off criticism when the IAEA's board of directors meets next month.

Like much else in the communist bastion on the northern half of the Korean Peninsula, North Korea's nuclear research is largely a mystery to the West. Satellite photos of the country's Yongbyon nuclear research complex, on the Kunon River in mountainous country north of Pyongyang, show considerable construction in the past five years.

Among the new facilities, analysts say, is a uranium enrichment plant. Such factories can be used to produce uranium for certain peaceful nuclear uses, including research and electric power-generating stations. But enriched uranium is also an essential ingredient for nuclear weapons.

Western intelligence reportedly has no evidence that North Korea has nuclear weapons now, or the facilities needed to produce them. There is some international concern, however, that Pyongyang may be trying to build a bomb of its own.

"They have four different kinds of nuclear facilities at Yongbyon," said Toshibumi Sakata, a professor at Tokyo's Tokai University, who has been studying the satellite photos for years. He says these include research reactors and a fuel reprocessing site in addition to the uranium enrichment plant.

"But there is no evidence of an electric power generating plant," he said. "So what do they need enriched uranium for? The logical conclusion would be that they are looking toward a nuclear weapons capability. The reason they would give is that they want the material for research."

North Korea has signed the Nuclear Nonproliferation Treaty, and by doing so committed itself to full inspection by the IAEA. But it has never agreed on the terms of a comprehensive inspection program.

North Korea's government has taken the position that it will agree to comprehensive inspections only if the United States certifies it has no nuclear weapons stored in South Korea. The United States has refused, saying that North Korea's obligations under the nonproliferation treaty have no connection with U.S. arms in the South.

North Korea currently accepts some IAEA inspection, but only of facilities it designates for review. Diplomats here say the inspectors have never been to the building that is believed to house the uranium-enrichment plant.

Pyongyang's government has been under pressure to sign a comprehensive inspection agreement. Its longtime ally, the Soviet Union, has prodded North Korea publicly to do so. In the current negotiations to normalize relations between Pyongyang and Tokyo, Japan has told North Korea that a full inspection program is a prerequisite.

Some analysts believe outside pressure, together with North Korea's sense of isolation while its former Soviet Bloc allies move into the global mainstream, has forced Pyongyang to move toward resolution of the nuclear inspection issue. But another theory says the current move is just a delaying tactic.

"When the North Koreans hosted the International Parliamentary Union meeting last month, they were really embarrassed by the criticism they got on the nuclear issue," a U.S. official in Seoul said. "And they don't want to get criticized again when the IAEA board meets in June. So they come up with this dramatic revival of negotiations hoping that they can stall until the board meeting is over."

When North Korea announced Tuesday that it would seek admission to the United Nations—alongside, but not together with, South Korea—it complained that it had been forced to do so because South Korea has already applied for admission. Some analysts say Pyongyang's reasons for agreeing to negotiate over nuclear inspections may involve a similar feeling that world events left no other choice.

North Korea's proposal in Vienna was first reported by Japan's Asahi Shimbun newspaper and was corroborated by Hitoshi Kato, of the Nuclear Energy Division at Japan's Foreign Ministry.

2116-1

0239

THE CHRISTIAN SCIENCE MONITOR Friday, May 31, 1991 2

Petrograd, which are authentic Russian names.... North Korea has offered to open talks with the International Atomic Energy Agency on inspection of its secret nuclear facility, South Korean news reports said yesterday.

2116 -2

0240

THE WALL STREET JOURNAL FRIDAY, MAY 31, 1991

CHENEY PROMISED Israel F-15 jets and funding for an anti-missile program.

Just one day after Bush announced a proposal to curb the flow of arms into the Mideast, the defense secretary disclosed in Tel Aviv that Washington will give the Israelis 10 F-15 fighters and the financial backing to develop the Arrow missile, a defensive system under development in Israel. A U.S. aide said the timing of Cheney's remarks, on the heels of the president's arms-control initiative, was a coincidence. Israeli officials were guarded in their comments on the arms-control plan, saying they would study its details. (Story on Page A4)

The Israelis, citing Syria's recent missile purchases from China and North Korea, say they worry that Bush may be unable to persuade all arms suppliers to limit their sales to Arab nations.

U.S. to Give Israelis F-15s, Anti-Missile Aid

Move Comes Just One Day After Bush Reveals Plan To Curb Mideast Arms

By John J. Fialka

Staff Reporter of The Wall Street Journal

TEL AVIV—Just one day after President Bush announced his new proposal to curb the flow of arms into the Middle East, the U.S. Defense Department disclosed it will give Israel 10 F-15 fighters and most of the financial backing needed for a new anti-missile program.

Defense Secretary Dick Cheney, here on a long-scheduled visit, said the U.S. will provide 72% of the estimated $300 million needed for the next stage of developing the Arrow missile, a defensive system being designed in Israel.

Mr. Cheney said the U.S. Air Force would deliver 10 older-model F-15 fighters, valued at a total of $65 million, as the first step in fulfilling a congressional authorization to give Israel as much as $700 million in spare equipment from U.S. Army, Navy and Air Force stocks.

A U.S. official said the timing of Mr. Cheney's announcement, immediately on the heels of the president's arms-control proposal, was a coincidence, and that the U.S. will persist in its effort to get various countries to agree on Middle East arms restraints.

Israeli officials were guarded in their comments on the arms-control proposal, saying they needed to study its details. One provision calls for Israel to stop further development of its nuclear arsenal if its Arab enemies agree not to pursue nuclear weapons programs.

Avi Posner, a spokesman for Israel's prime minister, Yitzhak Shamir, said the Jewish state places "great importance" on President Bush's efforts to get both arms suppliers and their buyers in the Middle East to agree to limit the arms race.

Mr. Posner pointed out that Israeli officials earlier had called for limits on conventional arms. As for President Bush's suggestion that Israel shut down its plutonium production facility at Dimona, he repeated the same oblique policy statement that Israel traditionally uses when it is questioned about its secrecy-shrouded nuclear program: "Israeli policy is that it will not be the first to introduce such weapons into the Middle East."

Squaring President Bush's new arms-control plan with prior U.S. arms commitments to Israel will present the Bush administration with some difficult decisions. Congress, in its efforts to reward Israel for its restraint during the Persian Gulf War, last year authorized the U.S. services to give Israel as much as $700 million of spare equipment and another $200 million of equipment to be stored in Israel for possible U.S. use.

Although Israel has requested far more equipment than the law permits, defense officials say the U.S. military services, facing severe budget cuts, are reluctant to give up equipment for shipment to Israel.

Meanwhile, Israeli officials are worried that President Bush may be unable to persuade all the nations that supply arms to Arab nations to limit their sales. Of particular concern to the Israelis are the Chinese and North Koreans, both of whom have recently sold missiles to Syria.

Israel's Arrow missile, an outgrowth of U.S. "Star Wars" technology, is designed to replace the Patriot as Israel's main defense against attacking missiles. A faster, more accurate and longer-range weapon than the Patriot, the Arrow is designed to track and destroy missiles before they reach Tel Aviv or other Israeli population centers. The shorter-range Patriot sometimes hit Iraqi Scud missiles over their targets, showering Israeli cities with heavy debris, on some occasions including intact warheads.

2116 -3

0241

05/31/91 09:13 ☎202 797 0595 EMBASSY OF KOREA →→→ WOI ▨004/004

보안 통제	

번 호 : USW(F)-

수 신 : 장관 발 신 : 주미대사

제 목 :

4A · FRIDAY, MAY 31, 1991

KOREAN UNIFICATION: South Korean President Roh Tae-Woo said North Korea's surprise decision to apply for a U.N. seat has brought the two countries closer to reunion. South Korea also plans to apply, and membership in the international body could facilitate reunification.

2116-4(END)

0242

번호 : USW(F) - 2119 번일,
수신 : 장 관 (미이, 국기, 강•1) 발신 : 주미대사
제목 : 북한핵개발 보도 (Defense News) (2 매)

보안
통제

N. Korea Rejects Reactor Probes

Japan: Inspections Must Precede Economic Aid, Better Relations

By GEORGE LEOPOLD
And NAOAKI USUI
Defense News Staff Writers

TOKYO — North Korea has rejected Japanese demands that it accept international inspections of its nuclear facilities as a precondition to renewed diplomatic relations and economic aid, Japanese officials reported after three days of talks last week in Beijing.

The third round of bilateral negotiations on normalizing Japanese-North Korean relations convened against a backdrop of growing international pressure to blunt North Korea's nuclear weapon program.

North Korea ratified the nuclear Non-Proliferation Treaty in 1985 but has resisted mandatory inspections of nuclear facilities by the the International Atomic Energy Agency (IAEA).

At stake for North Korea is up to $600 million in Japanese economic aid needed to revive its ailing economy along with possible payment of war reparations covering the period of Japanese occupation of the Korean peninsula before World War II. The talks also come as the nation of 22.5 million people grows increasingly isolated from its Asian neighbors.

Armed with satellite photographs of North Korea's growing nuclear program, sources say Washington has been encouraging Japan to link financial aid to North Korean acceptance of IAEA safeguard inspections.

Noboru Nakahira, Japan's special ambassador to the talks, last week urged North Korea to accept the comprehensive, or full-scope, safeguard inspections before bilateral talks can continue on normalizing diplomatic relations frozen for the last 45 years, Japanese officials said.

"Any attempt to achieve progress on other issues without solving this particular issue will not bring about any domestic support," Nakahira was quoted by Japanese sources as telling Chon In-Chol, North Korean vice foreign minister.

Nevertheless, Japanese officials said Chon brushed off the demand, saying the two countries must establish diplomatic relations before tackling such issues as nuclear inspections.

So far, 140 nations have signed the Non-Proliferation Treaty that took effect in 1970. Signatories are required to negotiate a detailed full-scope safeguards agreement that places its nuclear facilities under safeguards enforced by the Vienna-based IAEA.

The primary focus of international scrutiny of North Korea's nuclear program has been a 30-megawatt research reactor built between 1980 and 1987 at Yongbyon, about 60 miles north of the capital, Pyongyang.

Experts say North Korea is building a third, larger reactor and may be building a reprocessing plant to extract weapon-grade plutonium from the reactor's spent uranium fuel. U.S. satellite photographs reportedly spotted the plant under construction more than two years ago, and experts say it could be operating by the mid-1990s.

Leonard Spector, an expert on nuclear proliferation with the Washington-based Carnegie Endowment for International Peace, said that even if Pyongyang accepts the safeguards, its program will remain provocative because North Korea could still legally stockpile plutonium.

As a result, Spector said the United States wants a North Korean pledge not to expand its nuclear facilities along with accepting IAEA inspections.

"The North Korean nuclear development is probably the serious single threat to st... and security in East Asia," Wolfowitz, undersecretary o...

North Korea's Nuclear Reactors and Mining Sites

CHINA
NORTH KOREA
Unggi
Hamhung
Kusong
Yongbyon
Sea of Japan
Hae Kumgang
Pyongsan
SOUTH KOREA
Yellow Sea
Korea Strait
0 100
MILES

Source: Joseph S. Bermudez, Jr. Cristina

See KOREA, Pag...

2119 -1

0243

Inspections Are Roadblock To Normalized Relations

KOREA, From Page 4

fense for policy, said in a May 11 speech in Seoul.

North Korea has insisted that it signed the Non-Proliferation Treaty with the expectation that this would result in the withdrawal of U.S. nuclear weapons stockpiled in South Korea.

During last week's talks in the Peoples Republic of China's capital of Beijing, Chon repeated North Korea's contention that the nuclear issue must be settled by North Korea and the United States.

The United States rejects that position. "We have consistently made clear that the safeguards agreement is not a U.S.-North Korean biliteral issue, it is an international obligation on the part of the North," Wolfowitz said.

Meanwhile, the Soviet Union has distanced itself from the North Korean nuclear program. In April, Moscow stopped supplying nuclear equipment and fuel to North Korea after warning Pyongyang to accept the full-scope safeguards, senior Soviet officials said during President Mikhail Gorbachev's visit to Japan.

The Japan-North Korea normalization talks follow a visit to Pyongyang last fall by Shine Kanemaru, former Japanese deputy prime minister and ruling Liberal Democratic Party leader. Along with economic aid, the talks also include possible North Korean membership in the United Nations and continuing the recent dialogue between the two Koreas.

"We regret they haven't changed their fundamental position [on the IAEA safeguards]," said Taizo Watanabe, Japanese Foreign Ministry spokesman, during a press conference last Friday. "Without substantial progress on this issue, there won't be any substantial progress in other fields."

Watanabe's remarks were interpreted as a warning that North Korea faces difficult negotiations to normalize diplomatic ties with Japan, although Watanabe said Japan plans to continue the talks.

2119-2 (END)

0244

6/1 김

관리 번호	91 -476

원 본

외 무 부

종 별 :

번 호 : AVW-0644　　　　　　일 시 : 91 0531 2030

수 신 : 장 관(국기,미안,구이,기정) 사본:주소련,미국,호주,카나다,폴랜드,일본,영국,태국,인니,필리핀,유엔대사)

발 신 : 주오스트리아 대사

제 목 : 북한의 핵안전 결의안

추진 전략(2)

연:AVW-0561(91.5.15), AVW-0624(91.5.28)

대:WAV-0520, WAV-0461

1. 본직은 표제 결의안 추진 대책의 일환으로 아래와 같이 오찬 협의회와 면담을 계획하고 있음.

가. 에집트및 인도네시아대사 초청 오찬:5.31(금)

나. 호주, 미국, 일본, 폴랜드, 카나다, 영국대사 초청 오찬:6.5(수)

다. 소련대사 초청 오찬:6.6(목)

라.ZELAZNY 이사회 의장 초청오찬:6.7(금)

마.BLIX 사무총장 면담:6.7(금) 오후

2. 본직이 금 5.31 오전 WILSON 호주대사와 접촉한 바에 의하면, 현재까지의 교섭경과는 대체로 대호와 같으나, 대호 1 항 나. 에 언급된 당지 소련대사의 반응은 대호와는 달리 아래와 같음을 참고 바라며, 말레이시아는 이사국이 아니니 대호 1 항 가. 를 정정 바람(WILSON 호주대사도 본직에게 아래를 확인하였음)

가. 본직이 금일 TIMERBAEV 소련대사와 접촉한 바에 의하면, 소련은 현재로서 결의안 채택이 바람직스럽지 않다는 입장을 견지하고 있으며, 북한이 조건없이 핵안전 협정을 당장 체결하기를 원하고 있음.

나. 소련은 인도와 중공의 태도를 주시하며, 금번 이사회에서 만일 결의안 채택의 방향으로 콘센서스가 형성된다면(그는 그 형성이 어렵지 않겠나하는 조심스러운 반응을 보이면서도 본직과의 5.16 오찬 면담 AVW-0565 제 4 항을 상기시켰음) 이에 반대하기 곤란할 것이며(이점에서 대호 0520 과 다름), 투표 보다는 콘센서스를 선호함(투표시 불반대라는 대호와는 다름)

국기국 장관 차관 1차보 2차보 미주국 구주국 문협국 청와대 안기부

91.06.01 07:46

외신 2과 통제관 FE

0245

3.WILSON 호주대사는 소련이 인도와 중공의 반응에 신경을 쓰고 있으나, 자신이 감지하기로는 소련과 중공이 콘센서스에 반대하기가 곤란할 것이며, 부표에붙여지는 경우에 인도와 큐바등의 테도에 따라 소련과 중공이 어떻게 나올것인가를 현재로서는 전망할수가 없다고 말하였음.

4. 본직과 호주대사는, 연호 북한의 교섭재개 요청에도 불구하고, 금번 이사회에 본건 협정안이 상정되지 않는한 북한에 대하여 협정의 조기 체결을 촉구해야 할 필요성을 재확인하고, 결의안 채택의 방향으로 전력을 다할것을 다짐하였음.

5. 본건 추진 전략에 관련하여 아레와 같이 추가로 건의함.

가. 현단계에서는 타협안 또는 다른 대안을 고려 또는 발설함이 없이 아국으로서는 결의안 채택을 기본 방침으로 정하고 이사국을 상대로 결의안 지지교섭을 전력으로 전개함.

나. 현재 확보된 8 개국(호주, 카나다, 미국, 아세안 3 개국, 영국, 일본)에 추가하여 더많은 이사국의 지지를 확보함으로써 대세를 장악하는 경우에는 소련도 반대할수 없을 것이므로 그때에 가서(지난 2 월 이사회등의 경험으로보아 소련은 마지막까지 유보적 자세를 견지하다가도 테도를 바꾸는 것이 통상적 행동패턴임) 다시 소련을 상대로 지지 교섭을 시행함.

다. 상기 나. 항의 대세를 조성한 다음 인도를 상대로 최소한 반대는 하지 않도록 교섭함.

라. 결의안 추진 아이디어는 이미 북한에 대하여 상당한 압력효과를 가져오고 있음을 유념하여(참조 AVW-0624), 금차 이사회에서는 최소한 의장의 CONSENSUS STATEMENT 를 체택하도록 함.(AVW-0624 제4 항의 의장 서한은 일종의 CONSENSUS 를 반영한 문건으로 보아야 하며, 금번 이사회의 결과로 그 강도를 일층 강화할수 있을것임)

마. 결의안 내용과 문안은 최종 단계에 가서 상당히 완화하되, BLIX 사무총장의 90.6.22 자 김영남 앞 서한및 ZELAZNY 이사회 의장의 91.5.27 자 김영남 앞서한에 대한 북한의 회답불응 사실을 포함시키도록 함.

바. 한편, 금차 이사회 개막 직전까지는 아국의 외교관들이 의장의 'SUMMARY' 또는 북한 불지칭 타협안 또는 결의안 체택 중지 운운 등을 언급(USW-2522)하는 일이 없도록 해야하며, 다른 우방국들의 노력에 비추어 보아서도 본건 관련아국의 대외 REPRESENTATION 수준을 격상할 필요가 있음.

사. 이리하여 대호(0461) 1 항과 같이 호주등의 '활동을 지원하는 차원에서'가 아니라 적극적으로 이사국들의 지지를 확보하는 노력을 아국이 경주함.(지난 2 여년간 아국이 15-22 개국의 대북한 촉구 발언을 동원할 수 있었던 것은 상당할 정도로 회의 현장에서 행한 로비의 결과이었음을 첨언함). 끝.

예 고:91.12.31 일반.

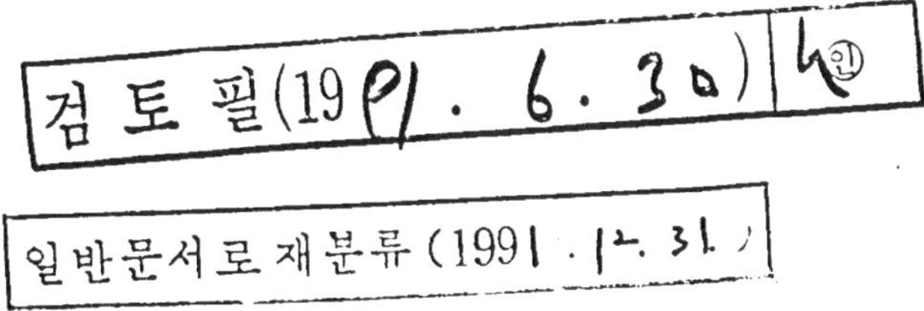

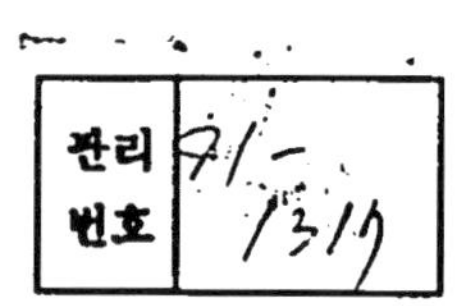

원 본

외 무 부

종 별 :

번 호 : USW-2706 일 시 : 91 0531 1910

수 신 : 장 관(미이,미일,국기,정이)

발 신 : 주 미 대사

제 목 : 북한의 핵 안전 협정 서명

금 5.31. 국무부는 북한이 IAEA 사무국측에 대해 핵안접협정 서명을 위한 협의 용의를 표명했다는 보도와 관련, 다음과 같은 보도 지침을 마련 했으나, 금일 오후중 사용되지는 않았는바 내부 참고로만 하기 바람. - 다음 -

별지

(대사 현홍주- 국장)

OES PRESS GUIDANCE MAY 31,1991

NORTH KOREA: RESUMPTION OF SAFEGUARDS NEGOTIATIONS

Q: WHAT IS THE U.S. REACTION TO NORTH KOREA'S EXPRESSED WILLINGNESS TOACCEPT INTERNATIONAL INSPECTION OF ITS NUCLEAR FACILITIES.

A: IF THE DPRK AGREEMENT TO RESUME NEGOTIATIONS WITH THE KAEA ON AN NPT SAFEGUARDS AGREEMENT IS A PRELUDE TO NORTH KOREA PROMPTLY SIGNING AND IMPLEMENTING THE AGREEMENT, WE WOULD OF COURSE WELCOME THEIR ACTION. IN LIGHT OF NORTH KOREA'S RECENT DECISION TO SEEK U.N. MEMBERSHIP, THIS WOULD REPRESENT ANOTHER STEP TO END PYONGYANG'S INTERNATIONAL ISOLATION BY COMPLYING WITH ITS OBLIGATIONS UNDER THE NPT, WHICH REQUIRES THE APPLICATION OF IAEA SAFEGUARDS TO ALL NORTH KOREA'S NUCLEAR ACTIVITIES.

IN NOVERMBER IAEA DIRECTOR GENERAL BLIX STATED THAT THE AGENCY AND NORTH KOREA WERE IN FULL AGREEMENT CONCERNING THE TEXT OF THE DOCUMENT, CONSEQUENTLY, WE BELIEVE THAT THE AGREEMENT COULD BE CONCLUDED IMMEDIATELY. WE WOULD BE PLEASED IF IT WERE SUBMITTED TO THE IAEA BOARD OF GOVERNORS MEETING ON JUNE 10.

AVAILABEL INFORMATION INDICATES THAT NORTH KOREA HAS BEEN OPERATING

미주국 장관 차관 1차보 2차보 미주국 국기국 문협국 청와대
안기부

0248

PAGE 1

91.06.01 09:22

외신 2과 통제관 BS

ANUNSAFEGUARDED REACTOR AT ITS YONGBYON NUCLEAR RESEARCH CENTER SINCE 1987 AND THAT SUBSTANTIAL NEW CONSTRUCTION IS UNDERWAY AT ITS YONGBYON NUCLEAR RESEARCH CENTER. IT IS IMPORTANT THAT THIS REACTOR AND ITS SUPPORT FACILITIES-- AS WELL AS ANY OTHER NUCLEAR ACTIVITIES IN THE DPRK-- BE BROUGHT UNDER THE COVERAGE OF IAEA SAFEGUARDS. IF AN AGREEMENT IS CONCLUDED, NORTH KOREA SHOULD BRING IT INTO FORCE AND THE PARTIES SHOULD MOVE TO IMPLEMENT ITFULLY WITHOUT DELAY.

END

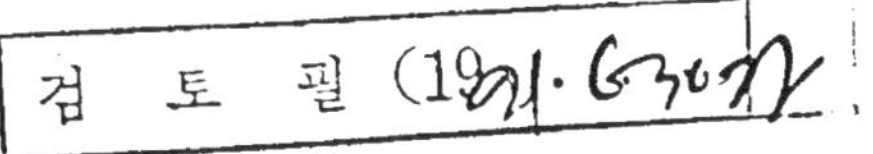

원 본

외 무 부

종 별 :

번 호 : USW-2707 일 시 : 91 0531 1910

수 신 : 장 관(미주국장)

발 신 : 주 미 대사

제 목 : 북한 핵 문제

연:USW-2687

1. 연호 관련, 유참사관이 RICHARDSON 과장에게 재차 문의한바, 동 과장은 자신이 알기로는 일본측에 여사한 자료와 브리핑을 제공한일이 없으며, 다니노 국장의 방미시에도 아측이 모르는 새로운 정보를 제공한바 없다고 답변하였음.

2. 동 과장은 본직에게 우선 브리핑을 할 것을 주선중이며 아울러 서울에도브리핑 요원을 파견할 예정이라고 하면서 조만간 동 계획을 알려주겠다고 하였음.

3. 한편, 김 과장은 정보조사국 JOHN MERILL 에게 관련 부서에 연호 확인을의뢰한바 있었는바, MERRILL 담당관은 미측으로서는 아측에 대해 국방부측 경로를 통해 브리핑을 한바 있으나, 일측에 대해서는 근간에 브리핑을 한바 없으며, 최소한 일측에 대해서는 아측보다 상세한 내용이 제공될수 없다는것이 관련부서의 응답이라고 알려왔음.끝.

(대사 현홍주- 국장)

예고:91.12.31. 일반

검 토 필 (1991.6.30.)

미주국

PAGE 1

0250

91.06.01 09:13

외신 2과 통제관 BS

6 L 6/10 길

관리번호 91-553

"한사람이 지킨질서 모아지면 나라질서"

주 호 주 대 사 관

호주(정) 20228- 47 1991. 5. 31.

수신 장 관

참조 아주국장, 국제기구조약국장, 정보문화국장

제목 Evans외상 서한 송부

연 : AUW-0401(91.5.27) 및 0409(91.5.28)

1. 연호 Evans 주재국 외상이 김영남 북한 외교부장앞으로 보낸 서한 사본을 별첨 송부합니다.

2. Evans 외상은 동서한에서 북한의 핵안전조치협정 불체결에 우려를 표명하고 지체없이 동협정 체결에 응하는 것이 북한을 위해서도 이익이 될 것임을 천명하였음을 참고로 첨언합니다.

첨 부 : 상기 서한 사본 1부. 끝.

예고문 : 1991. 12. 31. 일반문서로 재분류(1991. 12. 31.)

검 토 필(1991. 6. 30.)

선 람			결재(공람)		
접수일시	1991. 6. 8.	처리번호	3326		
처리과	71				

주 호 주 대

"한사람이 지킨질서 모아지면 나라질서"

0251

23 MAY 1991

Mr Kim Yong-Nam
Vice President and Foreign Minister
PYONGYANG

Dear Foreign Minister

The recent Gulf war has increased awareness of the threat posed by weapons of mass destruction and once more demonstrated the urgent need to control or eliminate these terrible weapons. The aftermath of the war thus presents an opportunity, and a challenge, to the international community to reinvigorate its efforts to prevent the spread of nuclear, chemical and biological weapons.

Heightened concern following the Gulf conflict should impart an impetus to enable governments to advance arms control and disarmament objectives. Indeed there is a widespread expectation of early and effective measures in this direction. The opportunity, however, must be seized if it is not to pass us by.

The most serious threat of an outbreak in the proliferation of non-conventional weapons is in the Middle East. Thankfully, the Asia-Pacific region has so far been largely spared the proliferation of these weapons but we must re-double our efforts to ensure that proliferation does not increase globally and that our own region remains free of such pressures.

I strongly believe that the only long term means of controlling and eliminating these weapons is through effective multilateral agreements. There is an urgent need to strengthen existing multilateral arms control arrangements, in particular the Nuclear Non-Proliferation Treaty, the Biological Weapons Convention, and to conclude a convention banning chemical weapons.

0252

There are a number of areas where action is necessary.

Firstly, the NPT is fundamental to international and regional security. It has served the security, trade and nuclear cooperation interests of the Asia-Pacific region very well and in my view should be extended indefinitely in 1995. Accession to the Treaty by China and Myanmar should be important objectives for the region.

Continuing effort is also required to strengthen the Treaty and to ensure its strict implementation by States. In this regard you can be in no doubt about the deep concern that has been aroused in the international community, and particularly among the countries of the Asia-Pacific region, over the failure of the Democratic Peoples' Republic of Korea to conclude the Safeguards Agreement with the International Atomic Energy Agency required by the NPT and over your country's continuing operation of unsafeguarded nuclear facilities.

This concern has been expressed on a number of occasions by a large number of states, including at the IAEA Board of Governors and at the Fourth Review Conference of the NPT in August last year.

The conclusion of a safeguards agreement covering all of a state's peaceful nuclear activities with the IAEA is an unconditional requirement under the NPT and cannot be made contingent upon the actions of another state.

The Democratic Peoples' Republic of Korea's unsafeguarded nuclear activities have generated deep suspicions regarding its nuclear intentions and this could have consequences which would not be in the interests of the DPRK itself or the wider Asia/Pacific region. I therefore urge the DPRK to honour its obligations without delay.

The Convention on the Physical Protection of Nuclear Material is another worthwhile multilateral instrument for the control of nuclear material. Only seven regional countries are parties. I urge the the Democratic Peoples' Republic of Korea to accede to that convention and thereby further enhance the existing nuclear non-proliferation regime.

Secondly, in my view, the international community should be seeking an early conclusion of the Chemical Weapons Convention as a practical objective of the post-war agenda. For real progress to be made in the Conference on Disarmament in Geneva there is a need to bring to bear the political impetus and the authority which can be provided by ministers. To this end Australia is advocating an early meeting of the Conference on Disarmament at Ministerial level to resolve outstanding issues.

0253

I would see great advantage in such a meeting taking place at an early opportunity so that it benefits from the pressures of post-war opinion imposing the sense of urgency essential to its success.

Thirdly, another multilateral instrument in place, but also in need of strengthening, is the Biological Weapons Convention. As a state party to the Convention the Democratic Peoples' Republic of Korea has shown its commitment to a world without biological weapons. The Third Review Conference of the Biological Weapons Convention will take place in September this year. I hope The Democratic Peoples' Republic of Korea will participate in the Review Conference and join Australia and others in considering how to improve the effectiveness of the Convention.

As a final point, I would like to underline that countries with a capacity to supply materials, equipment and technology relevant to weapons of mass destruction such as Australia and the DPRK should carefully regulate their exports. Australia has stringent controls on such exports including on missiles and missile-related technology and I urge the DPRK to review the adequacy of its export controls to ensure that its activities do not contribute to arms races or increased tensions in particular regions.

I am writing to Foreign Ministers in the Asia-Pacific region, urging them to support international efforts to address these issues and to take action wherever appropriate. It is very important that countries of the region act together to constrain the proliferation of weapons of mass destruction and Australia looks forward to co-operating closely with other countries of the region in this crucial endeavour.

Yours sincerely

GARETH EVANS

0254

23 MAY 1991

HE Lee Sang Ock
Minister of Foreign Affairs
SEOUL

Your Excellency

The recent Gulf war has increased awareness of the threat posed by weapons of mass destruction and once more demonstrated the urgent need to control or eliminate these terrible weapons. The aftermath of the war thus presents an opportunity, and a challenge, to the international community to reinvigorate its efforts to prevent the spread of nuclear, chemical and biological weapons.

The most serious threat of an outbreak in the proliferation of non-conventional weapons is in the Middle East. Thankfully, the Asia-Pacific region has so far been largely spared the proliferation of these weapons but we must re-double our efforts to ensure that proliferation does not increase globally and that our own region remains free of such pressures.

Heightened concern following the Gulf conflict should impart an impetus to enable governments to advance arms control and disarmament objectives. Indeed there is a widespread expectation of early and effective measures in this direction. The opportunity, however, must be seized if it is not to pass us by. As some governments, unfortunately, remain inclined towards the acquisition of weapons of mass destruction.

I strongly believe that the only long term means of controlling and eliminating these weapons is through effective multilateral agreements. There is an urgent need to strengthen existing multilateral arms control arrangements, in particular the Nuclear Non-Proliferation

0255

Treaty, the Biological Weapons Convention, and to conclude a convention banning chemical weapons.

There are a number of areas where action is necessary. First, in my view an early conclusion to the Chemical Weapons Convention is a practical objective of the post-war package of security measures. I have been very pleased with the co-operation between Australia and the Republic of Korea on promoting support for the Convention within the Asia - Pacific region.

For real progress to be made in Geneva, however, there is a need to bring to bear the political impetus, the experience and the authority which can be provided by ministers. To this end Australia is advocating an early meeting of the Conference on Disarmament at ministerial level to resolve outstanding issues. Such a meeting would form a major, practical step within the larger framework of the post-war agenda.

I would see great advantage in such a meeting taking place at an early opportunity, at least well within this year, so that it benefits from the pressures of post-war opinion imposing the sense of urgency essential to its success.

Secondly, the NPT is fundamental to international and regional security. It has served the security, trade and nuclear cooperation interests of the Asia-Pacific region very well and in my view should be extended indefinitely in 1995. But continuing effort is required to strengthen the Treaty, both through its strict implementation by States Parties and through the accession of those few states which have yet to adhere to it. Accession to the Treaty by China and Myanmar should be important objectives for the region.

The one source of concern in the region about nuclear proliferation is the Democratic Peoples' Republic of Korea. Concern about its operation of unsafeguarded facilties and its persistent failure to conclude the NPT's mandatory safeguards agreement with the International Atomic Energy Agency is, I believe, increasing throughout the Asia/Pacific region.

I appreciate the responsible manner in which the Republic of Korea has handled this issue. For its part Australia will continue to work assiduously with the Republic of Korea to discourage North Korea from proceeding to develop nuclear weapons. Australia will be pleased to support the election of the Republic of Korea to the IAEA Board of Governors in September this year and looks forward to cooperating in that forum on this and other matters of mutual concern.

0256

I would also urge the Republic of Korea to examine ways, perhaps in the context of your reconciliation dialogue, to dissuade the DPRK from pursuing the idea of a nuclear weapon option.

During the last bilateral Australia/ROK nuclear consultations in Canberra in February 1990, there was discussion of nuclear export controls. Australia suggested that the Republic of Korea might find it useful to join the Zangger (NPT Suppliers) Committee and offered to sponsor a membership application by your country. Australia would also be pleased to support Korean membership of the Nuclear Suppliers Group. It would be a significant contribution to the nuclear non-proliferation regime if the Republic of Korea were to join these two groups and use their guidelines as the basis of its nuclear export controls.

The Convention on the Physical Protection of Nuclear Material is a further worthwhile multilateral instrument for the control of nuclear material. The Convention's First Review Conference will be held in September 1992. Only seven regional countries, including Australia and the Republic of Korea, are parties to the Convention and I suggest that we work together to encourage those countries in the Asia-pacific region which are not yet Parties to the Convention to adhere to it.

Thirdly, another multilateral instrument in place, but also in need of strengthening, is the Biological Weapons Convention. As a state party, the Republic of Korea has shown its commitment by both policy and practice to a world without biological weapons. The Third Review Conference of the Biological Weapons Convention will take place in September. I hope the Republic of Korea will participate in the Review Conference and join Australia and others in considering how to improve the effectiveness of the Convention.

I am writing to Foreign Ministers in the Asia-Pacific region, urging them to support international efforts to address these issues and to take action wherever appropriate.

0257

It is very important that countries of the region act together to constrain the proliferation of weapons of mass destruction and Australia looks forward to co-operating closely with other countries of the region in this crucial endeavour.

Yours sincerely

GARETH EVANS

0258

외교문서 비밀해제: 북한 핵 문제 5

북한 핵 문제 IAEA 핵안전조치협정 체결 1

초판인쇄 2024년 03월 15일
초판발행 2024년 03월 15일

지은이 한국학술정보(주)
펴낸이 채종준
펴낸곳 한국학술정보(주)
주 소 경기도 파주시 회동길 230(문발동)
전 화 031-908-3181(대표)
팩 스 031-908-3189
홈페이지 http://ebook.kstudy.com
E-mail 출판사업부 publish@kstudy.com
등 록 제일산-115호(2000. 6. 19)

ISBN 979-11-7217-078-3 94340
979-11-7217-073-8 94340 (set)

책에 대한 더 나은 생각, 끊임없는 고민, 독자를 생각하는 마음으로 보다 좋은 책을 만들어갑니다.